Beck'sche Schwa
Band 267

WOLF D. GRUNER

Die deutsche Frage

Ein Problem der europäischen Geschichte seit 1800

VERLAG C.H. BECK MÜNCHEN

CIP-Kurztitelaufnahme der Deutschen Bibliothek

Gruner, Wolf D.:
Die deutsche Frage : e. Problem d. europ. Geschichte seit 1800 / Wolf D. Gruner. – München : Beck, 1985.
(Beck'sche Schwarze Reihe ; Bd. 267)
ISBN 3 406 08467 2
NE: GT

ISBN 3 406 08467 2

Einbandentwurf von Rudolf Huber-Wilkoff, München
Umschlagbild: Humoristische Karte von Europa im Jahre 1914
(Ausschnitt), Wehrgeschichtliches Museum Rastatt

Gesamtherstellung: C. H. Beck'sche Buchdruckerei, Nördlingen
Printed in Germany

Inhalt

Vorwort

Am 23. November 1978 beschloß die Kultusministerkonferenz der Länder Richtlinien zur deutschen Frage im Unterricht. Sie verwies dabei auf die besondere Aufgabe der Schule. Diese solle dazu beitragen, „das Bewußtsein von der Einheit der deutschen Nation in ihrem Anspruch auf Selbstbestimmung in Frieden und Freiheit in der Jugend wachzuhalten".

Es wird hervorgehoben, daß die deutsche Frage zugleich eine *europäische* ist: „Im Geschichtsunterricht muß daher die Entwicklung der deutschen Frage behandelt werden, die immer auch ein europäisches Problem war: wie das Streben des deutschen Volkes nach nationaler Einheit mit den Interessen der deutschen Nachbarn zu vereinbaren ist."

Die Richtlinien sehen die Behandlung der deutschen Frage im Unterricht nicht als „Wiedervereinigungslehre" an. Vielmehr sollen die aus der Teilung entstandenen Probleme in den internationalen Zusammenhang eingebunden, ihre Ursachen und Entwicklungen vor dem Hintergrund der deutschen und europäischen Geschichte der letzten Jahrhunderte erörtert und analysiert werden. Dies ist eine wesentliche Voraussetzung für mündige Bürger, „an den deutschen Angelegenheiten sachgerecht mitwirken" zu können.

Die gegenwärtige Diskussion über die deutsche Frage in Politik und Wissenschaft zeigt, daß die politische Dimension der deutschen Frage deren historische Wurzeln im Bewußtsein der Menschen dieses Landes verdrängt hat. Dabei ist die Realität von zwei Staaten in Deutschland überhaupt nur vor dem Hintergrund der historischen Erfahrungen mit dem europäischen Volk der Mitte seit dem 19. Jahrhundert richtig zu verstehen und einzuordnen. Gerade im Zusammenhang mit der jüngst wieder aufgebrochenen, oft unreflektiert national-romantisch geführten Diskussion über die deutsche Nation, über die Identität der Deutschen und über das

Deutschlandproblem gewinnt bei der Suche nach Lösungen das Wissen um die historischen Wurzeln der deutschen Frage grundlegende Bedeutung.

Als Leitgedanke zieht sich durch das ganze Buch die Frage, wie das Spannungsverhältnis zwischen dem anerkannten Wunsch der Deutschen nach einem gemeinsamen Verfassungsdach – und hierfür boten sich verschiedene Optionen an – und den Bedürfnissen der europäischen Nachbarn nach einer Stabilisierung des europäischen Staatensystems durch die politisch-territoriale Organisationsform Mitteleuropas in befriedigender Weise gelöst werden kann.

Unsere Nachbarn anerkennen zwar heute das Recht der Deutschen auf nationale Selbstbestimmung, befürchten jedoch, ein deutscher Zentralstaat könnte für Europa erneut eine „kritische Größenordnung" annehmen und so das gefundene Gleichgewicht für das europäische Regionalsystem der Nachkriegszeit destabilisieren.

Mit meiner knappen Darstellung der deutschen Frage seit dem ausgehenden 18. Jahrhundert möchte ich u. a. Lehrer anregen, diese in ihrer nationalen und europäischen Dimension integriert in den Geschichtsunterricht zum 19. und 20. Jahrhundert einzubringen, ist es doch höchst problematisch, wenn die deutsche Frage isoliert als Sonder- oder Pflichtthema allein am Beispiel der Nachkriegsgeschichte erörtert wird.

Dem an der Problematik Interessierten möchte ich in verständlicher und übersichtlicher Form zentrale Informationen zur historischen Dimension eines komplexen, aktuellen Themas anbieten.

Meiner lieben Frau und meinen beiden Töchtern Sibylle und Gisela sei an dieser Stelle für die große Geduld gedankt, mit der sie über Jahre meine „deutsche Frage" ertragen haben. Meine Frau hat die Entstehung des Manuskriptes mit konstruktiv-kritischem Kommentar begleitet. Sie hat großen Anteil daran, daß dieses Buch jetzt der Öffentlichkeit übergeben werden kann. Ihr ist dieses Buch gewidmet.

Hamburg, Sommer 1984

1. Die deutsche Frage – Aktualität und historische Dimension

1.1. Gegenwartspolitische Perspektiven

„Die deutsche Frage ist wieder da!" Als Thema hat sie seit dem Ende der siebziger Jahre eine Renaissance erfahren und stößt in der politischen Öffentlichkeit wieder auf zunehmendes Interesse. Der vielfach geäußerte Eindruck, die deutsche Frage sei zur grundgesetzlichen Pflichtübung, zum sisyphushaften „Anrennen gegen die Resignation" (Rudolph) im verordneten bildungspolitischen Bereich degeneriert, sei nur noch ernsthaft ein Thema für Leitartikler und Festredner bei besonderen Anlässen, ist insbesondere heute kaum zutreffend. Scheinbar unvermittelt hat die deutsche Frage eine „beträchtliche Brisanz" erhalten, eine außerordentliche politische Tiefendimension. Schlaglichtartig wird wieder bewußt, daß ein unauflösbarer Zusammenhang zwischen der deutschen Frage und der Frage nach der europäischen Ordnung und der europäischen Sicherheit besteht. Gerade die europäische Dimension ist es, die sie in jüngster Zeit aus dem weltpolitischen Abseits wieder hervorgeholt hat, in das die deutsche Frage, trotz aller Versuche der Deutschen, seit 1959/61 geraten war. Ihre „Wiedergeburt" ist nicht zufällig.

Ende der fünfziger Jahre wurde die deutsche Frage aus sicherheitspolitischen Erwägungen von der weltpolitischen Tagesordnung abgesetzt. Das atomare Patt der Weltmächte und der „Sputnikschock" verringerten das Interesse der Westmächte an einer aktiven Wiedervereinigungspolitik. Abrüstung und Entspannung erhielten Priorität. Die Staatsräson der USA gebot es, angesichts der unkalkulierbaren Risiken eines Atomkrieges die nach 1945 in Europa entstandene politisch-territoriale Ordnung abzusichern und das europäische Regionalsystem als einen wichtigen Baustein der globalen internationalen Ordnung zu stabilisieren. Aus dieser

Perspektive war es logisch und sinnvoll, von den Deutschen ein Opfer zu verlangen. Sie sollten im Interesse von Sicherheit und Gleichgewicht in Europa ihr Recht auf nationale Selbstbestimmung aufgeben und die Teilung ihres Landes auf Dauer hinnehmen. Die beiden deutschen Staaten schienen sich mit dieser Situation abzufinden und wurden als Musterschüler in das jeweilige Bündnissystem integriert.

Wie sich heute zeigt, wurden die europäischen Sicherheitsfragen durch den Versuch der Festschreibung der Teilung Deutschlands nicht gelöst. Es ist irrig zu glauben, daß ein einmal festgelegtes Gleichgewicht statisch bleibt und keinem Veränderungsprozeß unterworfen ist. Hinzu kommt, daß das Fehlen eines Friedensvertrages den Siegermächten die 1945 übernommene Verantwortung für ganz Deutschland beließ. Diese hat sie in Mitteleuropa auch militärisch gebunden.

1959/61 hatte die atomare Bedrohung die deutsche Frage aus dem Rampenlicht der Weltpolitik verschwinden lassen. Heute sind es gerade die schwer abschätzbaren Folgen eines atomaren Schlagabtausches der Supermächte, die Diskussionen über einen begrenzten Atomkrieg, die Sorge, Europa könnte dann zum Schlachtfeld werden, und die daraus resultierende existenzielle Angst angesichts der Raketenarsenale auf beiden Seiten der Demarkationslinie, die dazu beigetragen haben, der deutschen Frage eine neue politische Brisanz zu verleihen. Die vor diesem Hintergrund geführte Nachrüstungsdebatte hat auch die Diskussion über die deutsche Frage verändert. In der Öffentlichkeit werden wieder „nationale Zungenschläge" vernehmbar. Es wird ein neuer Patriotismus gefordert, dessen primäre Aufgabe es sein sollte, die nationalen Interessen Deutschlands zu verfolgen. Ausgelöst durch die Auseinandersetzungen über die Stationierung amerikanischer Mittelstreckenraketen auf dem Territorium der Bundesrepublik, wird der Austritt beider deutscher Staaten aus ihren Militärbündnissen und eine Neutralisierung Mitteleuropas verlangt. Deutschland würde durch Neutralisierung und Blockfreiheit wiedervereinigt und aufhören, ein besetztes Land zu sein. Aus der Sicht einer primär national orientierten Politik haben diese Überlegungen zweifellos eine große Faszination. Besonders diskutiert in der Friedensbewegung, werden sie Bestandteil der deutschlandpolitischen Erörterungen bleiben. Modelle dieser Art und ähnliche Diskussionen sind aus den fünfziger Jahren bekannt. Sicherlich hat die Neutralisierung als Alternative zur Teilung Deutschlands große Anziehungskraft. In den Diskussionen bleibt jedoch unklar, welche Neutralität angestrebt werden soll, eine auferlegte oder eine freiwillige? Eine Deutschland von anderen Mächten auferlegte Neutralität, die Interventionsmöglichkeiten Tür und Tor öffnen würde, wäre aufgrund der historischen Erfahrungen höchst problematisch. Eine freiwillige Neutralität, wie sie die Niederlande bis zum Zweiten Weltkrieg verfolgt haben, klingt wie ein faszinierendes Patentrezept für eine dauerhafte Regelung des Deutschlandproblems. Doch die geographische Lage Deutschlands, das ihm zur Verfügung stehende Gesamtpotential an Menschen und Ressourcen und die *historischen Erfahrungen* der Nachbarn mit dem europäischen Volk der Mitte bedingten und bedingen „ein natürliches Interesse an gemeinsamer Sicherung“ (Gradl), könnte Deutschland möglicherweise erneut zu einer „kritischen Größenordnung“ für Europa werden. In seinem Bericht zur Lage der Nation 1983 verwies der Bundeskanzler auf die verdrängte oder falsch verstandene historische Dimension der deutschen Frage, die „zu jeder Zeit auch eine existenzielle Frage des europäischen Gleichgewichts [war]. Dies wird immer so sein. Wer dies verkennt, wer einen neutralistischen deutschen Sonderweg in der Mitte Europas für möglich hält, der steigt aus geschichtlicher Erfahrung aus. Er erliegt einem unseligen nationalistischen Irrtum“. Ähnlich argumentiert eine Mehrheit der SPD. Die Formel von der „Verantwortungsgemeinschaft“ beider deutscher Staaten sei nicht mehr und nicht weniger „als der Ausdruck einer spezifisch deutsch-deutschen Form der Sicherheitspartnerschaft“. Soll dieses Konzept funktionieren, darf es „nicht in eine Neutralisierung führen, sondern muß zur gemeinsamen Politik der Bündnisse werden“ (Gerhard Heimann), denn die deutsche Frage ist nur mit, nicht gegen Europa lösbar.

Die national-romantischen Strömungen in der öffentlichen Diskussion der deutschen Frage, aber auch der Versuch der deutschen

Staaten, den ihnen zur Verfügung stehenden Handlungsspielraum zu nutzen, das Gespräch nicht abreißen zu lassen, den Ost-West-Konflikt zu ,,entdramatisieren" und die Sonderbeziehungen auch durch vertragliche Vereinbarungen deutlich werden zu lassen, haben im Ausland zu Besorgnissen geführt. Die deutschlandpolitische Irritation, durch national eingefärbte neutralistische Tendenzen besonders gefördert, resultiert zu einem hohen Maß auch aus einem ,,Stück kultureller Fremdheit" (Weidenfeld). Es werden nur die sich aus der geographischen Mittelage ergebenden negativen historischen Erfahrungen gesehen. Diese wirken noch zu stark nach. Sie erschweren es, das ,,alte Mißtrauen" gegen unkalkulierbare Aktionen und hegemoniale Ambitionen der Deutschen abzulegen. Der amerikanische Historiker Peter Gay hat diese Stimmungslage treffend charakterisiert, als er meinte, daß es ,,politisch notwendig, emotional jedoch ungemein schwierig ist, die deutsche Frage neu zu überdenken" (Gay 31). Im Ausland besitzt die deutsche Frage eine erstaunliche, aus der nationalgeschichtlichen Erfahrung mit Deutschland resultierende *historische Tiefendimension*. Dies gilt neben Großbritannien und Frankreich auch für andere europäische Staaten, insbesondere auch für die UdSSR und die osteuropäischen Länder. Es hat zur Folge, daß die deutsche Frage bei unseren Nachbarn mehr unter Stabilitäts- und Sicherheitsgesichtspunkten als aus dem Blickwinkel des Selbstbestimmungsrechtes der Völker begriffen wird. Die deutschen Staaten erhalten somit funktionale Aufgaben für das regionale und globale Gleichgewicht, wie es seit dem Ende des Zweiten Weltkrieges entstanden ist. Jede Veränderung der Stellung Deutschlands in Europa wirkt aus dieser Sicht destabilisierend. Hier zeigt sich ein entscheidender Unterschied im historischen Bewußtsein, der in hohem Maße die divergierenden Zielvorstellungen für die Lösung der Deutschlandfrage nach dem Zweiten Weltkrieg mitbedingt hat. Obwohl die westlichen Partner der Bundesrepublik Deutschland eine Wiedervereinigungspolitik *amtlich* unterstützen, obwohl sie im Deutschlandvertrag als Ziel ihrer gemeinsamen Politik vereinbarten, ,,zwischen Deutschland und seinen ehemaligen Gegnern [eine] frei vereinbarte friedensvertragliche Regelung für ganz Deutschland" zu schaffen, „welche die Grundlage für einen dauerhaften Frieden bilden soll“, sehen die Nachbarn die auf beiden Seiten der ideologisch-militärischen Demarkationslinie in Zentraleuropa entstandenen Nachfolgestaaten als endgültig an. Die Deutschen auf beiden Seiten müssen sich der Tatsache bewußt sein, daß der Handlungsspielraum deutsch-deutscher Politik noch immer beschnitten ist und es auf absehbare Zeit auch bleiben wird, ungeachtet der gewachsenen Bedeutung beider Staaten in ihren jeweiligen Bündnissystemen. Sie müssen sich mit dem Gedanken vertraut machen, daß eine Lösung der deutschen Frage mit Rücksicht auf das europäische und internationale Umfeld der deutschen Staaten sicherlich nur in einem größeren europäischen Rahmen vorstellbar ist und, realistisch betrachtet, wohl kaum eine Einheitslösung in traditionellen nationalstaatlichen Bahnen sein wird und sein kann. Dies ist möglicherweise auch eine große Chance, denn die „deutsche Teilung könnte dabei geradezu zur Voraussetzung des größeren freieren Europa werden“ (Theo Sommer).

1.2. Der Begriff „deutsche Frage“

Der Begriff „deutsche Frage“ wurde im Sprachgebrauch und im politischen Alltag zu einem häufig benutzten, parteipolitisch vielfach vermarkteten Terminus. Er unterliegt somit ständig der Gefahr inhaltlicher Ausweitung und Verwässerung sowie einer oft unkritischen Verwendung als Schlagwort. Eine genauere Analyse des Begriffs „deutsche Frage“ als eines politischen und historischen Begriffs verdeutlicht, daß das Ausland und die Deutschen hiermit weitgehend unterschiedliche Inhalte verbinden. Eine Begriffsdefinition erscheint daher dringend erforderlich.

1.2.1. Die „deutsche Frage“ als Politikbegriff

Mit dem Terminus „deutsche Frage“ als Politikbegriff verbinden sich seit dem Ende des Zweiten Weltkrieges in Europa *alle* mit Deutschland zusammenhängenden Fragen und Probleme. Dabei müssen wir zwischen einer *nationalen* und einer *internationalen* Ebene in der politischen Bewertung der deutschen Frage unterscheiden.

Auf *nationaler* Ebene bedeutet die deutsche Frage für die Deutschen zunächst einmal zwischen der Doppelkapitulation des Deutschen Reiches am 7./8. Mai 1945 und der Gründung von zwei Staaten in Deutschland im Jahre 1949 *die Frage nach der Erhaltung der politischen, wirtschaftlichen und rechtlichen sowie nationalen Einheit Deutschlands; seit 1949 das politische Ziel, die Teilung durch Wiedervereinigung bzw. Neuvereinigung zu überwinden.* Die Bundesrepublik Deutschland und, trotz aller Abgrenzungsversuche, auch die DDR, verstehen die 1949 geschaffene eigene Staatlichkeit als provisorisch. Beide betrachteten sich als alleinige, legitime Sprecher für das deutsche Volk, das sie auf der Grundlage einer demokratisch-föderativen bzw. einer sozialistisch-zentralistischen Verfassungs- und Gesellschaftsordnung wiedervereinigen wollen. Im politischen Bereich sind diese Momente jedoch nur *ein Aspekt* der Gesamtproblematik. Neben die Frage nach dem Verhältnis zwischen Bundesrepublik Deutschland und DDR traten als weitere „deutsche Fragen“: die *Berlinproblematik, die Grenzproblematik* (Oder-Neiße-Frage), die *Reparationsfrage,* die Problematik der *Rechtsnachfolge des Deutschen Reiches,* die *Wiedergutmachungsfrage* und auch die *Flüchtlings-/Vertriebenenfrage.*

Auf *internationale* Ebene war und ist die Frage nach der Zukunft Deutschlands von Anbeginn wesentlich komplexer, aber gleichzeitig auch eindeutiger. Die „deutsche Frage“, bzw. „das Problem Deutschland“, ist beispielsweise die Frage nach der Eingliederung Deutschlands oder seiner Teilstaaten in die europäisch-regionale und international-globale Staatenordnung der Nachkriegszeit; die Frage nach der Festlegung der künftigen politischen, wirtschaftlichen und gesellschaftlichen Ordnung Nachkriegsdeutschlands oder seiner Teilstaaten; die Festlegung der Nachkriegsgrenzen des Deutschen Reiches oder seiner Nachfolgestaaten in einem Friedensvertrag; die Regelung der Art bzw. des Umfangs der von Deutschland zu erbringenden Reparationsleistungen; die Einbindung und Integration der seit 1949 bestehenden deutschen Teilstaaten in das westliche bzw. östliche Bündnis- und Vertragssystem; die spätestens seit dem 1961 erfolgten Mauerbau in Berlin auch im Westen anerkannte Realität von zwei deutschen Staaten. Hinzu kommt heute die Funktion, die von beiden deutschen Staaten im Prozeß der Entspannung zu übernehmen ist, was hierunter auch immer in den verschiedenen politischen, ideologischen und wissenschaftlichen Lagern verstanden werden mag, sowie der Sicherung von Stabilität und friedlicher Fortentwicklung im Global- und Regionalsystem.

Während sich also die deutsche Frage für die meisten Deutschen als ein Problem der Nachkriegszeit darstellt, verbinden unsere Nachbarn in West und Ost hiermit von Anbeginn einen Komplex, der ihre eigene Nationalgeschichte und ihre Stellung innerhalb der internationalen Ordnung in Vergangenheit und Gegenwart entscheidend beeinflußt hat und weit über das Ende des Zweiten Weltkrieges in Europa zurückreicht. Die „Deutschlandfrage" als Problem der Nachkriegsordnung beginnt für sie bereits in den deutschlandpolitischen Planungen der Verbündeten der Antihitlerkoalition und auch in den Überlegungen der Nationalregierungen im Exil. Dabei spielen gleichermaßen die Erfahrungen mit dem nationalsozialistischen Deutschland eine wichtige Rolle wie auch die Erkenntnisse aus der Friedensordnung nach dem Ersten Weltkrieg. Gerade deswegen wollen heute vor allem die Mitglieder der älteren Generation in unseren Nachbarvölkern an der Tatsache der Existenz von zwei deutschen Staaten nichts ändern. Wir stoßen dabei auf die historische Dimension der deutschen Frage, die bei unseren Nachbarvölkern sehr viel tiefer und nachhaltiger angelegt ist als bei uns Deutschen.

1.2.2. Die „deutsche Frage" als historischer Begriff

Die deutsche Frage umfaßt als historischer Begriff mehr als die Teilung und die Wiedervereinigungsbemühungen seit dem Zweiten Weltkrieg. Normalerweise spricht der Historiker von einer „Frage" im Hinblick auf eine Nation oder Nationalität, wenn diese eine nationale Selbstverwirklichung in einer unabhängigen, von außen nicht gefährdeten staatlichen Organisationsform anstrebt. Das Nationale als erstrangiges politisches Gestaltungsprinzip in Europa entwickelte sich seit der Französischen Revolution von 1789. Um die Mitte des 19. Jahrhunderts wurde es zu einem dynamischen Element der internationalen Politik, d. h. die Nation wurde zu einer „vorherrschenden, alle anderen an Bedeutung übertreffenden Gruppenform" (Max Scheler).

So sprechen wir im 19. Jahrhundert beispielsweise von einer griechischen Frage, einer polnischen Frage und einer irischen Frage. Mit einer Ausnahme – Irland – lagen deren Wurzeln im ausgehenden 18. Jahrhundert, belasteten immer wieder die europäische Politik im 19. Jahrhundert und wurden erst nach dem Ersten Weltkrieg ganz oder teilweise geregelt. Es ist bezeichnend, daß sich die genannten Beispiele auf relativ kleine Nationen beziehen, die in einer europäischen Randlage leben. Dies galt und gilt nicht für die Deutschen. Doch auch für den deutschen Raum gewann das Nationale als ein politisches Gestaltungsprinzip seit der napoleonischen Zeit und insbesondere seit den Befreiungskriegen zunehmend an Bedeutung, wurde zu einem zentralen Bestimmungselement, ja zu einem integralen Bestandteil der deutschen Frage bis zum heutigen Tag.

Die historische Dimension der deutschen Frage beinhaltet mehr. Sie umfaßt die Frage „nach der deutschen Geschichte in ihrer Gesamtheit mit allen ihren Wendungen, Epochen, Widersprüchen", enger gefaßt die „Frage nach den Besonderheiten, die die deutsche Geschichte von der anderer europäischer Nationen unterscheidet, und den Schlußfolgerungen, die aus diesen Besonderheiten zu ziehen sind. Diese Folgerungen treten im 19. Jahrhundert hervor, in dem Jahrhundert, in dem die Resultate einer vierhundertjährigen Entwicklung während der Übergänge der europäischen Nationen in das Zeitalter ‚nationaler' Staatlichkeit, wirtschaftlicher und industrieller Revolution und sozialer Umbrüche deutlich werden. Jetzt erst erscheint eine deutsche Frage im engsten Sinn: als Frage der politischen Gestalt Deutschlands in einem System bürgerlich bestimmter und wirtschaftlich sich entfaltender und politisch expandierender Nationalstaaten" (Theodor Schieder 1978, 521).

In dem hier zu behandelnden Zeitraum stellte sich die Frage nach dem verfassungsrechtlichen Rahmen, dem territorialen Umfang und der Art des Fortbestandes einer nationalen Gesamtordnung der Deutschen vier Mal: 1806, 1866, 1918/19 und 1945. Sie war stets auch eine zentrale europäische Frage. Ihre Lösung unterlag daher stärker europäischen Bedingungen.

In der Geschichtswissenschaft bestehen je nach Betrachtungswinkel recht unterschiedliche Bewertungen der „historischen Inhalte" der deutschen Frage. Kontrovers ist dabei nicht allein der politische Deutschlandbegriff im Spannungsfeld von Bedeutungsüberdehnung und Bedeutungsschrumpfung. Eine wesentliche Ursache der Kontroverse liegt darin, daß es „eine deutsche Frage gleichsam im subjektiven und im objektiven Sinne gibt, nämlich als Frage, die die Deutschen an sich selbst und das Verständnis ihrer Geschichte stellen, und eine Frage, die die anderen an die Deutschen stellen" (ebda. 521). Für beide Deutungen aber ist „die deutsche Frage im weitesten Verstande die Frage nach der Rolle, die die Deutschen und Deutschland in der Geschichte gespielt haben und spielen, nach ihrem Beitrag zu den großen Kulturleistungen, aber auch nach den spezifischen Lebensformen vom Geistig-Kulturellen bis zum Wirtschaftlich-Politischen, die sie entwickelt haben. Schließlich nach dem Heil und Unheil, das sie angerichtet, worüber nur in den seltensten Fällen ein Einverständnis herzustellen war und ist" (ebda. 521).

Schieders Definition bleibt weitgehend germanozentrisch orientiert. Überhaupt zeigen die zahlreichen Definitionsversuche zur historischen Dimension der deutschen Frage unterschiedliche Akzente. So verband Gerhard Ritter, aufgewachsen in der wilhelminischen Zeit, mit deutscher Frage die Frage, „wie es gekommen ist, daß zwischen Westeuropa und uns in der Neuzeit ein stark empfundener Gegensatz politischen Denkens und politischer Lebensformen entstanden ist: ein Gegensatz, der Deutschland für die Westeuropäer erst recht eigentlich zum Problem hat werden lassen" (Ritter 1962, 11). Er sieht den Ausgangspunkt für den „deutschen Sonderweg" bereits in der Epoche der Konfessionskämpfe angelegt. Trotz der wichtigen Langzeitperspektive für die deutsche

Frage ist die Definition wenig konkret. Stärker gegenwartsbezogen ist Walther Hubatschs Deutung: „Wie kann das zahlenmäßig stärkste Volk Europas zu einer gemeinsamen politischen Willensbildung, mithin zu einer Nation kommen – wie sie in Frankreich, England, Rußland, Polen, Italien, den iberischen und skandinavischen Staaten vollzogen ist – ohne daß Frieden und Freiheit der übrigen europäischen Nationen dadurch gefährdet zu werden braucht" (Hubatsch 1962, Vorwort). Hier wird die Wechselbeziehung zwischen deutscher und europäischer Entwicklung betont und auf ein zentrales Problem für die historische Analyse des Phänomens deutsche Frage hingewiesen: *Sind nationales Selbstbestimmungsrecht der Deutschen und die Sicherheitsinteressen ihrer Nachbarn auf einen gemeinsamen Nenner zu bringen? Was hat Priorität?*

Umfassender definierte 1971 Lothar Gall die historische Dimension der deutschen Frage. Für ihn ist sie immer „zugleich ein soziales, ein verfassungspolitisches, ein außenpolitisches und auch ein wirtschaftspolitisches und kulturpolitisches Problem gewesen ..., wobei diese Probleme in sehr wechselnder und sich in unterschiedlicher Form überlagernder Beziehung zueinander standen: daß es sich also nicht nur um das isolierte Problem und Ziel der politischen Einigung der Mehrheit der Deutschen in einem Staat handelte" (Gall 1971, 19f.).

Zusätzlich sollten noch eigengewichtige Faktoren in die historischen Analyse von deutscher Frage einbezogen werden: – die Eigendynamik der bestehenden internationalen Ordnung, – die Rückwirkungen der gesamtpolitischen Rahmenbedingungen in anderen – vor allem europäischen – Staaten auf die Entwicklung in Deutschland.

Gerade die Berücksichtigung der „internationalen Umwelt" als Dimension der deutschen Frage öffnet den Blick über eine vorwiegend germanozentrische Betrachtungsweise hinaus. Bei der deutschen Frage im 19. und 20. Jahrhundert geht es zudem auch „um die politische Gestaltung und Ausgestaltung der europäischen Mitte" (Jüttner). Dabei sind folgende Problemkreise zu beachten:
– die politische, wirtschaftliche und staatsrechtliche Gliederung

des von den Deutschen besiedelten mitteleuropäischen Raumes, also die Frage nach ihrem politisch-sozialen System,
– die Grenzen, die diese Großgruppe mit ihren Nachbarn im Norden, Süden, Osten und Westen hat,
– das Verhalten und das Wollen des deutschen Volkes und sein Verhältnis zu den europäischen und außereuropäischen Nationen,
– die Beziehung der Deutschen zu den epochalen Leitideen und, hiermit verknüpft, die Frage nach der politischen Kultur,
– die Rückwirkungen der geopolitischen und geostrategischen Lage des deutschen Siedlungsraumes.

Eine umfassende historische Begriffsanalyse sollte auch die neue, durch die Rolle Deutschlands im weltpolitischen Gefüge der Nachkriegszeit bestimmte, historische Qualität einbeziehen.

Die ausländische Geschichtsschreibung verbindet in der Regel mit dem deutschen Problem andere Inhalte als die deutsche. Dies gilt unabhängig davon, ob sie den Deutschen und der deutschen Nationalgeschichte feindselig ablehnend, selbstgefällig oder kritisch-wohlwollend gegenübersteht. Der Tenor der deutschen Emigranten und westeuropäischen Historiker vor und während des Zweiten Weltkrieges – in hohem Maße beeinflußt durch die Erfahrungen mit dem nationalsozialistischen Deutschland – ging dahin, die deutsche Geschichte als einen „Sonderweg“ anzusehen, ja die Deutschen als einen „hoffnungslosen Fall“ zu betrachten. Ausgehend von einem negativen Psychogramm der Deutschen, erachteten sie diese als Gefahr für den europäischen Frieden. Die Deutschen müßten unter dauernder Bevormundung und Überwachung gehalten werden. Ein Exponent dieser Richtung sah im deutschen Problem in erster Linie die Frage: „Wie können die Völker Europas gegen wiederholte Ausfälle deutscher Aggression gesichert werden und wie können die Deutschen eine ruhige, friedliche Form politischer Existenz finden?“ (Taylor 1971 [1945], IX). Neue deutsche Aggressionen würden nur dann erfolgversprechend verhindert, eine friedliche Existenz der Deutschen zwischen ihren Nachbarn nur dann ermöglicht, wenn es den Westmächten gelänge, der Versuchung zu widerstehen, Deutschland als Bündnispartner gegen die Sowjetunion erneut Großmacht werden zu lassen, und wenn sich die Verbündeten der Antihitlerkoalition über Sicherungsmechanismen verständigten, die eine Wiedervereinigung auf Dauer in das Reich der Utopie verlegen würden; denn allein ein ,,geteiltes Deutschland kann ein freies Deutschland sein. Ein wiedervereinigtes Deutschland würde aufhören frei zu sein: es würde entweder ein militaristischer Staat werden mit dem Ziel, sich erneut eine europäische Hegemoniestellung aufzubauen, oder aber seine Macht würde durch eine dann erzwungene Intervention zerschlagen, sofern die früheren Kriegsverbündeten so klug sein würden, rechtzeitig gemeinsame Maßnahmen zu ergreifen" (Ebda. X).

Viele sehen den deutschen Volkscharakter als die Hauptursache für das deutsche Problem an. Deutschlands Geschichte kenne keine ,,Mäßigung" und keine ,,Normalität". Die Deutschen ,,beherrschten Europa und waren das hilflose Opfer der Beherrschung durch andere; sie erfreuten sich einer in Europa seinesgleichen suchenden Freiheit und wurden auch die Opfer von Despotismus, der in Europa keine Parallele fand; sie brachten vortreffliche Philosophen, hochgeistige Komponisten und die rücksichtslosesten und skrupellosesten Politiker hervor ... Geographisch gesehen das Volk der Mitte, haben sie jedoch in ihrem Denken und Handeln nie den Mittelweg gefunden" (Ebda. 1).

Ähnliche einseitig-negative inhaltliche Bestimmungen zur deutschen Frage aus historischer Perspektive ließen sich leicht fortführen.

Zusammenfassend läßt sich feststellen, daß die Bewertung des ,,deutschen Problems" in Vergangenheit und Gegenwart charakterisiert wird durch die Betonung

– der machtpolitischen Komponente, insbesondere seit 1871,
– der ,,kritischen Größenordnung" eines unitarisch organisierten deutschen Nationalstaates, der für seine internationale Umwelt ein Sicherheitsrisiko darstelle, sowie
– eines deutschen Sonderweges in der europäischen Geschichte.

Die These vom deutschen Sonderweg und vom deutschen Hegemoniestreben wurde durch die vorherrschende deutschlandzentrische Sicht des ,,Deutschlandproblems" und das tiefverwurzelte, seit Generationen durch Vorurteil und Erfahrung geprägte Deutschlandbild nie in Frage gestellt.

Erst jüngst wurde versucht, von einer auf Deutschland fixierten Sicht abzugehen, die deutsche Geschichte aus sich selbst heraus zu verstehen und sie in den Gesamtzusammenhang einer „sich entwickelnden europäischen und weltweiten Ordnung" einzubeziehen. Aus einer gesamthistorischen Perspektive werden die „Konsolidierung Deutschlands und die daraus resultierenden Konflikte nur [als] die natürlichen Folgen der nationalstaatlichen Evolution Europas" (Calleo 19) angesehen. Nach den Versuchen mit imperialen und föderativen Modellen seit dem Mittelalter schien im 19. Jahrhundert allein der Nationalstaat „die einzig effektive politische Formel für die Errichtung einer stabilen Regierung über moderne Gesellschaften zu sein" (Calleo 19f.). Gerade aber die Beschränkung auf „nationale Einheiten" habe zu Konflikten innerhalb des internationalen Systems geführt, die nach dem Übergang zu einer globalen internationalen Ordnung „unkalkulierbare Folgen" gehabt hätten. Wegen seiner geographischen Lage besaß Deutschland mehr Reibungspunkte mit seinen Nachbarn. Es konnte nicht, wie die USA und Rußland, in das kontinentale Hinterland expandieren und auch wegen der späten Nationalstaatsgründung schwer nach Übersee ausgreifen. Der amerikanische Historiker David Calleo kommt daher zu dem Schluß, daß sich die ‚Agressivität' Deutschlands ebenso überzeugend aus der Beschaffenheit der internationalen Ordnung erklären lasse „wie aus einer der besonderen Eigenschaften der Deutschen". Ferner betont er: „Geographie und Geschichte hatten sich verschworen, Deutschland zu einem späten, raschen, anfechtbaren und umkämpften Aufstieg zu verhelfen. Die übrige Welt reagierte darauf, indem sie den Emporkömmling zermalmte. Wenn im Verlaufe dieses Prozesses dem deutschen Staat die guten Manieren abhanden kamen und er von einem bösen Dämon besessen wurde, lautet vielleicht die richtige Schlußfolgerung nicht so sehr, daß die Kultur in Deutschland auf extrem schwachen Füßen stand, sondern daß sie überall zerbrechlich ist. Und die richtige Lehre, die daraus zu ziehen ist, könnte lauten, daß man nicht nur gegenüber Aggressoren wachsam sein muß, sondern noch viel mehr die ruinösen Konsequenzen bedenken sollte, die eintreten, wenn man einem Neuling gerechte Chancen verweigert" (Calleo 23f.).

Calleo regt daher an, die in der Forschung mit Worten oft anerkannte Wechselbeziehung zwischen innerstaatlicher Entwicklung, äußerer Politik und internationalem Umfeld ernst zu nehmen. Das Zusammenwirken zwischen äußerem und innerem Bedingungsrahmen ist besonders für das Verständnis der deutschen Frage bzw. des „historischen deutschen Problems" wichtig. Daher sollten für die historische Entwicklung Deutschlands Einflußgrößen der internationalen Politik und der internationalen Ordnung stärker berücksichtigt werden, ohne allerdings, wie bei Calleo, den innenpolitischen Bereich zu vernachlässigen. Nur aus der Wechselbeziehung der nationalen und der internationalen Ebene läßt sich das Problem deutscher Staatlichkeit als ein zentrales Moment der deutschen Frage – und damit der europäischen Ordnung – hinreichend erklären.

2. Der Bedingungsrahmen für die Entwicklung Deutschlands in seiner internationalen Umwelt

2.1. Deutschland – was ist das?

Die DDR wie auch frühere Formen deutscher Staatlichkeit, beispielsweise das Heilige Römische Reich deutscher Nation, der Deutsche Bund und der kleindeutsche Nationalstaat Deutsches Reich, benutzen bzw. benutzten das Adjektiv ,,deutsch" in ihrer Staatsbezeichnung. Die Bundesrepublik Deutschland ist der erste deutsche Staat, der im Staatsnamen die Bezeichnung ,,Deutschland" führt.

Damit stellt sich die Frage nach der inhaltlichen Bestimmung des Deutschlandbegriffes. Was ist Deutschland, wo liegt es? Im Vergleich zu anderen europäischen Ländern verbindet sich im Sprachgebrauch mit Deutschland nicht unmittelbar ein politischer Begriffsinhalt, wie dies im Falle Englands, Rußlands, Frankreichs, Italiens oder auch Japans selbstverständlich ist. Wie schwierig die politisch-inhaltliche Bestimmung des Deutschlandbegriffes ist und in welcher Bandbreite dieser sich bewegen kann, demonstrieren die Beratungen der ,,Großen Drei" auf der Konferenz von Potsdam. Während Truman und Churchill unter ,,Deutschland" das Territorium des Deutschen Reiches in den Grenzen vom 31. 12. 1937 verstanden wissen wollten – unabhängig davon, ob als Ergebnis eines Friedensvertrages *ein* Deutschland wiedererstehen oder mehrere Deutschlands geschaffen werden würden –, betonte Stalin, daß aus seiner Sicht ,,Deutschland" dasjenige sei, was aus ihm als Ergebnis des Krieges geworden sei, also 1937 abzüglich der Verluste des Jahres 1945; ein anderes Deutschland als das von 1945 existiere nicht mehr. Nach längerer Debatte einigten sich die Regierungschefs schließlich darauf, als Ausgangspunkt für ihre Beratungen formal Deutschland in den Grenzen von 1937 zu nehmen. Dieses Beispiel aus der unmittelbaren Nachkriegszeit in Europa vermag u. a. zu zeigen, daß es *politisch* keinen *allgemein akzeptierten Deutschlandbegriff* gegeben hat, weder 1945 noch in den Jahrhunderten davor. Deutschland als politischer Begriff war eher ein politisches Ziel oder Programm als eine politische Realität gewesen. Wegen eines nicht existierenden Staates namens Deutschland verband sich mit dem Deutschlandbegriff nie ein klarer, scharf umrissener geographischer, kultureller und sprachlicher Raum. Der politische, kulturgeographische, volkhafte und linguistische Begriff waren in ihrer räumlichen Ausdehnung nie deckungsgleich. Historisch bedingt, hatte sich in Deutschland im Gegensatz zu den großen westeuropäischen Nationalstaaten vor allem erst unter den Einwirkungen der Französischen Revolution und der Napoleonischen Herrschaft ein „politisches Volksbewußtsein" herausgebildet, das einen gemeinsamen nationalen Staat forderte.

Zu dem Zeitpunkt, als sich in Westeuropa zentralistische nationale Staaten ausformten, d.h. der frühmoderne Staat auf der Grundlage eines großräumigen, einheitlich organisierten Territoriums, bewohnt von der Nation, geboren wurde, hatte sich als Lebensform für die Deutschen nicht der nationale, sondern der partikulare Staat, mit partikularem Bewußtsein und partikularen Loyalitäten entwickelt. Die den Territorialherren zugewachsene Macht war so groß, daß alle Versuche der deutschen Könige und Kaiser, durch Kompetenzerweiterung eine den Frieden nach außen und innen sichernde effektive Organisationsform durchzusetzen, scheiterten.

Seit dem 16. Jahrhundert wurde Deutschland dann ein konfessionell geteiltes Land. Das Prinzip der Confessio Augustana – die Religion des Landesherren sei auch die Religion des Untertans – wurde zum wichtigsten Unterscheidungsmerkmal. In der Rangfolge der menschlichen Zugehörigkeit kam der konfessionellen Bindung größeres Gewicht zu als der politisch-herrschaftlichen, regionalen, sozialen und ethnischen. Das Faktum der Mehrkonfessionalität, das nach dem Dreißigjährigen Krieg festgeschrieben wurde, förderte die Fortexistenz des „bunten Flickerlteppichs" des Alten Reiches in seiner territorialen und auch kulturellen Vielfalt.

Konfessionelle Spaltung und Regionalisierung des Bewußtseins hatten für den Weg Deutschlands in die Moderne zentrale Bedeutung. Eine Konsequenz der Reformation war die scharfe Trennung von geistlichem und weltlichem Reich. Sie bedeutete den „Anfang von Säkularisierung und Rationalität" (Nipperdey 1979/1, 294f.). Die Kirche wurde von einer Priester- und Laienkirche zu einer von wissenschaftlich unterwiesenen und ausgebildeten Theologen. Für die Lebensorientierung gewinnen daher das Buch, die Wissenschaft und die Universität große Bedeutung, insbesondere seit dem 18. Jahrhundert. Der durch die territoriale Vielfalt geförderte Pluralismus erhält modernisierungsförderndes Gewicht. Nirgendwo anders in Europa war das Prinzip der Konfrontation und Kooperationen der Territorien und der politischen Organisationsformen so stark wie unter dem losen Dach des Heiligen Römischen Reiches deutscher Nation. Dies bedingte, wie Thomas Nipperdey betont, einen „gewissen Wettbewerb der Territorien um Effektivität und Funktionsfähigkeit und einen gewissen Veränderungsdruck", der für das Individuum den institutionellen Druck verminderte. Für die „Epochenschwelle", die der Übergang vom 18. zum 19. Jahrhundert für Europa bedeutet, können wir für Deutschland eine „fortgeschrittene intellektuelle Modernisierung" feststellen; die konfessionelle und territoriale Herrschaftsstruktur bewirkte also,

1. daß der einzelne in einem gewissen Rahmen die Möglichkeit besaß, sich die Religion, den Staat und auch die Universität aussuchen zu können, und

2. daß es im Vergleich zu den zentralistisch organisierten Staaten Europas in der deutschen Staatenwelt eine stärkere Bereitschaft zum Wandel und zur Mobilität gab.

Neben den Faktoren Religion und territorial-partikulare Vielfalt haben wir für die Modernisierung in Deutschland als weiteres Element den staatlichen Verwaltungsbereich zu berücksichtigen. Deutschland, das Alte Reich, wurde zu einem Beispiel für eine funktionierende staatliche Bürokratie. Gerade sie sollte zu einer gewichtigen Triebkraft für die Modernisierung werden. Bereits vor der Französischen Revolution von 1789 leitete das Beamtentum, orientiert an der Lösung von Sachfragen mit Mitteln der

Rationalität, in der nach 1776 einsetzenden Periode des aufgeklärten Absolutismus eine Reformpolitik ein, die das Tor zum 19. Jahrhundert aufstieß und das Ende des alten Europa einläutete (Weis 1978, 22ff.). Aktionsfeld der Reformpolitik bildete aber in Deutschland das Territorium. Überhaupt war der Bezugspunkt im Denken der Menschen das Territorium. Das den gesamten Siedlungsraum der Deutschen umspannende Band des Alten Reiches, das Einheit und Zusammengehörigkeit stiftete, war zunehmend schwächer geworden. Der Überstaat für die quasisouveränen Territorialstaaten führte zunehmend ein Schattendasein. Unter den Schlägen der napoleonischen Armeen und seiner deutschen Verbündeten ist er schließlich zerbrochen. Damit stellte sich nach den Kriegen das Problem, wie dieses zerrissene Band der deutschen Nation wieder geknüpft werden könnte. Einigkeit bestand vor allem darin, daß das Alte Reich in der Struktur von vor 1806 nicht wiedererstehen konnte und sollte. Allerdings bedingten die Kriege seit 1792 auch, daß die Frage der Einheit der Nation zu einem zentralen Thema wurde.

2.2. Der Charakter der deutschen Nationalbewegung

Wie auch andere europäische Nationalbewegungen bildete sich die deutsche in der Zeit der französischen Herrschaft über Europa heraus. In ihr fanden sich unterschiedliche gesellschaftliche Gruppen zusammen. Sie verband so etwas wie der Wille zur Nation, zur nationalen Einheit aller Deutschen. Diese gemeinsame politische Zielsetzung hatte verschiedenartige Motive. Voraussetzung für die Verwirklichung ihrer jeweiligen nationalen Vorstellungen wurde die Beseitigung der napoleonischen Fremdherrschaft.

Bei aller Differenzierung sind zwei Hauptströmungen erkennbar, die im Laufe des 19. und 20. Jahrhunderts charakteristisch für den ,,Doppelcharakter" dieser nationalen Sammlungsbewegung werden sollten:

1. die rationale Komponente: Die deutsche Nationalbewegung als politisch-soziale Emanzipationsbewegung;

2. die stärker irrationale Komponente: Diese Richtung verherrlichte romantisierend, idealisierend und unkritisch die eigene Geschichte und Kultur.

Wir begegnen diesen unterschiedlichen Komponenten immer wieder an den Wendepunkten deutscher und europäischer Geschichte, so nach 1814/15, 1848/49, 1870/71, 1918, 1933 und 1945. Was waren die Ursachen, die den besonderen Charakter der deutschen Nationalbewegung prägten?

Der Nationalismus wurde durch die Französische Revolution von 1789 entscheidend gefördert. Im Gegensatz zu anderen europäischen Ländern war es im Frankreich des Ançien Régime nicht zu Reformen im Sinne des aufgeklärten Absolutismus gekommen. Angesichts der Korruption und Funktionsunfähigkeit des Staates forderten die Untertanen des Königs von Frankreich Mitbeteiligung am politischen Entscheidungsprozeß. Sie wollten nicht länger Objekt politischer Herrschaft sein, sondern zum Subjekt werden. Die Untertanen des französischen Königs verbanden sich zur „einen und unteilbaren Nation". Die Nation wurde das dem einzelnen Überlegene Gemeinsame. Die Nation konstituierte sich als „politischer Wille". Sie wurde zum Ziel und zur Norm der Politik. Nation und Revolution verbanden sich. Die Selbstbestimmung nach außen offenbarte sich in dem Anspruch auf Bildung der Nation im politischen Bereich. Die innenpolitische Selbstbestimmung fand ihren Niederschlag in der Forderung nach tiefgreifenden Reformen und Veränderungen.

Die Französische Revolution gab die Initialzündung zu Nationalbewegungen mit dem Ziel der politisch-sozialen Emanzipation. Diese Form wurde zu einem gesamteuropäischen Phänomen. Als weitere Wirkungen der Französischen Revolution ergaben sich: Die Idee der Nation und ihre Ideale wurden übernommen und ideologisch überhöht. Der Erfolg der Revolution förderte die Vorstellung von der besonderen Sendung der französischen Nation und ihrer Verpflichtung, die Menschheit im Namen der Ideen von 1789 – Gleichheit, Freiheit, Brüderlichkeit – vom Joch der Tyrannei zu befreien. Durch die ideologische Komponente im Nationsgedanken ließen sich nicht allein die materiellen und personellen

Ressourcen der Nation mobilisieren, sie hatte gleichzeitig eine integrative Wirkung auf die sich als Nation begreifende Großgruppe. Mit dem Sendungsbewußtsein, die Ideen von 1789 zu verbreiten, verknüpften sich auch machtpolitisch-expansive Ziele. Die französischen Armeen unterwarfen nahezu ganz Europa. Sie verbreiteten sowohl die ,,übernational-ideologischen als auch die zivilisatorisch-modernisierenden Tendenzen der Französischen Revolution über den Kontinent ... freilich ebenso ihre willkürlichen und gewalttätigen Merkmale: Annexionen, Zwangsbündnisse und Satellitenregime" (Bracher 1979, 22). Die Besatzungsherrschaft, die wirtschaftliche Benachteiligung der Deutschen, die finanziellen Folgen der zahlreichen Kriege Napoleons als auch die durch Bündnisverträge bedingte Verpflichtung der meisten deutschen Staaten, für die kaiserlichen Armeen Truppenkontingente abzustellen, führten in Deutschland zum nationalen Widerstand gegen das als Fremdherrschaft empfundene Regime Napoleons.

Die unmittelbare Erfahrung der ,,Franzosenherrschaft" veränderte die Idee der Nation nachhaltig. Sie verlor ihren primär weltbürgerlich-kulturellen Charakter. Die Vorstellung von der Kulturnation, die der ,,politischen Einheit nicht bedurfte und so gerade weltbürgerlich bleiben konnte ... wurde nun entscheidend politisiert" (Nipperdey 1979/2, 6). Die Nation mußte nach innen und außen befreit werden. Es mußte eine zur nationalen und internationalen Existenzsicherung geeignete politische Organisationsform für Deutschland gefunden werden. Wie diese aussehen sollte, darüber bestanden innerhalb der Nationalbewegung unterschiedliche Vorstellungen. Gemeinsames Ziel der in der Nationalbewegung zusammengeflossenen Strömungen war es jedoch, die französischen Eroberer von deutschem Boden zunächst zu vertreiben.

Gerade diese Tatsache ermöglichte es, daß die Wortführer des nationalen Gedankens im Deutschland des beginnenden 19. Jahrhunderts, beispielsweise Ernst Moritz Arndt, Fichte und der Freiherr vom Stein, von einer Geschichtsschreibung vereinnahmt werden konnten, die die deutsche Geschichte im 19. Jahrhundert vom Ergebnis der Reichsgründung als der einzig möglichen Form der Lösung der deutschen Frage im 19. Jahrhundert her betrachtete und vom Standpunkt nackter machtpolitischer Interessen deutete. Diese Darstellungsweise hat entscheidend dazu beigetragen, das Bild von der deutschen Geschichte im In- und Ausland zu verzerren. Vor allem im Ausland entstand ein Negativbild von der deutschen Geschichte, das sich unter dem Eindruck des Nationalsozialismus und seiner Politik verstärkte. Die einseitige Rezeption der rein machtstaatlichen Komponente der deutschen Nationalbewegung verdrängte die Tatsache, daß die deutsche Nationalbewegung keine homogene, in sich geschlossene Gruppe darstellte. Sie war vielmehr ein Sammelbecken für die unterschiedlichsten, oftmals vor allem in ihren innenpolitischen Zielsetzungen gegensätzlichen Strömungen.

Beide Pole der deutschen Nationalbewegung – wie die europäischen Nationalbewegungen überhaupt – kritisierten die Ergebnisse der europäischen Neuordnung von 1814/15. Insbesondere die deutsche Nationalbewegung *überschätzte* ihren eigenen Beitrag an der Befreiung Deutschlands und Europas vom napoleonischen Joch. Sie verkannte die tatsächlichen, komplexen Zusammenhänge, die für den Prozeß einer friedenssichernden europäischen Neuordnung eine zentrale Rolle spielten. Weder war eine Rückkehr zum Alten Reich von vor 1806 mit Reformen im Sinne einer nationalstaatlichen Einheit, noch eine radikale Umgestaltung im politisch-sozialen und ökonomischen Bereich unter Mißachtung gewachsener historischer Einheiten möglich.

In der deutschen Nationalbewegung entstand die Vorstellung, daß „ein grausames Geschick das deutsche Volk um die mühsam erkämpften großen Errungenschaften gebracht habe“ (Joll 1968, 30). Die Nationalbewegung wollte nicht einsehen, daß nach den Erfahrungen mit der napoleonischen Universalmonarchie ein mächtiges Gravitationszentrum in Mitteleuropa in der Form einer deutschen nationalen „einzigen und unumschränkten Monarchie“ für die internationale Ordnung untragbar gewesen wäre. Enttäuscht mußte sie daher 1815 auf das ‚Prinzip Hoffnung‘ setzen. Sicherlich wurde dadurch die Neigung zu Utopien, wie sie uns beispielsweise in den Territorialplänen der Paulskirche begegnen sollten, gefördert. In falscher Einschätzung der geopolitisch und geostrategisch neuralgischen Zentrallage und der sich für die europäischen Nachbarn hieraus ergebenden ordnungs- und sicherheitspolitischen Prioritäten, überhörten sie die Ermahnung des Historikers Heeren, der 1816 bei der Eröffnung der Bundesversammlung des Deutschen Bundes in Frankfurt am Main die damals wie heute gültige Wahrheit aussprach, daß es den Nachbarn der Deutschen, ja der internationalen Ordnung insgesamt, „nicht gleichgültig seyn [kann], wie der Centralstaat von Europa geformt ist!" (Heeren 11). Ein deutscher Einheitsstaat entspräche weder dem deutschen noch dem europäischen Interesse und würde „binnen kurzem das Grab der Freyheit von Europa" (Ebda. 12).

Orientierungspunkt der deutschen Nationalbewegung wurde nicht die Maxime, daß die politische Organisationsform des mitteleuropäischen Raumes im Einklang mit den Bedürfnissen des europäischen Gesamtsystems stehen muß. Vielmehr vollzog sich die Entwicklung des deutschen nationalen Denkens „vom Weltbürgertum zum Nationalstaat im wesentlichen im Geistigen, staatsfremd und fern der politischen Realität. Dadurch blieb am deutschen Nationalgefühl ein utopischer Zug haften, der im ganzen 19. Jahrhundert zu verfolgen ist" (Wilh. Mommsen). Dies gilt ganz besonders für die nachhaltig romantisch geprägte Strömung innerhalb der Nationalbewegung. Zu ihren Wegbereitern zählte Johann Gottfried Herder. Die Rückbesinnung auf das deutsche Wesen, die Volkskultur und die historisch gewachsene kulturelle Identität der Deutschen bedeutet die universale Rechtfertigung für den Willen zur eigenen nationalen Identität, zur Nationalität. Kennzeichnend für diese Richtung innerhalb der deutschen Nationalbewegung war u.a. eine romantische, unkritische, irrationale Rückwendung auf die großen Epochen der deutschen Nationalgeschichte, insbesondere auf die Zeit des mittelalterlichen deutschen Kaisertums, die Verherrlichung der eigenen Geschichte und Kultur. Die Nation wird aus dieser Perspektive nicht als Ausdruck und als Ergebnis eines politischen Willens begriffen, sondern als etwas dem einzelnen durch Sprache und Geschichte Vorgegebenes, dem er durch Geburt zugeordnet ist. Ein besonderes Merkmal dieser Strömung innerhalb der Nationalbewegung ist die entschiedene Ablehnung der Ideen von 1789. Mit der Romantik wurde somit noch in der napoleonischen Zeit ein antiaufklärerischer, antiindividualistischer Geist in die deutsche Nationalbewegung hineingetragen. Ganz verklärt und unkritisch verstand man die Nation als eine gewachsene Schicksalsgemeinschaft, der der einzelne zu dienen und für die er sich notfalls zu opfern hatte. Nationale Einheit und nationale Größe drohten somit bereits im frühen 19. Jahrhundert zu einem Wert an sich zu werden. Es sollte für diese Komponente der Nationalbewegung charakteristisch werden, daß sie alle Bestrebungen zu einer grundlegenden politischen, sozialen und auch ökonomischen Reform nachhaltig ablehnte. Bisweilen wurden „derartige Reformbestrebungen ... bereits als ‚undeutsch', als dem Geist der geschichtlichen Entwicklung der Nation widerstrebend verdächtigt ... Hier zeigt sich erstmals, daß die nationale Idee, losgelöst aus ihrem ursprünglichen Zusammenhang, auch rückwärts gewandten, reaktionären Zielen dienstbar gemacht werden konnte" (Gall 1971, 31).

Dieser Trend verstärkte sich nach der Revolution von 1848/49. Die reformerischen Kräfte innerhalb der Nationalbewegung wurden zunehmend zurückgedrängt, die Nationalidee mit der Idee des Machtstaates verknüpft. Mit der Proklamation des deutschen Kaiserreiches 1871 entstand im staatlichen Rahmen der neuen europäischen Großmacht Preußen-Deutschland, dieses halbfertigen Nationalstaates, dieser Großmacht ohne Staatsidee, durch die Umkehr der Werte und Normen ein wilhelminisch-neudeutsches Nationalbewußtsein. Die nationale Idee degenerierte „weitgehend zu einer Statusideologie" (W. J. Mommsen). Sie entwickelte aber innerhalb zweier Generationen eine alle Gruppen der Bevölkerung erfassende Integrationskraft. Das Deutsche Reich wurde um 1900 zu einem von der großen Mehrheit seiner Bürger bejahten Nationalstaat. Das Loyalitätsbewußtsein seiner Bürger orientierte sich nahezu ausschließlich an der kraftvollen Machtentfaltung des kaiserlichen Deutschlands. Für die gesellschaftliche Struktur hatte dies u. a. zur Folge, daß das Prinzip der Gleichheit durch eine gleichsam militärisch-hierarchische Ordnung auf der Grundlage von Befehl und Gehorsam verdrängt wurde. Treitschke brachte diese dem damaligen Zeitgeist entsprechende Vorstellung 1864 auf die Formel: Es sei „das Wesen des Staates zum ersten Macht, zum zweiten Macht und zum dritten nochmals Macht".

Die Verherrlichung des Machtstaates im Kaiserreich wirkte sich – ohne direkte Kontinuitätslinien zum Nationalsozialismus ziehen zu wollen – für den Gang der deutschen Geschichte im 20. Jahrhundert verhängnisvoll aus. Als Ergebnis eines übersteigerten machtpolitischen Denkens wurde die Reichsgründung nicht mehr als Endpunkt einer Entwicklung angesehen, sondern als Ausgangspunkt für die machtvolle Entfaltung der deutschen Großmacht, die ihren Platz an der Sonne nicht allein als europäische Großmacht, sondern auch als Weltmacht beanspruchte. Der deutsche Nationalismus entartete unter dieser Zielsetzung auf dem Höhepunkt des Wilhelminischen Deutschland zu einem militanten Chauvinismus. Er wurde zur politischen Religion einer neuen, rastlosen Generation mit einer „seltsam ziellosen Dynamik" (Krokow). Auf der Suche nach neuen politischen Zielen überschätzte diese *erneut* die eigenen Kräfte und Möglichkeiten Deutschlands. *Die in einer langen Periode von Frieden und zunehmendem Wohlstand aufgewachsene Generation verdrängte dabei die Erkenntnis, daß es eine auf Dauer gesicherte deutsche Staatlichkeit nur in Übereinstimmung mit der internationalen Ordnung geben könne.*

Wie realitätsfern das wilhelminische Nationalbewußtsein war, verdeutlichten dann die Kriegszielprojekte im Ersten Weltkrieg. Realitätsfern war es auch, daß sich die Deutschen nach der Niederlage und Revolution von 1918 mit der Niederlage nicht aussöhnten, einer Niederlage, die doch immerhin die nationale Einheit im Nationalstaat erhalten hatte. Vor allem die „nationalen Kreise" waren es, die Stresemanns Außenpolitik erbittert bekämpften. Dem inhaltslosen Nationalismus Hitlers konnte es so nicht schwerfallen, das „wilhelminische Nationalbewußtsein" für seine Ziele zu mißbrauchen. Hitlers „biologischer Nationalismus" (Thomas Nipperdey) war mit der Idee des deutschen Nationalstaates im herkömmlichen Sinn letztlich unvereinbar. Die rassisch motivierte Eroberungspolitik des Nationalsozialismus, dem es nicht um die deutsche Nation und den deutschen Nationalstaat ging, rückte verständlicherweise die nationale deutsche Einheitsbewegung des frühen 19. Jahrhunderts in ein düsteres Licht.

Eine Betrachtungsweise, die ihr Augenmerk einzig und allein auf die machtstaatlich orientierte Strömung innerhalb der deutschen Nationalbewegung richtet und hieraus eine negative Kontinuität des „Volkscharakters", d. h. ein negatives Psychogramm der Deutschen, konstruiert, berücksichtigt nur einen Teilaspekt der Nationalbewegung, denn in der äußerst heterogenen nationalen Sammlungsbewegung gegen die napoleonische Herrschaft gab es auch eine starke Reformbewegung. Sie verband das Nationale mit den Forderungen nach mehr politisch-sozialer Emanzipation und war ein integraler Bestandteil der europäischen Nationalbewegungen. Es ist daher mit Recht hervorgehoben worden, daß bis zu den Revolutionen von 1848/49 die „nationale Frage" eine „europäische Frage" war: „Befreiung aus den politischen, den wirtschaftlichen, den sozialen Fesseln der überlieferten Ordnung, Selbstbestimmung des einzelnen und der ‚natürlichen' sozialen Gruppen, d. h. jener, die aus freier Verbindung und nicht aus geschichtlich gewordenen hierarchischen Zwangsorganisationen, wie etwa den Zünften, hervorgegangen waren, an ihrer Spitze die größte dieser Gruppen, die alle anderen in einer neuen, überständischen Gemeinschaft zusammenfassen und ihre Freiheit schützen sollte: die Nation" (Gall 1971, 24).

Die deutsche nationale Reformbewegung in der ersten Hälfte des 19. Jahrhunderts hatte Gemeinsamkeiten in der Zielsetzung mit den anderen europäischen Nationalbewegungen. Sie bezog ihre Impulse u. a. aus den Reichsreformbestrebungen des 18. Jahrhunderts, den Reformen in den süddeutschen Rheinbundstaaten und Preußen, den Ideen von 1789 sowie aus dem englischen Vorbild, wo man versuchte, das politisch-soziale und ökonomische System auf dem Wege schrittweiser, friedlicher und zeitgemäßer Reformen hin zum parlamentarischen Verfassungsstaat zu entwickeln. Diese Strömung innerhalb der deutschen Nationalbewegung richtete ihr Augenmerk also nicht nur auf die Zusammenfassung aller Mitglieder der deutschen Sprach- und Kulturnation in einem einzigen politischen Gemeinwesen; sie wollte auch Veränderungen in innenpolitischen Fragen. Das Bekenntnis zur nationalen Bewegung und zum Kampf gegen das zunehmend als Fremdherrschaft empfundene Regime Napoleons bedeutete zugleich ein Votum für eine grundlegende Reform an Haupt und Gliedern. Aus der Revolution von 1848/49 ging die nationale Reformpartei geschwächt hervor. Die Revolution war u. a. deswegen gescheitert, weil es aufgrund der divergierenden Strömungen innerhalb der Nationalbewegung zu keinem von allen Richtungen getragenen Programm mit einem klaren Prioritätenkatalog gekommen war. So konkurrierten in der nationalen und territorialen Zielsetzung großdeutsche und kleindeutsche Vorstellungen mit Forderungen zur politischen, wirtschaftlichen, sozialen und rechtlichen Ordnung sowie zur künftigen Verfassungsstruktur eines deutschen nationalen Staates. Einheit *und* Freiheit waren 1848/49 wie schon 1814/15 nicht gleichzeitig zu erreichen. Die zu regelnden Probleme waren unlösbar verknotet. Hinzu kommt noch ein Element, das uns im Verlaufe des 19. Jahrhunderts bei der Betrachtung der deutschen Entwicklung im Vergleich mit anderen europäischen Nationen immer wieder begegnen wird: Anderswo stellte sich die Einheits- und Freiheitsfrage nacheinander. Sie konnte unter besseren internationalen Rahmenbedingungen angegangen werden. Im deutschen Fall sollten beide gleichzeitig gelöst werden.

Bei der nationalen Reformbewegung führte die Ernüchterung über den Mißerfolg von 1848/49 keineswegs zur Resignation. Allerdings trat eine Spaltung der Reformpartei ein. Ein Teil glaubte, daß ein Zusammengehen mit dem (preußischen) Machtstaat nicht ohne die Aufgabe von grundlegenden Prinzipien möglich sein würde, während eine starke Gruppe, die späteren Nationalliberalen, überzeugt war, durch begrenzte Kooperation eine Liberalisierung des monarchischen Obrigkeitsstaates nach der Gründung eines kleindeutschen Nationalstaates durchsetzen zu können. Diese Ziele der Reformpartei ließen sich nach der Reichsgründung nicht verwirklichen. Angesichts des sich entwickelnden neudeutsch-wilhelminischen Nationalbewußtseins verlor die nationale Reformbewegung zunehmend an Wirkungsmöglichkeiten, zumal das politische „Modernisierungsdefizit" des Deutschen Kaiserreiches das

„Überleben" vormoderner sozialer Strukturen förderte. Diese sollten zu einer Belastung für die Gesellschaft im Deutschen Kaiserreich und in der Weimarer Republik werden.

Nach der Niederlage im Weltkrieg, nach der Revolution und der Ausrufung der Republik schien es 1918 zunächst, als habe sich mit dem Untergang der deutschen Dynastien auch das alte Deutschland zu Grabe getragen. Die demokratisch-reformerischen Kräfte in der deutschen Nationalbewegung glaubten den Sieg errungen und für Deutschland ‚verspätet' doch noch einen Platz unter den europäischen Demokratien erkämpft zu haben. Würde sich die Weimarer Republik auch in den Herzen ihrer Bewohner festsetzen können, wie dies die Präambel der Verfassung von 1919 hoffnungsvoll aussprach: „Das Deutsche Volk, einig in seinen Stämmen und von dem Willen beseelt, sein Reich in *Freiheit und Gerechtigkeit* zu erneuern ... hat sich diese Verfassung gegeben". Würde sich die Erwartung Eberts, die Verfassung der Republik solle den „Geist von Weimar, den Geist des wahren Menschentums" atmen, erfüllen?

Die Ideale und Hoffnungen des Aufbruchs waren bald verflogen. Der Alltag der Republik brachte für viele Enttäuschungen, bot den unversöhnlichen Gegnern des neuen demokratischen Deutschland Möglichkeiten der Verleumdung und Verunglimpfung. Den demokratischen Kräften gelang es nicht, die Deutschen mit der Niederlage im Weltkrieg zu versöhnen, die Republikgegner an den Staat heranzuführen, den Deutschen ein zeitgemäßes Nationalbewußtsein zu vermitteln und eigene Führungseliten für den demokratischen Staat in ausreichendem Umfang heranzubilden. Erst 1945 konnten sich die demokratischen Kräfte der Nationalbewegung, nach der zweiten und totalen Niederlage Deutschlands im Zweiten Weltkrieg, endgültig durchsetzen. Jetzt optierten auch diejenigen Gruppen für eine demokratische Staatsform, die der Republik von Weimar skeptisch bis ablehnend gegenübergestanden hatten.

Die Überlegungen verdeutlichen, daß der besondere Charakter der deutschen Nationalbewegung, nämlich ihre Zweipoligkeit, ein zentrales Moment der deutschen Frage seit der Wende vom 18.

zum 19. Jahrhundert ist, ja daß ihr im Bedingungsrahmen für die deutsche Geschichte in diesen zwei Jahrhunderten ein besonderes Gewicht zukommt. Die unterschiedlichen Strömungen in der Nationalbewegung warfen in der historischen Forschung immer wieder die Frage auf, ob die deutsche Geschichte seit 1800 anders verlaufen wäre, wenn sich die nationale Reformbewegung 1848 oder früher durchgesetzt hätte? Sicherlich hätte ein 1848 oder 1871 gegründeter liberaler deutscher Nationalstaat im innerstaatlichen Bereich durch den Weg der Parlamentarisierung Spannungen und Konflikte abbauen können. In den Außenbeziehungen wäre ein vom ‚preußischen Geist' befreites, liberales Deutschland in der zweiten Hälfte des 19. Jahrhunderts wegen seines Gesamtpotentials wahrscheinlich auch zu einer „kritischen Größenordnung" und damit zu einem destabilisierenden Element für das internationale System geworden. Für den Bedingungsrahmen deutscher Geschichte seit dem ausgehenden 18. Jahrhundert und damit für die deutsche Frage müssen also noch weitere nationale und internationale Faktoren eine wichtige Rolle gespielt haben. Zu berücksichtigen sind daher auch die geographische Lage und Gliederung des von den Deutschen besiedelten Raumes, die sie zu einem Volk der Mitte gemacht haben, die Bedingungen und Voraussetzungen der Wirtschaftsentwicklung und Industrialisierung sowie die Ausgangslagen für die gesellschaftliche Entwicklung.

2.3. Die Geographie

Geschichte im Sinne Johann Gottfried Herders ist in Bewegung gesetzte Geographie, d. h., für das Verständnis der Geschichte eines Volkes, eines historischen Raumes, ist die Kenntnis der geographischen Grundtatsachen von großer Bedeutung. Franz Schnabel hat nach dem Ersten Weltkrieg in einer gewichtigen Studie darauf hingewiesen, daß von allen Kulturvölkern der Erde die Deutschen durch die geographischen Rahmenbedingungen ihres Siedlungsraumes das „am schwersten belastete Volk" seien, ja daß ihre „besondere geographische Belastung" eine Sondertradition begründe. Das von den Deutschen bewohnte Gebiet liegt im Herzen des europäischen Kontinents. Es bildet keine Insel oder Halbinsel, wie dies bei den meisten Völkern Süd-, West- und Nordeuropas zutrifft. Die europäische Zentrallage machte die Deutschen, deren Siedlungsgebiet an allen Seiten an das anderer europäischer Völker und Kulturen grenzte, zum natürlichen Vermittler zwischen der romanischen und slawischen Welt. Im Schnittpunkt der wichtigsten europäischen West-Ost und Nord-Süd-Verbindungen gelegen, wurde Deutschland auch zum wichtigsten Durchgangsland für Handel und Verkehr.

Das Fehlen von natürlichen Grenzen brachte Vor- und Nachteile. So wurde der Mangel klar umrissener, durch die Geographie vorgegebener Grenzen kulturell zu einer „Quelle der geistigen Erweiterung". Franz Schnabel hat diese Zusammenhänge anschaulich beschrieben: Die kulturelle Vielfalt Europas mache den Reichtum des europäischen Lebens aus. Aber „die vielgestaltigen Glieder wurden erst durch die Anziehungskraft Mitteleuropas zu einer geographischen und geistigen Einheit zusammengeschlossen. Wie der Reiz der deutschen Landschaft zwischen der düsteren Großartigkeit des Nordens und der hellen Sonnigkeit des Südens liegt, so wiederholt sich überhaupt die Mannigfaltigkeit des Kontinents in seinem Kernlande zwischen Wasserkante und Alpenraum. Tiefland und Mittelgebirge ziehen sich vom Pariser Becken gegen Osten hin und verlaufen grenzenlos in die weite russische Ebene. Die Gliederung des Bodens kennt nicht Regel noch Anordnung und wiederholt auf dem engsten Raume alle geologischen Bildungen, die der formenreiche europäische Kontinent besitzt. Für Deutschland wurde die Tatsache entscheidend, daß keiner seiner Landschaften durch Lage und Natur ein Übergewicht gegeben war, welches die politische Einheit des Ganzen, seine Beherrschung von einem Punkte aus, sicherstellte" (Schnabel 1964, 105).

Während für die Entwicklung Frankreichs zu einem geschlossenen Nationalstaat das Seinebecken eine zentrale Funktion übernehmen sollte, konnte der Rhein für Deutschland aufgrund der Schwerpunktverlagerung nach Osten hin diese „historische Rolle" nicht spielen. Aus der geographischen Lage der Deutschen in Mitteleuropa folgert Schnabel für die neuere deutsche Geschichte: „Die verwickelten Gebirgssysteme und die auseinanderirrenden Flüsse" hätten der politischen Zersplitterung Vorschub geleistet.

Die geographische Lage blieb auch nicht ohne Rückwirkung auf die wirtschaftliche und soziale Entwicklung Mitteleuropas. Am Ausgang des Mittelalters war der mitteleuropäische Raum zum wirtschaftlichen Herz Europas geworden. Er besaß eine ökonomisch fortgeschrittene Gesellschaft. Das städtische Bürgertum war entwickelt, denken wir beispielsweise an die freien Reichsstädte Augsburg und Nürnberg. Die europäische Zentrallage bedeutete einen Vorteil gegenüber der europäischen Randlage, in der sich die Iberische Halbinsel und die Britischen Inseln befanden. Die teilweise oder gänzliche Blockade des Landweges für den Handel mit Asien durch den Vorstoß der islamischen Araberreiche und das Interesse der Europäer, die Kontrolle über den ertragreichen Asienhandel selbst in der Hand zu behalten, förderte die Suche nach neuen Land- und Seewegen nach Asien, zu den Reichtümern Chinas und Indiens. Im Zuge dieser Bemühungen wurden Amerika und andere überseeische Gebiete entdeckt. Als Ergebnis der europäischen Expansion nach Übersee rückte Westeuropa seit dem 16. Jahrhundert von einer Randlage in eine Zentrallage für den Welthandel, während parallel hierzu der Süd-Nordhandel vom Mittelmeer über die Alpen, die oberdeutschen Städte, Flüsse und Straßen nach dem europäischen Norden, Osten und Westen zurückging. Mitteleuropa wurde bis in das seit der ersten Hälfte des 19. Jahrhunderts beginnende Zeitalter der Eisenbahnen, das die wirtschaftlichen Standortnachteile auszugleichen vermochte, „von einem Zentrum des Welthandels zu einem wirtschaftlichen Rückstandsgebiet und das zur gleichen Zeit, als die Reformation viele Kräfte verzehrte und die Denzentralisation verfestigte" (Jäckel 1974, 4). Die über lange Zeit vorteilhafte kontinentale Mittellage war nun zum Hemmschuh für die Modernisierung des deutschen Raumes geworden.

Die Verlagerung der europäischen Handelsströme vom Mittelmeer und von Zentraleuropa zum und über den Atlantik bedingte den wirtschaftlichen Niedergang namentlich der oberdeutschen Städte. Der dreißigjährige Krieg beschleunigte den ökonomischen Abstieg. Er hatte für die wirtschaftliche und demographische Entwicklung Mitteleuropas lange nachwirkende negative Konsequenzen. Als Ergebnis des Westfälischen Friedens von 1648 gelangte Schweden in den Besitz der Mündungen von Elbe und Weser, die Niederlande kontrollierten die Rheinmündung. Mit Ausnahme von Hamburg und Bremen war der deutsche Raum langfristig vom internationalen Fernhandel ausgeschlossen. Hinzu kam, daß die politische Struktur des Reiches nach 1648 nicht nur ausländische Interventionen und Konfliktaustrag innerhalb des Reiches begünstigte, sondern auch die Ausbildung eines einheitlichen nationalen Wirtschaftsraumes blockierte. Die Wirtschaft stagnierte. Ein Wirtschaftsbürgertum wie in den westeuropäischen Staaten konnte sich nur zögernd entwickeln, zumal sich die „gesamte Wirtschaftspolitik ausschließlich in der Hand der landesfürstlichen Regierungen der deutschen Einzelstaaten" konzentrierte (Weis 1976, 227).

Der absolute Staat wollte in Deutschland, ebenso wie im Frankreich Colberts, die Unabhängigkeit des Landesherren nach außen fördern, die eigene Wirtschaft und die eigenen Finanzen stärken. Die politisch-territoriale Struktur des Reiches unterband jedoch in den meisten Fällen eine aggressiv-expansive merkantilistische Wirtschaftspolitik gegenüber den Nachbarn. Überhaupt weist der deutsche Merkantilismus starke Unterschiede zu Westeuropa auf. Er wirkte weniger strukturverändernd, hat aber doch zahlreiche Konsequenzen gehabt, „die dem 19. Jahrhundert und der Industrialisierung vorgearbeitet haben" (Weis):

1. Die wirtschaftliche Leistungsfähigkeit, Leistungsbereitschaft und Aktivität wurden durch den Merkantilismus und die Manufaktur gefördert.

2. Im bürgerlichen Denken konnte der Faktor Wirtschaft Priori-

tät gegenüber der Politik gewinnen. Der Bürger glaubte, ohne den Staat auskommen zu können, ja ohne staatliche Lenkung und Eingriffe in den Wirtschaftsprozeß bessere Ergebnisse zu erzielen.

3. Die unmittelbaren gesellschaftlichen Auswirkungen des Manufakturwesens blieben – im Gegensatz zum strukturverändernden Fabriksystem des 19. und 20. Jahrhunderts – jedoch relativ gering. Unter der Gesamtzahl der Erwerbstätigen machten die besitzlosen Manufakturarbeiter nur 1% aus und können daher kaum als Vorstufe für ein Industrieproletariat angesehen werden.

4. In der Zeit der größten Verbreitung der Manufaktur (1790–1810) wurden neue Erkenntnisse vermittelt, die Erfinder- und Unternehmerinitiative gefördert und die Grundlagen für die Ausbildung der nötigen Fachkräfte geschaffen. Hinzu kamen neue Gesellschaftsformen für größere Betriebe und eine entscheidende Fortentwicklung des Finanz- und Geldwesens. Hierauf konnte in der Industrialisierungsphase aufgebaut werden.

In der Epoche des aufgeklärten Absolutismus hatte sich die überkommene alteuropäische Sozialordnung bereits nachhaltig verändert (Abbau von Privilegien, Rechten und Institutionen). Den Todesstoß erhielt das Ancien Régime in Deutschland jedoch erst in der napoleonischen Zeit, in der Epoche der Reformen (1804/6 bis 1815) und des „bürokratischen Absolutismus". Treibende Kraft für Reformen waren nicht mehr die Fürsten, sondern ihre aufgeklärten Minister und ihr Verwaltungsapparat. Im Vergleich zum aufgeklärten Absolutismus ging der „bürokratische Absolutismus" systematischer vor. Vorrang hatte für ihn das staatliche Gesamtinteresse. Es entwickelte sich der Typ des von sozialen Gruppen unabhängigen Berufspolitikers. Mit ihren Reformen wollten Minister wie Montgelas, Hardenberg oder Reitzenstein aus dem Freiheitswillen der erwachenden Völker neue Kräfte für das Wohl des Staates gewinnen. Um dieses Potential nutzbar zu machen, mußten die Bürger wieder an den Staat herangeführt, die Reformmaßnahmen in der Bevölkerung verankert werden. In der Schlußphase der napoleonischen Kriege geriet jedoch die „Geschwindigkeit, mit der Reformen durchgeführt werden mußten, mit der Notwendigkeit der Beteiligung der Bevölkerung in Konflikt"

(Aretin 1980, 114). Statt jedoch den eingeleiteten Reformprozeß nach 1815 abzuschließen, stellten sich nun, nachdem der äußere Feind bezwungen war, die Fürsten vielfach an die Spitze von Gruppierungen, die wenigstens Teile der Reformen rückgängig machen wollten.

In der sozial- und verfassungsgeschichtlich für die europäische Entwicklung bis heute wichtigen Epoche des Umbruchs vom 18. zum 19. Jahrhundert wurden vielfältige Impulse für das Ende der alteuropäischen Gesellschaft durch Veränderungen im sozio-politischen und ökonomischen System gegeben, auch wenn die Reformen eigentlich überall unvollendet blieben. In Deutschland wurde dieser Prozeß des Wandels teilweise erst im Vorfeld der Reichsgründung von 1871 abgeschlossen. Dies trifft beispielsweise für die endgültige Aufhebung der Zunftrechte und die Einführung der Gewerbefreiheit zu. Bewegende Kräfte für die Abschaffung der Zünfte und der allmähliche Übergang zur Gewerbefreiheit waren u. a.:

1. Im vorgegebenen Rahmen (Zunft, Handwerk) war eine gewerbliche Produktion nicht mehr entwicklungsfähig. Nur durch die Beseitigung der von den Zünften gesetzten Grenzen schien der Übergang zu neuen Produktionstechniken (Industrialisierung) möglich.

2. In der Zunftfrage erwiesen sich die als ‚liberale Ideen' gekennzeichneten geistigen Strömungen für die entsprechende staatliche Gesetzgebung als wichtige Einflußgrößen.

In Deutschland bewirkte die Französische Revolution, daß die Zünfte immer mehr zugunsten der Gewerbefreiheit aus ihren überkommenen Positionen verdrängt wurden. Das preußische Allgemeine Landrecht von 1794 spricht erstmals von einer Neu- und Umbildung der Zünfte. Sie werden 1806 aufgelöst. Das Oktoberedikt von 1807 proklamiert dann die Gewerbefreiheit, die schließlich durch das Steueredikt vom 2. 11. 1810 verwirklicht wird. Voraussetzung für die Eröffnung eines Gewerbebetriebes war nun der Erwerb eines Steuerscheins. Die von Frankreich annektierten linksrheinischen Territorien übernahmen die französische Gewerbegesetzgebung mit dem Zeitpunkt des Anschlusses.

Vom französischen Empire abhängige Satellitenstaaten (Großherzogtum Berg, Königreich Westfalen) führten als ‚napoleonische Modellstaaten' 1808/9 die Gewerbefreiheit ein. Die süddeutschen Mittelstaaten und Sachsen, Phasen der Liberalisierung und Stagnation durchlaufend, folgten bis 1861/68. Erst die uneingeschränkte Gewerbefreiheit schuf auch in Deutschland die notwendigen Voraussetzungen für den freien Wettbewerb und die Mobilität von Kapital und Arbeit. Sie ermöglichte es, daß sich die Wirtschaftsentwicklung Westeuropas in Deutschland fortsetzen konnte.

In Großbritannien hatte der als Industrielle Revolution bezeichnete, tiefgreifende und stürmisch verlaufene Strukturwandel von Wirtschaft und Gesellschaft, der Übergangsprozeß von der handarbeitsorientierten zur maschinenarbeitsorientierten Tätigkeit mit seinen Auswirkungen auf die menschlichen Lebensbedingungen, die sozialen Bindungen und die Beziehungen zu anderen Völkern seit der Mitte des 18. Jahrhunderts eingesetzt. Die traditionellen Produktionsbedingungen der Agrargesellschaft wurden durch die Einführung des Fabriksystems (u. a. ermöglicht durch neue Energiequellen, neue Methoden der Energieübermittlung und Energieverwendung) radikal verändert. Vom britischen Fabriksystem ging „ein Demonstrationseffekt aus, der die europäischen Nachbarländer für ein Jahrhundert zu Imitatoren des Erfolges gemacht hat" (Borchardt 1978, 40). Die südlichen Niederlande (Belgien) und Frankreich wurden zu Vorreitern der Industriellen Revolution auf dem Kontinent. Dort waren alle Voraussetzungen für eine erfolgreiche Imitation gegeben. Gleiches galt aber auch für Deutschland, das trotz relativer wirtschaftlicher Rückständigkeit die Voraussetzungen mit Hilfe der Staatsbürokratie schaffen konnte. Die Rohstoffe für einen Industrialisierungsprozeß, vor allem die Kohle, waren in ausreichendem Umfange vorhanden. Der industrielle Standortnachteil gegenüber Westeuropa, die schlechte verkehrsmäßige Infrastruktur, konnten im Zeitalter der Eisenbahn beträchtlich verringert werden. Arbeitspotential und Investitionskapital waren vorhanden. Fachkräfte wurden anfangs ‚importiert'.

Von Bedeutung war allerdings, daß die Industrielle Revolution in Deutschland, trotz der Schaffung eines großen Binnenmarktes durch den Zollverein und den Auf- und Ausbau des Eisenbahnnetzes, mit voller Wucht erst nach 1850/51 einsetzte und vor allem bis 1873 eine „große *Aufschwungsspanne*" (Borchardt) erlebte. Der fortschreitende Prozeß der Industrialisierung, der Ausbau der Verkehrswege und die Beschleunigung des Warenverkehrs trugen entscheidend dazu bei, daß der Mensch von den Launen der Natur unabhängiger wurde, d.h. die Versorgung der Bevölkerung in Friedenszeiten gesichert werden konnte. Sie brachte aber auch einen Verlust an Orientierung, soziale Entwurzelung und soziale Konflikte mit sich. Zur Wahrung des inneren sozialen Friedens wurde es daher zunehmend notwendig, eine ausreichende Versorgung der Bevölkerung sicherzustellen. Der ungehinderte Warenaustausch als wichtiges Element zur Sicherung des inneren Friedens wurde so in immer stärkerem Maße auch außenpolitisch zu einem wichtigen Motiv verstärkter Friedensbereitschaft. Als erste ‚entwickelte' Industrienation einer sich herausbildenden industriellen Massengesellschaft war Großbritannien auch hier europäischer Vorreiter.

3. Die Neuordnung des europäischen Staatensystems 1814/15: Internationaler Friede durch multipolares Gleichgewicht

Das klassische System des Gleichgewichtes als Organisationsprinzip der europäischen Staatenwelt hatte sich im frühen 18. Jahrhundert herausgebildet. Es sollte die hegemoniale Stellung einer Großmacht durch den Zusammenschluß der anderen Großmächte verhindern und das Gleichgewicht durch Machtausgleich wahren. Die Revolution von 1789 und ihre europäischen Konsequenzen zerstörten das alte Gleichgewichtssystem auf Großmachtbasis. Die nationalpolitischen Ziele und die gemeinsamen Interessen hatten sich auseinanderentwickelt. Hinzu traten die Ideen von 1789, die von den französischen Revolutionsheeren durch kriegerische Expansion über ganz Europa verbreitet wurden. Die seit dem 16. Jahrhundert entstandene alteuropäische Staatenordnung sah sich mit einer politisch-gesellschaftlichen Ordnung konfrontiert, die „nicht mehr auf dem ständischen Privileg, sondern auf vernunftrechtlichen Normen" (Fehrenbach) beruhte. Die Kriege seit 1789 erschütterten die Staatenbeziehungen. Die militärischen Auseinandersetzungen nahmen einen ideologischen Charakter an. Innen- und Außenpolitik sollten künftighin in einem unauflöslichen Zusammenhang stehen. Nach den Kriegen war eine Rückkehr zum status quo ante nicht mehr möglich. Die Folgen für die politische, soziale, wirtschaftliche und territoriale Struktur Europas waren nicht rückgängig zu machen. Wie mußte die Nachkriegsordnung, die diesen vielfach unerwünschten Vorgaben Rechnung tragen mußte, aussehen? Welche Friedenssicherungs- und Konfliktregulierungsinstrumente mußten den Akteuren im internationalen System der nachnapoleonischen Zeit verfügbar sein, damit die Stabilität und die friedliche Fortentwicklung des europäischen Staatensystems, gewährleistet werden konnten?

3.1. Bedürfnisse und Forderungen für eine europäische Friedensordnung nach den Kriegen

Die Interessengegensätze in der europäischen Politik waren zu Beginn der Revolutionskriege machtpolitischer Natur. Ihr Orientierungsrahmen war die absolutistische Staatsräson. Auch die Frankreichpolitik wurde aus dieser Perspektive gesehen. Die französischen Kriegserklärungen 1792/93 drängten die alten Monarchien in einen machtpolitischen Konflikt, der von ihnen zunächst nicht ideologisch begriffen wurde. In Frankreich hatte der Volkskrieg gegen die alliierte Invasion alle Kräfte mobilisiert. Dann wurde der erfolgreiche Verteidigungskrieg zu einem Eroberungskrieg der „Sendboten der Revolution". Das neu gewonnene Gefühl von nationaler Stärke und Unbesiegbarkeit verband sich mit aggressiver Ruhmsucht. Die Tradition holte die Revolution ein: Belgien, Savoyen, Nizza und die linksrheinischen Gebiete des Heiligen Römischen Reiches deutscher Nation wurden befreit und mit Hinweis auf die Wiedergewinnung der *‚natürlichen Grenzen'* Frankreichs (Pyrenäen-Alpen-Rhein-Schelde) annektiert; die expansiv-hegemonialen Ziele wurden sicherheitspolitisch verschleiert.

Die ersten Friedensschlüsse mit der Revolution verdeutlichten das politische Selbstverständnis der Revolution und Napoleons: Im Namen der Ideen von 1789 wurden die europäischen Nachbarvölker vom Joch der Tyrannen befreit und dem französischen Staat einverleibt bzw. als Satellitenstaat in ein Abhängigkeitsverhältnis gebracht. Machtpolitik und Ideologie waren eine Ehe eingegangen. Im Grunde lag es im „Wesen der revolutionären Expansion, daß ein Ende des Krieges nicht abzusehen war" (Fehrenbach), zumal die revolutionäre Dynamik auch aus innenpolitischen Gründen erhalten werden mußte. Friedensbereitschaft und diplomatische Verhandlungen wurden daher als Schwäche, als Verrat an der Revolution und ihren Prinzipien angesehen. Diese Linie verfolgten die Republik und auch Napoleon. Friedensschlüsse besaßen *funktionalen* Charakter, um eine Koalition zu zerbrechen, die Kriegsbeute zu sichern, neue Ressourcen zu erschließen oder neue militärische Aktionen vorzubereiten. Der Frieden diente also nicht einem mittel- und langfristigen Interessenausgleich, sondern war ein Waffenstillstand vor dem nächsten militärischen Schlag. Ehe Napoleons Kriegsgegnern dies bewußt wurde, mußten sie erst einen Lernprozeß durchlaufen. Nachdem Rußland aus der 2. Koalition ausgeschieden war und einen Neutralitätsbund gebildet hatte und Österreich zum Frieden von Lunéville gezwungen worden war, griff England Napoleons Friedensangebot auf. Der 1802 geschlossene Friede von Amiens mußte zeigen, ob eine im wesentlichen bipolare Neuordnung des internationalen Systems geeignet war, die Grundvoraussetzung für eine dauerhafte und funktionierende Friedensordnung zu gewähren.

Die britischen Erfahrungen mit Napoleon, die zum Bruch des Friedens von Amiens führten, sollten zur Leitlinie für die Formulierung der britischen Kriegsziele werden. Dies ist um so wichtiger, als Großbritannien im Kampf gegen Napoleon und im Prozeß der Friedensfindung eine Schlüsselrolle zufiel. Grundlage für die Neu- und Umverteilung der machtpolitischen Gewichte in Europa mit dem Ziel eines „britischen Friedens" waren zwei Momente:

1. Großbritannien konnte als führende See-, Wirtschafts- und Handelsmacht sein politisches, wirtschaftliches, finanzielles und militärisches Gewicht als Druckmittel einsetzen;

2. die britische Politik mußte Mittel und Wege finden, die verhinderten, daß Napoleon Interessengegensätze der europäischen Mächte immer wieder für seine Ziele auszunutzen vermochte.

Hieraus ergab sich für die britische Friedensstrategie:

1. Voraussetzung für eine erfolgreiche Allianz gegen Napoleon waren vertraglich fixierte gemeinsame Kriegsziele. Die Allianzpartner verpflichteten sich, keine Separatabkommen mit dem Gegner abzuschließen. Gemeinsame Verhandlungen bei Sieg und Niederlage würden die Position der Allianz verbessern;

2. die antifranzösische Allianz sollte über das Kriegsende hinaus bestehen und als europäisches Friedenssicherungsorgan fungieren.

Die erste große Chance einer dauerhaften Allianz gegen Napoleon bot das russische Allianzangebot von 1804 an England. Die russischen Vorschläge zur Befreiung und Neuordnung Europas enthielten als Bauprinzip einer internationalen Staatenordnung:

1. die *nationale* Gleichberechtigung aller europäischer Völker;

2. die Einführung *konstitutioneller* Prinzipien als Grundlage der Verfassungsordnung;

3. die politische Stabilität Europas sollte durch ein von allen Staaten anerkanntes Völkerrecht, einen Bund der europäischen Völker und eine Schiedsinstanz gewährleistet werden. Das internationale System sollte von großen, mittleren und kleinen Staaten gebildet werden. Zur Sicherung einer stabilen Ordnung sollten in Italien, Deutschland und auf dem Balkan föderative regionale Zusammenschlüsse geschaffen werden, die dann unter den Schutz einer benachbarten europäischen Großmacht gestellt würden. So ließe sich ein Machtvakuum vermeiden und ein ‚natürliches europäisches Gleichgewicht' schaffen.

Die russischen Überlegungen sollten bis zum Abschluß der europäischen Neuordnung 1814/15 in unterschiedlicher Akzentuierung immer wiederkehren und sich mit den Vorstellungen Großbritanniens und der beiden deutschen Großmächte zumindest in den zentralen Punkten decken. Das „konstitutionelle Modell" Rußlands, dem aufklärerischen Ideal von Gesetzlichkeit, politischer Freiheit und Moralität verpflichtet, verlieh dem Wort „der Freiheit, bisher die Parole der Franzosen" (Aretin), bei den Völkern unter napoleonischer Herrschaft einen neuen Klang. Es war am Beispiel der französischen Verfassung von 1791 und dem politischen System Großbritanniens entwickelt worden. Es sollte dem konstitutionellem Prinzip europaweit Geltung verschaffen, wobei es sich jedoch als höchst problematisch erwies, ein gleiches Verfassungsmodell für historisch unterschiedlich entwickelte Territorien verbindlich zu machen.

Das britische Memorandum über die „Befreiung und Sicherheit Europas" von Anfang 1805 diskutierte vor allem die notwendigen Voraussetzungen für eine wirkungsvolle und dauerhafte Zusammenarbeit. Für die zu bildende Allianz, die Österreich und Preußen einbeziehen sollte, sah Großbritannien vor allen drei Hauptziele:

1. Die seit der Revolution von Frankreich annektierten bzw.

kontrollierten Gebiete sollten befreit und Frankreich in einem Frieden auf seine vorrevolutionären Grenzen zurückgeführt werden;

2. die befreiten Territorien sollten eine für ihre Sicherheit und künftige Entwicklung sinnvolle Organisationsform erhalten. Ihre Einbindung in ein europäisches Sicherheitssystem gegen Frankreich würde ihnen Schutz vor künftigen expansiven Ambitionen dieses Landes bieten;

3. der europäische Friedensschluß sollte durch eine allgemeine europäische Garantie und die Erneuerung des europäischen Völkerrechts ergänzt werden.

Die russisch-britische Allianz von 1805 hatte nur eine kurze Lebensdauer. Der britische Seesieg bei Trafalgar konnte den Siegeszug der napoleonischen Armeen zur vollständigen Unterwerfung des Kontinents nicht aufhalten. Im Frieden von Tilsit (1807) schuf sich Frankreich auch in Nord- und Nordosteuropa eine überragende Stellung. Rußland wurde zum napoleonischen Verbündeten auf dem Kontinent, unter scheinbarer Absteckung der gemeinsamen Interessensphären auch in Mitteleuropa.

Seit 1810/11 verschlechterten sich die französisch-russischen Beziehungen; im Sommer 1812 ging Napoleon zum Angriff gegen Rußland über. Die Katastrophe der napoleonischen Grande Armée in Rußland leitete die Kriegswende ein. Bereits im Frühjahr 1812 hatte sich eine neue antifranzösische Koalition durch Friedensverträge an der europäischen Peripherie (Ørebrød und Bukarest) gebildet. Damit wurden potentielle Konfliktzonen zwischen den beiden europäischen Flügelmächten in Nordeuropa, in der Levante und im Nahen Osten zunächst neutralisiert. Das neuformierte Bündnis konnte sich so auf die Niederringung Napoleons konzentrieren. Um Napoleon auf die Grenzen Frankreichs vor der Revolution zurückzudrängen, mußten auch die mitteleuropäischen Großmächte und die Rheinbundstaaten für eine Allianz gewonnen werden. Mit dem Vertrag von Tauroggen wechselte Preußen in das Lager der Gegner Napoleons. Österreich verhielt sich abwartend. Es hoffte auf Konstellationen, die ihm eine Führungsrolle im Friedensprozeß geben würden. Nach militärischen Rückschlägen erklärten sich Rußland und Preußen im Frühsommer 1813 bereit, ein österreichisches Vermittlungsangebot für einen Waffenstillstand anzunehmen und die metternichschen Minimalforderungen für Friedensverhandlungen zu akzeptieren. Die britischen Forderungen blieben unberücksichtigt. Österreichs an Sonderinteressen orientierten Ziele ließen die britischen Befürchtungen über ein doppeltes Spiel Metternichs auch nach Österreichs Beitritt zur Allianz nur zu gerechtfertigt erscheinen. Eine feste Allianz mit klar definierten Zielen war daher notwendig, damit die Front gegen Napoleon nicht wegen Sonderinteressen erneut aufgeweicht werden könnte.

Im Gegensatz zu Großbritannien verfolgten die anderen Großmächte im wesentlichen eine traditionelle Politik mit konventionell begrenzten Kriegszielen, die den Interessen des Augenblicks entsprachen. England als Weltmacht mit globalen politischen, wirtschaftlichen und strategischen Interessen, die zum Zeitpunkt des britischen Vorschlages für eine Defensivallianz (18. 9. 1813) zusätzlich mit einem militärischen Konflikt in Nordamerika belastet war, strebte dagegen aus Eigeninteresse eine dauerhafte, möglichst konfliktfreie europäische Friedensordnung an. Als verbindliche Kriegsziele der Allianz forderte Großbritannien:

1. Die Vertragspartner setzen alle verfügbaren Ressourcen und Machtmittel ein, um Europa vom napoleonischen Joch zu befreien. Dies werden sie nur gemeinsam tun.

2. Die Allianz soll den Krieg nur gemeinsam beenden und Verhandlungen erst nach bündnisinterner Verständigung über die Ziele aufnehmen.

3. Die Allianz soll auch nach dem Krieg zur Erhaltung und Sicherung des Friedens und zum gegenseitigen Schutz der Signatarstaaten weiterbestehen.

Über die begrenzten österreichisch-russisch-preußischen Ziele von Teplitz hinausgehend forderte Großbritannien eine gemeinsame Regelung der polnischen Frage *ohne* Frankreich. Die französische Herrschaft bzw. der französische Einfluß müßten in Nordeuropa, Italien und auf der Iberischen Halbinsel beseitigt werden. Die Niederlande sollten, wenn die Kriegslage es zuließe, sichere Grenzen gegen Frankreich erhalten.

Die in Frankfurt vorgeschlagene Rheingrenze als französische Ostgrenze war für Großbritannien unannehmbar.

Das Frankfurter Angebot an Napoleon entsprach vor allem der Interessenlage Österreichs. Metternich war zu diesem Zeitpunkt an einem frühen Frieden gelegen, weil sich neben der ungelösten polnischen Frage und der Gefahr einer weiteren Westverlagerung Rußlands seit der Völkerschlacht bei Leipzig durch die preußische Forderung, ganz Sachsen als territoriale Entschädigung zu erhalten, neuer Konfliktstoff in der Allianz angesammelt hatte. Die polnisch-sächsische Frage sollte bis zum Ende des Wiener Kongresses die Allianz gegen Frankreich immer neuen Belastungen aussetzen. In der kritischen Phase des Krieges übernahm der britische Außenminister schließlich selbst die Verhandlungsführung im Hauptquartier. In zähem Ringen mit Zar Alexander und Metternich wurde er zu einer Schlüsselfigur. Im März 1814 erreichte er den Abschluß des Allianzvertrages von Chaumont, der für die Entwicklung der internationalen Beziehungen im 19. Jahrhundert von grundsätzlicher Bedeutung werden sollte. In Chaumont hatte Außenminister Castlereagh alle wesentlichen britischen Interessen als gemeinsames Ziel der Allianz in Krieg und Frieden durchsetzen können. *Chaumont bedeutete mehr als nur die Festigung der Koalition* oder die Sicherung britischer Interessen durch Subsidienzahlungen. *Erstmals war es gelungen, eine Allianz abzuschließen, deren Zweck nicht mit dem Kriegsende als erfüllt angesehen wurde. Die Bündnisverpflichtungen bezogen sich auch auf die fortdauernde Sicherung des allgemeinen europäischen Friedens.* Trotz der Konflikte und Meinungsverschiedenheiten unter den Verbündeten wurden in Chaumont die Voraussetzungen für ein Konzert der europäischen Großmächte geschaffen. Die Großmächte verstanden sich als Interessenvertreter Europas für die Schaffung und die Sicherung eines dauerhaften Friedens. Sie sahen ihre gemeinsame Verantwortung darin, Krisen und Konflikte durch Interessenausgleich oder gemeinsame Aktionen friedlich zu lösen. In dem für die Nachkriegsordnung angestrebten multipolaren internationalen System – gebildet aus den Großmächten, großen und kleinen Mittelmächten sowie den Kleinstaaten – würde ihnen eine Führungsrolle zufallen.

Das Bündnis der Großmächte mit antifranzösischer Spitze über das Kriegsende hinaus hatte den Vorteil, daß die Klein- und Mittelstaaten, beispielsweise am Rhein, hierin eine Garantie für ihre eigene Existenz und Sicherheit erblicken konnten und daher nicht länger zu einer pro-französischen Politik gezwungen waren. Allerdings sollten die europäischen Klein- und Mittelstaaten in einen größeren Organisationsrahmen einbezogen werden, wo dies im Interesse der europäischen Neuordnung lag. Mitbedingt durch den nachhaltigen britischen Einfluß auf die Entstehung des internationalen Systems der Nachkriegszeit, erhielt dies starke sicherheitspolitische Züge. Maßgebend waren hierbei vor allem zwei Überlegungen:

1. Ein Friede des Ausgleichs und der Verständigung baut mögliches Konfliktpotential in der neuen Friedensordnung ab. 1814/15 sollte Frankreich als Großmacht erhalten; es sollte möglichst schnell in die Nachkriegsordnung reintegriert werden. Mit einem Siegfrieden war dies kaum zu verwirklichen.

2. Ein Sicherheitssystem, das die ‚natürlichen Interessen' seiner Mitglieder berücksichtigte, sollte künftige expansive Ambitionen des früheren Kriegsgegners eindämmen und ihm damit die Möglichkeit nehmen, die Friedensordnung zu destabilisieren; d. h., daß die territoriale Neuordnung unter sicherheitspolitischen Gesichtspunkten entlang der vorrevolutionären Grenzen Frankreichs erfolgen mußte.

Für das zu schaffende multipolare Gleichgewicht nach dem Kriege spielte neben der Neuordnung Italiens vor allem die künftige Organisationsform Mitteleuropas eine zentrale Rolle.

3.2. Die Bedeutung der Neugliederung Mitteleuropas

Der Reichskrieg gegen Frankreich hatte innerhalb des Reiches tiefgreifende Interessengegensätze aufbrechen lassen. Preußen schloß 1795 einen Separatfrieden in Basel. Andere Reichsstände folgten ihm in die Neutralität. Österreich mußte 1797 den Frieden von Campo Formio schließen. Beide deutsche Großmächte verspielten damals aus Eigeninteressen die reelle Chance, durch einen gemeinsamen Frieden das Reich zu einen und zu festigen. Das sich hier u. a. andeutende Hegemonieproblem sollte für die weitere deutsche Geschichte bedeutsam werden. In Basel, Campo Formio und Lunéville (1801) billigten Preußen und Österreich Frankreich den Rhein als ‚natürliche Grenze' zu. Die hiermit zwangsläufig verbundene Entschädigungsfrage für linksrheinische Verluste der Reichsstände läutete den Auflösungsprozeß des hierarchisch gegliederten Reiches ein, den aufzuhalten weder im preußischen noch im österreichischen Interesse lag. Zu Recht bemerkte daher der bayerische Gesandte in Wien: „Es kommt bloß auf Rußland, England und Frankreich an, welches Schicksal das Reich und höchstdero Staaten haben werden" (Aretin 1980, 79). Es zeigt sich hier erneut ein Strukturprinzip deutscher Geschichte, nämlich: Die Verfassungs- und Territorialfragen Deutschlands sind nicht allein deutschen Interessen und Bedingungen unterworfen. Der europäische Zentralstaat muß stets Rücksicht auf seine europäische Umwelt nehmen. Mitteleuropa liegt traditionell im Spannungsfeld divergierender Macht-, Wirtschafts- und Sicherheitsinteressen. Die deutsche Frage ist stets auch eine europäische Kernfrage.

Beide deutsche Großmächte versuchten zwischen 1792 und 1815 immer wieder, ihre machtpolitische Stellung in Deutschland auf Kosten anderer Territorien zu verbessern, um ihr Gewicht und ihren Einfluß in Europa zu erhöhen. Beide strebten daher nach einer Umgestaltung des Reiches im Sinne ihrer Interessen. Diskutiert wurde dabei immer wieder eine Aufteilung des Reiches in machtpolitische Interessenräume. Der Frieden von Lunéville (9. 2. 1801) gestand Frankreich und Rußland als Garantiemächten der Reichsverfassung in der Säkularisation geistlichen Besitzes im rechtsrheinischen Deutschland eine Mitsprache zu. Der Umfang der Entschädigung für linksrheinische Verluste war in Lunéville nicht festgelegt worden. Wenn es 1803 durch den Reichsdeputationshauptschluß (i. e. die Säkularisation *aller* geistlichen Fürstentümer) zum „Umsturz der Reichsverfassung" (Aretin) kam, so spielten hier insbesondere folgende Aspekte eine Rolle:

1. Österreich versuchte in Überschätzung seiner Möglichkeiten

die Entschädigungsfrage für sich zu nutzen und lehnte einen von Preußen akzeptierten russischen Vermittlungsvorschlag ab (Erhalt von wenigstens drei geistlichen Fürstentümern).

2. Preußen besetzte 1801, angeregt durch Frankreich und Rußland, das mit Großbritannien verbundene Kurfürstentum Hannover. Dies war der Startschuß für tiefgreifende territoriale Veränderungen in Mitteleuropa.

3. Die mittleren Territorien des Reiches (Bayern, Baden, Württemberg, Hessen) strebten zur Staatssouveränität, aus der Zwangsjacke des Reiches hinaus. Die Entstehung von geschlossenen sozialen Einheiten durch territoriale Arrondierung um einen Kern mußte zwangsläufig den hierarchisch gegliederten Charakter des Reiches zugunsten eines föderalistischen Bundes verändern.

4. Das Staatssouveränitätsprinzip der sich ausbildenden Territorien konnte aus wirtschaftspolitischen Überlegungen keine Enklaven dulden, d. h. auf die Säkularisation mußte bald die Mediatisierung der kleineren, weltlichen Reichsstände folgen (Reichsstädte, Reichsritter, Grafschaften, Fürstentümer kommen unter die Herrschaft eines Landesherren).

5. Säkularisation und Mediatisierung beraubten den Kaiser seines reichspolitischen Rückhalts. Eine Auflösung des Alten Reiches war vorprogrammiert. Preußen und Österreich mit ihrer relativen Modernität würden mit seiner Auflösung nicht mehr einer Masse von Reichsständen gegenüberstehen, sondern einer Anzahl von Mittel- und Kleinstaaten mit allen Voraussetzungen für eine moderne Staatsorganisation.

6. Zwischen Frankreich und Rußland kam es zu einer geheimen Interessenabstimmung in der deutschen Entschädigungsfrage. Unter vorläufiger Beibehaltung der Reichsverfassung lief sie auf eine Neuordnung der deutschen Staatenwelt hinaus. Das „Deutsche Reich, in Wahrheit in zwei Reiche aufgegliedert", schrieb Napoleon an Talleyrand, werde den traditionellen österreichisch-preußischen Gegensatz in Mitteleuropa wiedererstehen lassen, der im französischen Interesse liege. Diese bereits 1802 gefallenen Vorentscheidungen beließen der Reichsdeputation zur Abwicklung des „Entschädigungsgeschäftes" keinen Verhandlungsspielraum. Der

Reichsdeputationshauptschluß vom 25. 2. 1803 entsprach so dem französisch-russischen Entschädigungsplan.

Großbritannien, über Hannover selbst Reichsstand, konnte in den Entschädigungsprozeß nicht eingreifen. Im französisch-russischen Vorgehen sah es eine Verletzung der Friedensverträge von Lunéville und Amiens, was bei der Wiederaufnahme des Krieges eine Rolle spielte. Nach den Ergebnissen von 1803 wollte Großbritannien eine Neuordnung des Alten Reiches unter britischer Mithilfe, unter Ausschluß Frankreichs. Die Organisationsform mußte dergestalt sein, daß Frankreich unzufriedene Reichstände, deren Interessen zu wenig berücksichtigt zu sein schienen, nicht gegeneinander ausspielen und seinen machtpolitischen Zielen dienstbar machen konnte. Für Mitteleuropa war ein Verfassungsrahmen zu finden, der ihm nach innen und außen mehr Sicherheit und politisches Gewicht geben würde. Ein funktionsfähiger staatlicher Körper im Herzen Europas lag im europäischen Gesamtinteresse, war ohne eine österreichisch-preußische Zusammenarbeit aber nicht zu erreichen. In seinem Memorandum über die Befreiung und Sicherheit Europas von 1805 regte Pitt daher ein gemeinsames Verteidigungssystem der deutschen wie der italienischen Staaten an. Eine Sondergarantie Großbritanniens und Rußlands sollte dieses zusätzlich absichern. Durch eine Modernisierung und Reform der Reichsverfassung unter der Federführung Großbritanniens, Rußlands, Österreichs und Preußens hofften die Briten, die Funktionsfähigkeit des Alten Reiches wiederherzustellen. Georg III. und weite Teile der britischen Machtelite haben am Gedanken der Erneuerung des Reiches durch Reorganisation bis zum Wiener Kongreß festgehalten. Die nationalen und internationalen Rahmenbedingungen für diese Lösung waren jedoch bereits 1805 nicht mehr gegeben.

Die Parteigänger des Alten Reiches hatten nach 1803 nicht mehr die Kraft, oft auch kaum mehr den Willen zur Erneuerung. Politisches Prinzip der größeren Territorien wurde es, möglichst großen Territorialgewinn aus der „Konkursmasse“ des Reiches für sich zu sichern. Reforminitiativen waren hier nicht zu erwarten. Angesichts der politischen und militärischen Konstellationen von 1805/6 hatte der Hardenbergsche Verfassungsplan zur Erneuerung des Reiches auf föderativer Grundlage keine Realisierungschancen. Von Interesse ist er aber deswegen, weil die Grundgedanken in unterschiedlichen Variationen bei den Verfassungsdiskussionen der Jahre 1812–1816 immer wieder auftauchen.

Hardenberg schlug 1806 für das Reich einen aus drei Föderationen zusammengesetzten Staatenbund vor (die preußisch geführte norddeutsche, die bayerisch geführte süddeutsche und die österreichische Föderation). Der Kaiser sollte seine Vorrechte behalten.

Verwirklicht aber wurden 1806 Napoleons deutschlandpolitische Ordnungsvorstellungen. Der Preßburger Friede (26. 12. 1805) stärkte auf Kosten Österreichs die mit Napoleon verbündeten süddeutschen Mittelstaaten. Damit war ein leistungsfähiges ‚Drittes Deutschland' entstanden. Im Konfliktfall konnte es eine Pufferfunktion zwischen Österreich und Frankreich übernehmen. Darüber hinaus besaß es ein den beiden deutschen Großmächten gleichwertiges Eigengewicht. Nach Preßburg war das Ende des Alten Reiches nur noch eine Frage des Zeitpunktes. Welche neue Organisationsform würde Mitteleuropa dann annehmen? 1805/6 gab es hierfür nur zwei Alternativen:

1. *Napoleon* erneuert und führt das „Reich Karls des Großen";
2. Auflösung des Reiches und Bildung eines Süddeutschen Bundes.

Auf Initiative Talleyrands hatte sich Napoleon bereits für einen Fürstenbund unter französischem Protektorat entschieden. Die Mittelstaaten sträubten sich zunächst gegen eine vom Reich unabhängige, französisch kontrollierte Organisationsform. Ihnen wäre eine lockere, die eigene Souveränität kaum berührende Allianz sehr viel lieber gewesen. Nur unter massivem Druck unterzeichneten sie die Rheinbundakte (12. 7. 1806) und erklärten ihren Austritt aus dem Reich (27. 7. 1806). Die Niederlegung der Kaiserkrone durch den Habsburger Kaiser (6. 8. 1806) beendete die 900jährige Existenz des Heiligen Römischen Reiches. Würde Deutschland nach dem Ende des Alten Reiches nur noch ein geographischer Begriff sein? Oder konnten sich im Krieg und aus dem Krieg neue Formen des Zusammenlebens der Deutschen unter einem Verfassungsdach entwickeln, die den Interessen der Deutschen entsprachen und gleichzeitig im Einklang mit den Bedürfnissen ihrer europäischen Umwelt standen? Dies wurde zu einer Kernfrage für die Geschichte Deutschlands und Europas.

Seit dem Westfälischen Frieden (1648) war Deutschland einen an der Reichsverfassung ausgerichteten Weg gegangen. Die territorialen Veränderungen und die politisch-militärischen Entwicklungen seit 1803 leiteten in Deutschland Reformen ein. Sie sollten innerhalb weniger Jahre Deutschland ein neues Gesicht geben und Strukturen schaffen, die noch heute vorhanden bzw. spürbar sind. Die Modernisierung wurde zu einem Mittel der Selbstbehauptung und der Absicherung der Souveränität. So galt es für die Rheinbundstaaten zu verhindern, daß aus dem Defensiv- und Offensivbündnis unter dem Protektor Napoleon ein Bund gleichgeschalteter napoleonischer Modellstaaten wurde. Die Reformen der Jahre 1804/6–1815 bedeuteten einen entscheidenden Schritt auf dem Weg Deutschlands zum modernen Staat. Sie schufen darüber hinaus in den Kriegsjahren einen Rahmen, der 1814/15 eine Rückkehr zu den Strukturen des Alten Reiches unmöglich und damit die Neuordnung des mitteleuropäischen Raumes politisch und territorial erforderlich machten. Die territorial arrondierten und recht selbstbewußten deutschen Mittelstaaten waren in den Jahren des napoleonischen Umbruchs zu einem neuen, gewichtigen Faktor für die deutsche Geschichte geworden. Ihr staatliches Selbstverständnis ließ sie, ähnlich wie Preußen und Österreich, das Interesse an der Wiederherstellung der Einheit des Reiches verlieren.

Als sich 1812 die Kriegswende abzeichnete, wurde auf den verschiedensten Ebenen die Frage der zukünftigen Organisationsform Mitteleuropas diskutiert, vor allem drei Grundformen:

1. Wiedererrichtung des Alten Reiches unter dem Erzhaus Österreich mit funktionsfähiger, reformierter Reichsverfassung;

2. Kondominium Österreichs und Preußens über Deutschland mit dem Main als Grenze der jeweiligen Einflußzone;

3. eine bündische Lösung der Verfassungsfrage.

In seiner St. Petersburger Denkschrift (17. 9. 1812) diskutierte der Freiherr vom Stein die Frage der Deutschland ,,zu erteilende(n)

Verfassung". Wunschziel war ein einziger, kräftiger Staat, Alternative eine österreichisch-preußische Hegemonie in Deutschland. Voraussetzung für beide mußte die Auflösung des Rheinbundes sein. Im Grunde aber wollte Stein, das zeigen auch seine späteren Denkschriften, einen nationalen deutschen Staat mit monarchischer Spitze, unter Gewährung von Mitspracherechten an seine mündigen Bürger. Seine staatenbündischen Alternativen sind mehr eine Rücksichtnahme auf russische Wünsche als seine Überzeugung. In den Jahren 1812–1815 verfocht Stein, unterstützt von Humboldt und zahlreichen patriotischen Publizisten, den Gedanken einer nationalstaatlichen Lösung der deutschen Verfassungsfrage mit weitestgehend zentralistischer Exekutivgewalt und einer Nationalrepräsentation als Legislative. Deutschland sollte aus den Kriegen groß und stark hervorgehen, „um seine Selbständigkeit und Unabhängigkeit und Nationalität wieder zu erlangen und zu behaupten in seiner Lage zwischen Frankreich und Rußland – dieses ist das Interesse der Nation und ganz Europas, es kann auf dem Wege alter, zerfallener und verfaulter Formen nicht erhalten werden" (Stein III, 818).

Steins Vorstellungen gingen auch in die Proklamation von Kalisch (25. 3. 1813) ein: Die Fürsten und Völker Deutschlands sollten gemeinsam die neue verfassungsmäßige Organisation Deutschlands erarbeiten. Auf die Kalischer Proklamation beriefen sich später alle, die das Reich als Bundesstaat mit nationaler Repräsentation erneuern wollten. Eine derartige Verfassungsstruktur war nicht allein für deren deutsche Gegner unannehmbar. *Ein zentralistisch organisierter deutscher Nationalstaat und damit ein mächtiges europäisches Zentrum war aus der Sicht der Nachbarn der Deutschen unvereinbar mit einer Friedensordnung der Stabilität und des Gleichgewichtes. Diese Haltung entsprang dem Sicherheitsbedürfnis von Völkern, die gerade erst die napoleonische Hegemonie über Europa erlebt hatten und daher an der Wiederherstellung einer funktionsfähigen europäischen Gleichgewichtsordnung interessiert waren. Sie richtete sich nicht gegen die deutsche Nation, sondern gegen das Sicherheitsrisiko, das hegemoniale Ordnungsstrukturen generell für die Staatenbeziehungen bedeuten.* Hieraus ergab sich der Wunsch, eine Organistionsform für das „Band der deutschen Nation" zu finden, die Deutschland als politischem Körper mehr Einheit, Stabilität und Gewicht geben konnte und direkte Einmischung der europäischen Nachbarn in die deutsche Politik verhindern würde. *Die neue Form deutscher Staatlichkeit sollte* somit *auch eine europäische Friedenssicherungsfunktion übernehmen.*

Die Deutschlandpläne Steins waren mit den politischen Rahmenbedingungen Europas in der Schlußphase der napoleonischen Kriege unvereinbar. Er träumte von einem mächtigen deutschen „Reich", das, wie auf dem Höhepunkt des mittelalterlichen Kaisertums, eine entscheidende Rolle in der europäischen Politik spielen sollte. Der Einfluß fremder Mächte – wie Frankreichs – auf die deutsche Politik würde ausgeschaltet, die Gefahr eines russischen Expansionismus und europäischen Hegemonialstrebens gebannt. Expansiven Bestrebungen europäischer Mächte bereits durch die Friedensordnung einen Riegel vorzuschieben, entsprach auch den Vorstellungen der britischen Regierung und des hannoverschen Chefministers Graf Münster. Allerdings könnte ein zentralistisch organisiertes Deutschland seinerseits zum europäischen Gravitationszentrum werden, hegemoniale Tendenzen entwickeln und dadurch das europäische System destabilisieren. Aus der Sicht seiner internationalen Umwelt durfte Deutschland als europäischer Zentralstaat aber nicht zu mächtig werden; allerdings mußte es in seiner politisch-militärischen Organisationsform stark genug sein, um einen Angriff auf Deutschland für den Angreifer zu einem Risiko werden zu lassen. Die Verfassungspläne Steins ließen sich ohne die Zustimmung der europäischen Großmächte nicht realisieren. Eine Zustimmung wäre allenfalls von Österreich zu erhalten gewesen. Preußen als europäische Großmacht konnte und wollte keinen Souveränitätsverzicht zugunsten Österreichs leisten. Dies galt auch für die Mittelstaaten, die ihre erst wenige Jahre vorher gewonnene Unabhängigkeit nicht aufzugeben bereit waren. Sie widersetzten sich daher entschieden allen Bestrebungen, die einen unitarisch organisierten deutschen Staat befürworteten.

Sehr viel größeres Gespür für das, was in der deutschen Verfassungsfrage als einer auch europäischen Problematik politisch durchsetzbar war, hatte Münster. In einem Memorandum für

Prinzregent Georg über die deutsche Verfassungsfrage (5. 1. 1813) diskutierte er Probleme der Wiederherstellung des Reiches unter österreichischer Führung, der Teilung Deutschlands zwischen Österreich und Preußen „nach dem Lauf des Mains" und eines „Kondominiums" der deutschen Vormächte auf föderativer Grundlage:

Eine österreichische „Oberherrschaft" in Deutschland sei nicht zu verwirklichen. Europa werde nicht zulassen, „Österreich mit ganz Deutschland zu bereichern". Eine österreichisch-preußische Gemeinschaftsherrschaft über Deutschland erscheine ebenfalls nicht als zukunftsträchtige Lösung, werde es doch „gewiß Rußland, England und Schweden und alle Norddeutschen gegen sich haben". Derartige Lösungsvorschläge für die Frage der deutschen Einheit könnten eher das Gegenteil bewirken. Sie würden dem europäischen Zentrum nicht die gewünschte politische Stabilität geben, sondern die Kräfte zersplittern und alte Gegensätze und Rivalitäten aus dem „Alten Reich" neu beleben. Diese Lösung könne daher nicht im Sinne einer dauerhaften Friedensordnung liegen. Die Wiederherstellung des Reiches mit einem Kaiser an der Spitze erschien Münster am besten und einfachsten. Allerdings könne das Reich seine Aufgabe in Europa „als Ruhepunkt seines Gleichgewichtes" erst dann erfüllen, wenn die gravierenden Mängel der alten Reichsverfassung beseitigt sein würden.

Die verfassungspolitischen Äußerungen Münsters in der Endphase der napoleonischen Kriege sind vor allem deswegen bedeutsam, weil sie immer wieder den Gedanken der Stabilisierung Mitteleuropas und seiner Einbeziehung in das europäische Staatensystem aufgreifen. Dabei waren ihm zwei Dinge wichtig:

1. „Deutschland eine solche Verfassung zu geben, die dem *Volke Schutz gewähre* vor der *Unterdrückung der Fürsten,* und dem Oberhaupte eine genügend starke moralische und physische Macht verleihe, um das Gleichgewicht zwischen den deutschen Staaten zu erhalten, und ihm zugleich ausreichende Mittel biete zu ihrer Verteidigung gegen jedweden Angriff von außen" (Schmidt 1890, 45).

2. Das neue Reich sollte durch eine europäische Garantieleistung zusätzlich gesichert werden.

Wie der britische Außenminister, sah auch Münster in der Schaffung eines „deutschen Gleichgewichtes“ die Voraussetzung für ein funktionierendes europäisches Gleichgewicht. Ein neues „Reich“ als „größeres Österreich“ ließ sich gegen Europa ebensowenig durchsetzen wie eine österreichisch-preußische Doppelhegemonie über Deutschland, die nach den Pariser Friedensverhandlungen und in der ersten Phase des Wiener Kongresses die beiden deutschen Großmächte in der Form einer bündischen Scheinlösung zeitweilig zu verwirklichen hofften. Die machtpolitischen Konstellationen in Europa und Deutschland verdeutlichten frühzeitig, daß aus deutschen und europäischen Rücksichten die deutsche Verfassungsfrage nur eine bündische Lösung zuließ. Die Deutschland als politischen Körper in Europa betreffenden Passagen des Allianzvertrages von Chaumont und des Friedensvertrages von Paris sprachen daher auch von einem „föderativen Band“ (lien fédératif) als Charakteristikum für die deutsche Verfassungsordnung.

Es spricht für Münsters realpolitische Weitsicht, daß er, im Gegensatz zu Stein, schon in einem frühen Stadium (1813) den durch die europäischen und deutschen Konstellationen eingeengten verfassungspolitischen Spielraum richtig einschätzte. Durch ein „Grobraster“ für die verfassungsrechtliche Neuordnung Deutschlands hielt er sich Alternativen offen, für eine bundesstaatliche, eine staatenbündische Lösung, oder auch für eine Mischform. Preußen, Großbritannien und Hannover wollten aus unterschiedlichen Motiven eine stärker bundesstaatlich gefaßte Organisationsform. Österreich, die süddeutschen Mittelstaaten, aber auch Rußland und Frankreich sahen gleichfalls aus unterschiedlichen Überlegungen in einer staatenbündischen Struktur Deutschlands ihre Interessen am besten gewahrt. Ergebnis war der „Deutsche Bund“ als Nachfolgeorganisation des Heiligen Römischen Reiches Deutscher Nation. Er war eine Mischform zwischen einer staatenbündischen und einer bundesstaatlichen Organisationsform und ließ Entwicklungsmöglichkeiten in Richtung auf eine stärker bundesstaatliche Verfassung offen. Der Deutsche Bund als neues Band der deutschen Nation konnte aufgrund seiner Organisationsstruktur die ihm für das internationale System der nachnapoleonischen Zeit zugewiesene europäische Sicherungs- und Stabilisierungsfunktion ausfüllen.

3.3. Deutscher Bund und internationale Ordnung

Der Göttinger Historiker Heeren äußerte sich 1816 über das Wesen des europäischen Staatensystems und die Stellung und Aufgabe des Deutschen Bundes in dieser Ordnung wie folgt: „Das Wesen dieses Staatensystems oder Inbegriffs unter einander verschlungener Staaten besteht darin, daß es ein *freyes* System, d.i. ein Inbegriff von Staaten ist, die sich bei aller äußern und innern Ungleichheit dennoch wechselseitig als frey und unabhängig von einander betrachten, und diese Freyheit und Unabhängigkeit aufrecht erhalten wollen. Dieß ist es, was die Kunstsprache der Politik sonst das *System des Gleichgewichts* nannte; dessen wahrer Werth sogleich in die Augen fällt ... Europa hat den Versuch mit dem entgegengesetzten System, dem eines vorherrschenden Staats, oder, wie man es sonst nannte, einer Universalmonarchie, gemacht und wird ihn schwerlich erneuern wollen. Es giebt aber kein drittes; mithin geht klar daraus hervor: der deutsche Bundesstaat steht nur in so fern in Uebereinstimmung mit dem Wesen des allgemeinen Staatensystems von Europa, als er die Freyheit desselben aufrechterhalten hilft. Der deutsche Bundesstaat macht geographisch den Mittelpunkt dieses Systems aus. Er berührt ganz oder beynahe, die Hauptstaaten des Westens und Ostens; und nicht leicht kann auf der einen oder anderen Seite unseres Welttheils sich etwas ereignen, was ihm gleichgültig bleiben könnte. Aber in Wahrheit, auch den fremden Mächten kann es nicht gleichgültig sein, wie der Centralstaat von Europa geformt ist! Wäre dieser Staat eine große Monarchie mit strenger politischer Einheit; ausgerüstet mit allen den materiellen Staatskräften, die Deutschland besitzt – welcher sichere Ruhestand wäre für *sie* möglich ... Ja! würde ein solcher Staat lange der Versuchung widerstehen können, die Vorherrschaft in Europa sich anzueignen, wozu seine Lage und seine

Macht ihn zu berechtigen scheinen? ... Die Entstehung einer einzigen und unumschränkten Monarchie in Deutschland würde binnen kurzem das Grab der Freyheit von Europa" (Heeren 10ff.).

Die Feststellungen Heerens verweisen auf ein Kernproblem, das sich bei jeder Erörterung deutscher Staatlichkeit gegenüber seiner europäischen Umwelt immer wieder neu stellt. Sie verdeutlichen, warum die Frage nach der Organisationsform der deutschen Nation stets ein historisch-politisches Schlüsselproblem für das internationale System gewesen und auch heute nicht zu einem antiquarischen Thema geworden ist. Darum hatte sie die Friedensstifter von 1814/15 so eingehend beschäftigt.

Die *Deutschlandfrage* und ihre Lösung war für die europäischen Großmächte eine *Sicherheitsfrage* ersten Ranges, d.h. die mitteleuropäische Neuordnung mußte ihnen das Gefühl vermitteln, daß die „Sicherung der fortwährenden, unabhängigen Existenz des je eigenen Staatsverbandes" (Meyers) durch das neue „Reich" als Faktor der internationalen Ordnung nicht gefährdet werden konnte. Großbritannien, Rußland und auch Frankreich sahen in einem „deutschen Gleichgewicht" aus unterschiedlichen Motiven und mit divergierenden Vorstellungen eine zentrale Voraussetzung zur Wahrung ihrer sicherheitspolitischen Interessen. Großbritannien hatte als europäische Großmacht ein unmittelbares Interesse an einer *deutschen Gleichgewichtsordnung*. Über Hannover konnte Großbritannien direkt in den Neuordnungsprozeß für die „deutschen Angelegenheiten" eingreifen. Als „dritte deutsche Großmacht", wurde es auch entsprechend aktiv. Die Kriege hatten verdeutlicht, daß Großbritannien kaum in der Lage war, seinen deutschen Besitz wirkungsvoll zu schützen. Also sollte Hannover in ein deutsches und europäisches Sicherheitssystem eingebunden werden, das ihm seine unabhängige Existenz gewährleisten konnte. Der mitteleuropäische Raum mußte daher eine Organisationsform erhalten, die ihn zusammenfaßte und ihm stärkeres politisches Eigengewicht geben konnte. Dies wurde zur Maxime britischer Deutschlandpolitik im 19. Jahrhundert.

Die Friedensordnung von 1814/15 sollte unter allen Umständen verhindern, daß diese Region erneut zum Schauplatz des Konfliktaustrages rivalisierender europäischer und deutscher Machtinteressen würde. Grundbedingung für ein ,,deutsches Gleichgewicht" war, daß die beiden deutschen Großmächte zu tragenden Säulen des neuen deutschen ,,Empire" wurden, selbst aber – einzeln oder gemeinsam – keine hegemoniale Stellung in Deutschland erreichen durften. Sie mußten somit in ein bündisches (föderatives) System integriert werden, dem sie die erforderliche Stabilität geben sollten. Die Entstehung des für die internationale Ordnung so wichtigen Deutschen Bundes als Band der deutschen Nation vollzog sich somit im Bezugsrahmen der Bedürfnisse einer europäischen Friedensordnung. Für das internationale System hatte der Deutsche Bund drei Aufgaben zu erfüllen:

1. Er mußte das gemeinsame Band der Nachfolgestaaten des Heiligen Römischen Reiches deutscher Nation werden und durch seine Organisationsform den Klein- und Mittelstaaten dieses Raumes ihre staatliche Existenz garantieren.

2. Das europäische Zentrum sollte durch die Existenz des Bundes die für die Funktionsfähigkeit des europäischen Gesamtsystems und seiner friedlichen Fortentwicklung notwendige Stabilität erhalten, d. h. dem Bund wurde für die europäische Friedensordnung und das damals noch weitgehend eurozentrische internationale System die Aufgabe eines ,,Schlußsteins" zugewiesen. Das europäische Zentrum war somit politisch und territorial zu stärken, ohne seinerseits für die europäische Friedensordnung zum ,,Sicherheitsrisiko" zu werden.

3. Er sollte eine zentrale Funktion für das europäische Sicherheitssystem gegen Frankreich erfüllen. Hieran hatte insbesondere Großbritannien ein vitales Interesse, war dies doch für seine Sicherheitsinteressen und den ungehinderten Warenverkehr mit dem Kontinent von Bedeutung. Die Niederlande (Holland/Belgien) durften nicht im Besitz bzw. im direkten Einflußbereich einer europäischen Großmacht sein, um nicht zu einer ständigen Bedrohung – wie 1793–1814 – für das Inselreich zu werden. Damit die Niederlande eine wirkungsvollere ,,Barrière"-Funktion gegen Frankreich erfüllen konnten als früher, mußten sie in sicheren Grenzen territorial gestärkt und zugleich in ein europäisches Si-

cherheitssystem mit antifranzösischer Spitze einbezogen werden. Eine Verbindung zwischen der zu schaffenden europäischen Mittelmacht Niederlande und dem Deutschen Bund bot sich daher an. Allerdings lag es weder im russischen noch im britischen Interesse, die Niederlande mit ihrem gesamten Territorium dem Deutschen Bund beitreten zu lassen, wie dies der Hardenbergplan von 1814 (Erneuerung des Burgundischen Reichskreises) vorgesehen hatte. Dies galt auch für die Schweiz. Für sie wurde als kleinster gemeinsamer Nenner, ähnlich wie 1831 für Belgien, die Neutralisierung auf Dauer gefunden. Der König der Niederlande trat daher für das Großherzogtum Luxemburg, das in Personalunion mit den Niederlanden verbunden war, dem Deutschen Bund bei.

Die dem Deutschen Bund in der neuen internationalen Ordnung zugewiesene funktionale Rolle – vielfach wurde und wird dies fälschlicherweise als machtpolitische Neutralisierung Mitteleuropas interpretiert – konnte er nur dann erfüllen, wenn ihm durch die territoriale und verfassungsmäßige Neuordnung die erforderliche innere und äußere Stabilität gegeben werden konnte.

3.4. Die Bedeutung der „Wiener Ordnung" für Deutschland und Europa

Trotz der im Juni 1815 wegen der Rückkehr Napoleons aus Elba überhastet zustandegekommenen Bundesakte als Grundgesetz für den Deutschen Bund, die zu einem integralen Bestandteil der Wiener Kongreßakte wurde, brachte die mehr staatenbündische Lösung der deutschen Frage, als Kernstück des europaorientierten internationalen Systems, eine entschiedene Verbesserung gegenüber der alten Reichsverfassung. Die Bundesakte von 1815 eröffnete *alle* Möglichkeiten für eine Fortentwicklung des politischen Systems im Deutschen Bund und in seinen Mitgliedsstaaten über eine konstitutionelle zu einer demokratisch-parlamentarischen Verfassungs- und Gesellschaftsordnung. Die Chancen wurden letztlich nicht genutzt.

Eine Analyse der Entstehungsgeschichte des Deutschen Bundes zeigt, daß alle europäischen Großmächte die Einheit Deutschlands erhalten wissen wollten und so der Bund zum „Band der deutschen Nation" wurde. Sicherlich widersetzten sich Österreich, Rußland und Großbritannien einer *nationalstaatlichen* Einigung Deutschlands. Dies galt auch für Frankreich, so weit es an den Beratungen beteiligt wurde. Genauso sicher ist aber auch, daß Preußen, ebenso wie die ehemaligen Rheinbundstaaten, nicht bereit war, seine Souveränität für die nationalstaatliche Einigung zu opfern, wäre diese aufgrund der europäischen Rahmenbedingungen erreichbar gewesen. Die anderen europäischen Großmächte mußten also gar nicht durch ihre Politik die nationalstaatlichen Einigungsbestrebungen Preußens in Wien und Paris vereiteln, denn diese gab es nicht.

Welche Wirkungen hatte nun die in Wien geschaffene, mit starken sicherheitspolitischen Akzenten versehene Friedensordnung für die deutsche Staatlichkeit? Dabei müssen wir auch Konsequenzen mit in die Betrachtung einbeziehen, die von den Friedensstiftern in ihren langfristigen Folgen nicht abzusehen und auch *so* nicht gewollt waren. Einige Wirkungszusammenhänge aus den Ergebnissen der europäischen Neuordnung von 1814/15 lassen sich wie folgt zusammenfassen:

1. Die 1814/15 für Mitteleuropa gefundene Neuordnung stimmte mit der Interessenlage der internationalen Ordnung überein und sicherte Deutschland und Europa über ein halbes Jahrhundert den Frieden. Mit dem Deutschen Bund wurde 1814/15 die politisch-territoriale Einheit Deutschlands erhalten. Den verfassungsrechtlichen Rahmen bildete eine föderative staatliche Organisationsform. Im Gegensatz zu einer unitarischen Ordnung konnte sie die unterschiedlichen Modernisierungsstadien in den Mitgliedsstaaten berücksichtigen, den historischen Entwicklungen der einzelnen Staaten Rechnung tragen. Darüber hinaus eröffnete die bündische Struktur einen allmählichen Angleichungsprozeß auf evolutionärem Wege ohne Belastung der internationalen Umwelt.

2. Österreich, der Präsidialmacht des Bundes, wurde in der Wiener Friedensordnung die Rolle der Schutzmacht Italiens zugewiesen. Die europäischen Großmächte erachteten Piemont-Sardinien als militärisch zu schwach, um Italien gegen Frankreich wirkungs-

voll verteidigen zu können. Seit der Französischen Revolution besaß Italien für die französische Außen- und Sicherheitspolitik hohe Priorität. Damit wurde bei einer möglichen Interessendivergenz der Träger des europäischen Sicherheitssystems gegen Frankreich ein lokaler Konflikt zwischen Österreich und Frankreich in Italien wahrscheinlich. Dies sollte sich bei verschiedenen Krisen in Italien in der ersten Hälfte des 19. Jahrhunderts zeigen (1821, 1831, 1848). Die Einigungsbestrebungen Italiens zogen Österreich zunehmend in die Auseinandersetzungen der italienischen Politik hinein, engten seinen Handlungsspielraum als Großmacht ein, und sollten später eine vertrauensvolle Zusammenarbeit mit dem italienischen Nationalstaat erschweren. Die Österreich in Italien zugewiesenen europäischen Sicherungsaufgaben und die Erfordernisse der internationalen Ordnung bedingten *den territorialen Rückzug Österreichs aus Deutschland*. Dieser sollte sich negativ auf das österreichische Bundesengagement auswirken, die deutschsprachigen Elemente des Vielvölkerstaates Österreich zugunsten der anderen Nationalitäten zurückdrängen und dadurch u. a. seine Flexibilität und Regenerationsfähigkeit gegen Ende der Monarchie erschweren.

3. In Nordwesteuropa mußte Preußen die Hauptlast im europäischen Sicherheitssystem gegen Frankreich übernehmen. Die territoriale Westverschiebung verlagerte auch die „natürlichen Interessen". Preußen wurde 1815 von einer ostmitteleuropäischen zu einer zentraleuropäischen Großmacht. Die territoriale Neuordnung 1815 erweiterte den Besitzstand Preußens innerhalb der Grenzen des Alten Reiches, die auch die des Deutschen Bundes werden sollten. Es vergrößerte seinen deutschsprachigen Bevölkerungsanteil. Aus sicherheitspolitischen Erwägungen erhielt Preußen mit den Rheinprovinzen die industriell am weitesten entwickelten deutschen Territorien. Sie lagen zudem verkehrsgünstig zu den Häfen und im Schnittpunkt der europäischen Haupthandelswege. Durch die europäische Aufgabe der „Wacht am Rhein" verknüpfte Preußen zwangsläufig seine Sicherheitsinteressen mit denen ganz Deutschlands. Diese, verbunden mit Preußens Großmachtzielen, förderten die Tendenz, sich die Ressourcen ganz Deutschlands zu sichern, d. h. nach Deutschland hinein zu expandieren.

Die Industrialisierung verschaffte Preußen ein ökonomisches, militärisches und politisches Übergewicht in Deutschland. Dieses sollte sich nach dem erzwungenen Austritt Österreichs aus Deutschland destabilisierend auf die bündische Verfassungsordnung auswirken. Das preußische Übergewicht im Kaiserreich von 1871 degradierte die bundesstaatliche Ordnung des Reiches zu einem Scheinföderalismus. Auch in der Weimarer Republik blieb das Übergewicht Preußens erhalten. Für die Alliierten im Zweiten Weltkrieg war Preußen, das bereits im Dritten Reich ein Schattendasein geführt hatte, der zu beseitigende Hort von Militarismus und Nazismus. Mit dem Kontrollratsgesetz vom 25. 2. 1947 beendeten sie daher *einmütig* die Existenz Preußens als Staat, denn weniger Deutschland als vielmehr Preußen galt als Sicherheitsrisiko für die künftige Friedensordnung. Aus verschiedensten Gründen hieß ihr Ziel in der Endphase des Krieges nicht mehr ,,Dismemberment" Deutschlands, sondern Preußens. Preußen sollte in mehrere politische Einheiten aufgegliedert werden. In der Bildung von Nachfolgestaaten wurde die Voraussetzung für ein ausgewogenes Größenverhältnis der deutschen Staaten untereinander und für eine funktionsfähige bundesstaatliche Organisation Deutschlands gesehen. Diese erkannten die Alliierten als die der historischen Entwicklung und Geographie Deutschlands am besten entsprechende Verfassungsform, die darüber hinaus mit der Zustimmung der Bevölkerung rechnen konnte und auch die besten Chancen für den Aufbau einer Demokratie bot.

4. Aus Gründen des europäischen und deutschen Gleichgewichts wurde Preußen und Bayern, denen Sicherungsaufgaben am Rhein zugewiesen worden waren, die ,,Landbrücke" zwischen ihrem Kernland und den Landesteilen am Rhein versagt. Bis zur Gründung des deutschen Kaiserreichs versuchten beide mit politischen und ökonomischen Mitteln den Brückenschlag. In beiden Fällen schufen ihre hegemonialen Bestrebungen bei den Nachbarn ein Klima des Mißtrauens, das sich nachteilig auf die bundespolitische Zusammenarbeit auswirken sollte. Vor diesem Hintergrund muß auch der fehlgeschlagene Versuch, das ,,Dritte Deutschland" – die deutschen Staaten ohne Territorialbesitz außerhalb der Bundes-

grenzen – als einen eigengewichtigen Faktor der Bundespolitik zu etablieren bzw. zwischen 1866 und 1870 einen völkerrechtlich eigenständigen ,,Süddeutschen Bund" zu bilden, gesehen werden.

5. Entwicklungshemmend für die politische, soziale und wirtschaftliche Verfassung des Deutschen Bundes sollte sich u. a. die aus macht-, sicherheits- und gleichgewichtspolitischen Gründen gefallene Entscheidung auswirken, die Großmächte Österreich und Preußen nur mit ihrem innerhalb der alten Reichsgrenzen gelegenen Territorium in den Bund aufzunehmen. Sie behinderten eine einheitliche Bundesgesetzgebung und die Ausbildung eines Großwirtschaftsraumes. Österreich und Preußen zeigten sich 1814/15 und 1818/19 aus Gründen der Wahrung ihrer europäischen Großmachtsouveränität und starker eigenstaatlicher Interessen nicht bereit, ihre außerhalb des Bundes gelegenen Provinzen enger mit diesem zu verbinden. Als sie 1850/51 diesen Schritt vollziehen wollten, ließ er sich gegen den Einspruch der westeuropäischen Großmächte nicht durchsetzen.

Trotz der skizzierten Vor- und Nachteile der Friedensordnung von 1815 für Deutschland bedeutete das in Paris und Wien geschaffene internationale System des multipolaren Gleichgewichtes eine staatsmännische Leistung von großer Wirkung und Tragweite. Dies gilt vor allem dann, wenn die ,,Epochenschwelle" vom 18. zum 19. Jahrhundert nicht nur aus der Perspektive der internationalen Beziehungen, sondern auch unter dem Blickwinkel der tiefgreifenden politisch-sozialen und ökonomischen Veränderungen analysiert wird. Die Untersuchung der Wechselwirkung von außen- und innenpolitischen Einflußgrößen sowie der Eigendynamik des Staatensystems verdeutlichen, daß die Friedensordnung von 1815 *mehr* war als ein Produkt der klassischen Kabinettspolitik des 18. Jahrhunderts. Sie darf keinesfalls als Sieg der ,,Reaktion" bewertet werden. Spätestens seit 1789 gab es eine unauflösliche Wechselbeziehung zwischen der internationalen Politik und den jeweils nationalen Innenpolitiken.

Drei Aspekte der ,,Wiener Friedensordnung", die in weltgeschichtlicher Hinsicht wichtig wurden, seien abschließend genannt:

1. Die 1814/15 in Paris und Wien geschaffene europäische Ordnung hatte im wesentlichen bis zum Ersten Weltkrieg Bestand. Wäre sie ideologisch fixiert gewesen, d. h. hätte im Zentrum aller Überlegungen die Aufrechterhaltung des Legitimitätsprinzips gestanden, so hätte diese Ordnung nur wenige Jahre und nicht nahezu ein Jahrhundert überleben können.

2. Der Wiener Kongreß wurde zum ersten Kongreß der Neuzeit, bei dem es nicht um den Abschluß eines Friedens, sondern um die zusätzliche internationale Absicherung eines bereits vollzogenen Friedens ging. Der ,,Friedensvollzugskongreß" von Wien beschäftigte sich mit der ,,Ausfüllung, Präzisierung und Fortschreibung" (Duchardt) eines Friedenszustandes. Für künftige Friedenskonferenzen und internationale Verhandlungen wurde es bedeutsam, daß in Wien neue Wege der Verhandlungsführung beschritten wurden. Das großmächtliche Lenkungsgremium des Kongresses setzte Sonderkommissionen ein (u. a. Statistikkommission, Deutsches Komitée), in denen Experten entscheidungsreife Vorlagen ausarbeiteten. Die Plenarsitzungen der Großmächte wurden so entlastet. Auf dieser Ebene wurden dann vor allem politisch strittige Fragen entschieden.

3. Die Wiener Ordnung hatte versucht, die divergierenden Interessen und Ziele der Großmächte durch einen für alle tragbaren Kompromiß auszugleichen. In Paris und Wien entwickelte sich ein noch heute gültiger Grundzug der internationalen Politik: Das von den Großmächten dominierte internationale System zeigte 1814/15 und auch später seine Ausgleichfähigkeit und Flexibilität in Krisenlagen. In der multipolaren Ordnung von 1815 wurde die Entscheidung über Krieg und Frieden durch die zentrale Frage bestimmt, ob zwischen den Hauptakteuren der internationalen Ordnung ein Macht- und Interessenausgleich möglich ist. Voraussetzung hierfür war die Anerkennung bestimmter Regeln und Instrumente in den Staatenbeziehungen, die eine Lösung, Kontrolle und Lokalisierung von internationalen Konflikten ermöglichte. Die zunehmende Unfähigkeit der Großmächte zu erfolgreichem Krisenmanagement in einem sich verändernden internationalen System vor 1914 warf die Frage nach neuen, wirkungsvollen Mechanismen der

Friedenserhaltung auf. Sie fanden nach dem Ersten Weltkrieg und erneut nach 1945 in der Suche nach einer zeitgemäßen, die Rahmenbedingungen hinreichend berücksichtigenden Friedensordnung mit den entsprechenden institutionellen Einrichtungen ihre Fortsetzung.

4. Der Deutsche Bund und Europa 1815–1866: Schlußstein des europäischen Friedens

Die europäische Neuordnung von 1814/15 brachte eine für die Deutschen und Europa annehmbare Regelung der deutschen Frage in der Form des Deutschen Bundes. *Ein deutscher Nationalstaat mit einem zentralistisch ausgerichteten Organisationsaufbau,* wie ihn verschiedene Gruppen innerhalb der Nationalbewegung mit unterschiedlichen Zielsetzungen anstrebten, *hätte 1814/15 nur gegen Europa und gegen die souveränen deutschen Mittel- und Großmächte durchgesetzt werden können.* Der Drang zum Nationalstaat läßt sich nicht allein auf die Politisierung des Nationsbegriffes seit der Französischen Revolution zurückführen. Zu berücksichtigen sind auch die tiefgreifenden Veränderungen mit ihren politisch-territorialen und psychologisch-mentalen Wirkungen. Die Neuordnung Mitteleuropas hatte vielfach keine Rücksicht auf historisch gewachsene Einheiten, auch nicht auf kulturelle, religiöse und ethnische Bindungen genommen. Zum neuen ‚Landesherren' bestand in der Regel keine emotionale Beziehung, eher ein „Feindbild". Auf der Suche nach neuen Identitäten und Loyalitäten bot sich *die politische deutsche Nation als Ersatz* an. Die Regierungen der deutschen Mittel- und Großmächte erkannten die mögliche Sprengwirkung derartiger Bewußtseinslagen. In der Anfangsphase des Deutschen Bundes gaben sie daher einer aktiven Integrationspolitik höchste Priorität, mit dem Ziel, ein je eigenes ‚nationales' Staatsbewußtsein zu entwickeln.

Die vom Ergebnis des Wiener Kongresses für Deutschland enttäuschte Nationalbewegung setzte auf das Prinzip Hoffnung. Statt sich in dem neuen Haus für die deutsche Nation – und dieses wollte und sollte der Deutsche Bund im Sinne der europäischen Friedensordnung sein – wohnlich einzurichten und an seinem Auf- und Ausbau mitzuarbeiten, wurden Utopien geboren und gepflegt (s. o. Kap. 2.2). Die Kritiker der deutschen Neuordnung übersahen (und übersehen), daß sie dem Deutschen Bund als einem tragenden Element des europäischen Staatensystems nicht gerecht werden, wenn sie ihn als innen- und außenpolitisches Zähmungsinstrument für die Deutschen bewerten. Der Deutsche Bund bedeutete weder eine Neutralisierung Mitteleuropas zugunsten der west- und osteuropäischen Flügelmächte, noch eine Pufferzone, die völkerrechtlich in der Wiener Ordnung festgeschrieben werden sollte. In dem halben Jahrhundert seiner Existenz wirkte er als zentraler Baustein des europäischen Sicherheitssystems, als Stabilisator des internationalen Systems.

Der sich beschleunigende Übergang zu einem globalen internationalen System seit der Jahrhundertmitte, der Einfluß neuer, dynamischer und aggressiver Bewegungskräfte auf die nationale und internationale Politik, das sich seit der Wiederbegründung 1851 verschärfende österreichisch-preußische mitteleuropäische Hegemonieproblem mit seinen europäischen und deutschen Wirkungen, kurzsichtige partikulare Egoismen sowie, damit verknüpft, der Fehlschlag aller Bundesreformbestrebungen erschwerten es dem Deutschen Bund zusehends, seiner internationalen Funktion und seinen nationalen Aufgaben gerecht zu werden. Seine Selbstauflösung 1866 nach der gescheiterten Bundesexekution gegen Preußen war sicherlich nicht das zwangsläufige Ergebnis einer „historischen Fehlentwicklung" seit 1815, wie viele glauben.

4.1. Das europäische Gleichgewicht 1815–1848: Zwischen Legitimitätsprinzip und nationalem Interesse

Erste Belastungsproben für die Wiener Ordnung brachten die Verhandlungen zum Pariser Frieden von 1815. Mit sicherheitspolitischer Notwendigkeit begründet, forderten vor allem die beiden deutschen Großmächte und die kleineren Nachbarn Frankreichs eine Revision der französischen Grenzen von 1814 zu ihren Gunsten. Im Rausch des Sieges verloren viele der in Paris versammelten Bevollmächtigten den Blick für die Proportionen eines sicheren und dauerhaften Friedens. Sicherlich hätten es die Sieger in der

Hand gehabt, wie dies Hardenbergs Denkschrift vorsah, Frankreich vollständig aufzuteilen („Démembrement total de la France"). Überzogene Forderungen, mit der Macht der Bajonette durchgesetzt, würden jedoch den Keim für neue Kriege, internationale Konflikte und Krisen in sich bergen. Nur der massive britisch-russische Druck verhinderte 1815 einen Frieden der Rache und der Unvernunft. Beide Mächte hatten argumentiert, daß die Nachbarn Frankreichs sichere Grenzen auch ohne Annexionen erhalten könnten. Weitgehende Schonung des Gegners sei der eigenen Sicherheit dienlicher als beträchtliche territoriale Gewinne oder Kriegskontributionen; absolute Sicherheit könne kein Staat auf Dauer erreichen. Friedensschlüsse sollten daher, wie Castlereagh im August 1815 in einem Memorandum festhielt, für die zwischenstaatlichen Beziehungen und für das internationale System insgesamt nicht die Funktion haben, „Trophäen zu sammeln, sondern zu versuchen ... die Welt wieder zu friedlichen Gewohnheiten zurückzuführen" (auch Webster 1921, 361f.).

Mit dem Frieden von Paris wurde auch der Allianzvertrag von Chaumont erneuert. In einem – auf dem Aachener Kongreß 1818 erneuerten – Geheimprotokoll verpflichteten sich die alliierten Großmächte zu gemeinsamen Aktionen gegen Frankreich, sollte von diesem erneut eine Gefahr für den europäischen Frieden ausgehen. Es war dies der Versuch, die geschaffene Ordnung durch ein kollektives Sicherheitssystem zu stabilisieren. Über die sich aus der erneuerten Viererallianz ergebenden Rechte und Verpflichtungen kam es zu tiefgreifenden Meinungsverschiedenheiten. Großbritannien verfocht einen „legalistischen" Standpunkt. Den Bündnisfall sah es nur gegeben, wenn tatsächlich von Frankreich eine schwere Bedrohung für den europäischen Frieden ausginge. Das Bündnis wurde rein defensiv verstanden. Mehr wäre auch innenpolitisch nicht durchsetzbar gewesen. Die kontinentalen Großmächte strebten jedoch – mit unterschiedlichen Abstufungen – mehr an; für sie bedeutete die Allianz mehr als eine „Notbremse". Ihre Vertragsauslegung sah das Bündnis als Mittel zur Intervention schon bei der Gefahr eines revolutionären Umsturzes an.

Diese extreme Interpretation wurde von Österreich und Preußen nicht geteilt.

Zwar gelang es durch einen ,,Formelkompromiß" vor der europäischen Öffentlichkeit nochmals Einheit zu demonstrieren, doch die tiefen Risse im Bündnis, der wachsende britisch-russische Gegensatz und eine Vertrauenskrise schienen auf einen Bruch hinzusteuern. Trotz Krisen und oftmals tiefgreifender machtpolitisch und ideologisch motivierter Interessengegensätze funktionierte das großmächtliche Krisenmanagement. Ihre Rolle als oberste europäische Entscheidungsinstanz konnten die Großmächte nur *gemeinsam* spielen. Damit bestand über alle divergierenden Macht-, Sicherheits-, Wirtschaftsinteressen und ideologische Ziele hinweg ein Einigungszwang, denn die Grundstruktur der Wiener Ordnung zu bewahren lag im Interesse aller Großmächte. Das internationale System belastende Konflikte wurden häufig auf Kosten kleinerer Mächte beigelegt oder durch gemeinsame bzw. stillschweigend geduldete Interventionen (Neapel, Spanien, Griechenland, Belgien), lokal begrenzte Kriege oder Konferenzen geregelt, um über Verhandlungen den kleinsten gemeinsamen Nenner zu finden. Eine genaue Analyse der Mechanismen der Konfliktregulierung verdeutlicht, daß das vielbeschworene Legitimitätsprinzip bestenfalls Alibifunktion besaß. Es erlangte nie den Rang eines Dogmas. In der Argumentation wurde es nur benutzt, wenn ideologische und/oder machtpolitische Ziele dadurch legitimiert werden sollten. Der Wunsch, eine ,,legitime Ordnung" zu erhalten, stieß nämlich da an seine Grenzen, wo er den nationalen Interessen entgegenstand. Die Reaktion Europas auf die Julirevolution in Frankreich ist hierfür ein eindrucksvolles Beispiel.

In den Entscheidungsprozessen der europäischen Mächte spielten dabei, neben der völkerrechtsetzenden Wiener Ordnung von 1815, die allgemeine wirtschaftliche Rezession in Europa seit 1827 mit ihren vielfältigen Auswirkungen auf die Sozialbeziehungen, die Wirtschaftspolitik und die staatlichen Finanzen sowie die unmittelbare Wirkung der Julirevolution auf die internationale Umwelt Frankreichs (Belgien, Deutschland, Polen, Italien) eine gewichtige Rolle.

Die Vertreibung der Bourbonen und die Einsetzung des antilegitimistischen, revolutionären Königtums Louis-Philippes brachte die europäischen Großmächte in große Verlegenheit. Der Bündnisfall war eingetreten. Großbritannien, Österreich und Preußen dachten zunächst jedoch nicht an eine Einlösung ihrer Verpflichtungen zur Bewahrung des Legitimitätsprinzips. Nur Zar Nikolaus wollte vor dem polnischen Aufstand von 1830 marschieren. So lange das revolutionäre Regime in Paris die Grenzen von 1814/15 respektierte, tendierten London, Wien und Berlin zu einer Politik der „strikten, aufmerksamen Neutralität". Unüberlegte Entscheidungen der europäischen Kabinette könnten in Frankreich eine Radikalisierung bewirken und zur Ausrufung der Republik führen, die wiederum Intervention und europäischen Krieg nach sich ziehen würden. Radikalisierung und Intervention könnten angesichts der Rezession, sozialer Spannungen, schlechter Ernährungslage, steigender Preise, fallender Löhne und zunehmender Arbeitslosigkeit in allen Wirtschaftsbereichen sowie lokaler Sondereinflüsse (Zölle, Steuern) von Agitatoren für ihre politischen Ziele ausgeschlachtet werden. Möglicherweise bliebe die Bewunderung der Revolution und ihrer Ziele nicht ohne Einfluß auf die innenpolitische Situation der europäischen Staaten.

Als erste Großmacht erkannte Großbritannien Ende August 1830 das Régime Louis-Philippes an. Aus britischer Sicht waren die Verpflichtungen aus den Verträgen von 1815/18, soweit sie die europäische Sicherheit und die Funktionsfähigkeit des internationalen Systems betrafen, nach wie vor gegeben. Karl X. habe nicht verfassungsgemäß regiert und daher den Anspruch auf europäische Unterstützung verwirkt. Von einer raschen Anerkennung Louis-Philippes versprach sich Großbritannien eine politische Stabilisierung in Frankreich, die Möglichkeit, friedenssichernd auf die französische Politik einzuwirken und die Einhaltung des von Frankreich proklamierten Prinzips der Nichteinmischung für ganz Europa.

Im Laufe des Septembers 1830, mitbeeinflußt durch den Aufstand in Brüssel und die Unruhen in einigen deutschen Staaten (Hessen, Braunschweig), anerkannten auch Österreich und Preußen das neue Régime; Zar Nikolaus tolerierte den „Barrikadenkönig".

In der angespannten internationalen Lage des Herbstes 1830 und der folgenden Jahre gab das nationale Gesamtinteresse der europäischen Hauptstaaten der Bewahrung des Friedens höchste Priorität. Hinzu kam sicherlich, daß ein Waffengang mit einer Großmacht zur Durchsetzung des Legitimitätsprinzipes problematisch erschien, die Ergebnisse und Folgen unkalkulierbar und die Erinnerungen an die napoleonischen Kriege noch zu frisch waren. Die Möglichkeit eines Krieges als Mittel der Politik, sollte Frankreich die bestehende internationale Ordnung bedrohen, blieb in den Überlegungen der Entscheidungsträger dennoch stets präsent. Frankreichs Europapolitik zwischen 1830 und 1841 war, vor allem in den Jahren 1831/32, auch nicht dazu angetan, die Kriegsgefahr in Europa zu bannen.

Die Julirevolution gab den radikalen Kräften, aber auch dem gemäßigten Liberalismus überall in Europa Auftrieb, so auch in Deutschland. In den nicht konstitutionellen Staaten wurden Repräsentativverfassungen gefordert, vielfach auch durchgesetzt (z.B. in Kurhessen 1831). In den süddeutschen Verfassungsstaaten, die den wichtigen Schritt zur modernen Staatsbürgergesellschaft bereits 1818/20 vollzogen hatten, traten die Liberalen in den Parlamenten selbstbewußter auf. Sie verlangten konstitutionelle Zugeständnisse (Vereidigung der Armee auf die Verfassung, Ministerverantwortlichkeit, völlige Aufhebung der Pressezensur). Die deutschen Großmächte, vor allem Österreich, verfolgten mit wachsender Besorgnis die Entwicklung in den konstitutionellen Staaten. Die wachsende liberale Bewegung schien die Fortexistenz des Deutschen Bundes zu gefährden. Seit Herbst 1830 wurden immer wieder Allianz- und Föderationspläne der deutschen Verfassungsstaaten diskutiert, u.a. mit dem Ziel, Österreich aus dem Bund hinauszudrängen. Metternich seinerseits überlegte zeitweilig eine Auflösung des Bundes und eine Neutralisierung des ‚Dritten Deutschland' nach dem Beispiel Belgiens. Österreichs ‚Bundesmüdigkeit' war teilweise bedingt durch die Erkenntnis, daß sich der Bund nicht zu einem ‚größeren Österreich' machen lassen wollte. Gerade in den Jahren nach der Julirevolution widersetzten sich die konstitutionellen Mittelstaaten immer wieder einem Diktat der Großmächte in Fragen der inneren Sicherheit und bei der Vertretung des Bundes nach außen. Als in der belgisch-luxemburgischen Frage die Großmachtinteressen Österreichs und Preußens mit ihren Bundespflichten kollidierten, zwangen die Mittelstaaten sie, unter Wahrung der Rechte des Bundes friedenssichernd zu wirken (Gruner 1978, 370ff.).

1831/32 verabschiedeten die Kammern verschiedener konstitutioneller Bundesstaaten Gesetze, die nach Meinung Metternichs im Widerspruch zu den Bundesgesetzen standen. Eine Bundeskommission erklärte Anfang Mai 1832 das badische „Gesetz über die Polizey der Presse" als mit bundesrechtlichen Normen unvereinbar. Am badischen Beispiel gedachten die Vormächte ein Exempel zu statuieren, um den Einfluß des Liberalismus einzudämmen und über die Stärkung der Autorität des Bundes ihre eigene Stellung zu festigen. Baden widersetzte sich den Bundesbeschlüssen. Das Hambacher Fest veränderte die bundespolitischen Konstellationen jedoch grundlegend. Die Hambacher Aufforderung an das Volk, sich gegen die bestehende Ordnung zu erheben, wertete nicht nur Metternich als Alarmzeichen. Um einem „revolutionären Flächenbrand in Südwestdeutschland" vorzubeugen, setzten Österreich und Preußen einen vorher abgestimmten Resolutionsentwurf in der Bundesversammlung durch (6 Artikel vom 28. 6. 1832). Die Annahme ist darauf zurückzuführen, daß Hambach und die französischen Juniwirren bei den Staaten des ‚Dritten Deutschland' die Furcht vor der „Hydra der Revolution" wachsen ließen. Ohne den Schutz des Bundes sahen sie ihre staatliche Existenz gefährdet. Die Akzente waren verschoben. „Es ist jetzt nicht mehr ein Kampf zwischen einem liberalen und einem absolutem System", wie der britische Gesandte in Frankfurt berichtete, „es ist der Kampf mit einer revolutionären Partei, mit der die Verfechter einer gesunden liberalen Entwicklung nichts gemein haben ... Maßnahmen zur Erhaltung von Ruhe und Ordnung sind notwendig."

Dennoch glaubten Großbritannien und Frankreich, gegen die Resolution des Deutschen Bundes als „Garantiemächte" der Wiener Verträge von 1814/15 eingreifen zu müssen. In Wien und Berlin protestierten sie gegen den „unüberlegten Eifer" des Bundes und forderten die Rücknahme des Beschlusses. Der Gesamtbund wies die Proteste als Einmischung in die inneren Angelegenheiten des Bundes entschieden zurück. Die britisch-französische Intervention blieb jedoch nicht wirkungslos. Als die revolutionäre Gefahr in Deutschland gebannt schien, trugen die Proteste dazu bei, daß die Bundesmaßnahmen nicht voll zur Entfaltung kommen konnten, zumal sich Hannover auf Anraten des Londoner Kabinetts gegen den Vollzug der Beschlüsse stellte, die im Widerspruch zur neuen hannoverschen Verfassung stünden und die Monarchen in Wien und Berlin an ihr uneingelöstes Verfassungsversprechen von 1814/15 erinnerten. Hinzu kam, daß die deutschen Mittel- und Kleinstaaten ihre weitgehend oppositionelle Haltung gegen Österreich und Preußen in der Bundespolitik wieder aufnahmen, als die Ursachen für die Gefährdung ihrer staatlichen Existenz von innen und außen gebannt schienen.

Den britisch-französischen Protest hatten u. a. außenpolitisch-ideologische Motive geleitet. Über den Deutschen Bund sollten die konservativen Ostmächte zur Aufgabe ihrer starren Haltung in der Belgien-Luxemburg-Frage gezwungen werden. In den konstitutionellen Kräften in Deutschland sahen Großbritannien und Frankreich ihre natürlichen Verbündeten. Die Bundesbeschlüsse waren für sie der preußisch-österreichische Versuch, die Verfassungsstaaten in ein polizeistaatliches System zu zwingen. Damit schien die Entwicklung freier Institutionen gefährdet, die Sicherung des Weltfriedens in Frage gestellt, die mögliche Veränderung der bestehenden Staats- und Gesellschaftsverfassung mit friedlichen Mitteln blockiert und die föderative Struktur des Bundes in Gefahr.

Mit dem Protest der Westmächte im Herbst 1832 deutete sich bereits die ideologische Polarisierung im internationalen System an, die von beiden Seiten mit legalistischen, politischen, wirtschaftlichen und später auch wirtschaftspolitischen Mitteln geführt wurde. Trotzdem fehlte es nicht an Warnungen vor den Gefahren einer Ideologisierung der Beziehungen. Damit würden die „Grundlagen für die Bewahrung des europäischen Friedens" zerstört. Es wäre falsch und gefährlich, die Unterschiede in den beiden politisch-sozialen Systemen zu leugnen. Der Friede als höchstes Gut und als Grundbedingung einer positiven Fortentwicklung von Wirtschaft, Gesellschaft und Staat erfordere das friedliche Nebeneinander unterschiedlicher Systeme und die stillschweigende bilaterale Übereinkunft über die Spielregeln in der internationalen Politik. Diese 1832 geäußerte Überzeugung des britischen Botschafters in Wien hat auch heute noch uneingeschränkte Gültigkeit.

In der für die Entstehung des Deutschen Zollvereins entscheidenden Phase 1829/32 waren die westeuropäischen Großmächte und Rußland durch nationale Probleme und schwelende internationale Konflikte von Mitteleuropa abgelenkt. Preußen nutzte diese Lage für seine handels- und machtpolitischen Ziele in Deutschland. Die handelspolitischen Initiativen Großbritanniens 1832/33, seine Versuche, über Hannover auf die bundespolitische Handelspolitik Einfluß zu nehmen, um den unter seiner entscheidenden Mitwirkung entstandenen Mitteldeutschen Neutralitätszollverein vor dem Auseinanderbrechen zu bewahren, kamen zu spät. Sie konnten das Inkrafttreten des Zollvereinsvertrages zum 1. 1. 1834 nicht mehr verhindern.

Großbritannien setzte nun auf eine Politik der „Eindämmung" und des Arrangements mit dem preußisch dominierten Zollverein. Ebenso wie Frankreich, sah es keine rechtliche Möglichkeit, sich politisch einzumischen. Wegen der höchst unterschiedlichen Wirtschaftsstruktur der Zollvereinsstaaten erwarteten die Briten eine gemäßigte Zollpolitik, die ihnen den neu formierten Großwirtschaftsraum als Markt weitgehend erhalten und für Investitionen interessant machen würde. Aus französischer Perspektive erschien es als vorteilhaft, die Wirtschaftseinheit zu fördern, falls diese von dem als gefährlich angesehenen politischen Einheitsstreben ablenken könnte.

Es gab auch Bestrebungen, die politische Blockbildung in Westeuropa zollpolitisch zu ergänzen und als Waffe gegen die Autokratien einzusetzen. So wollte der Brite John Bowring das liberale Europa auch zollpolitisch zusammenführen. Eine Zollföderation der westeuropäischen Staaten (Frankreich, Italien, Belgien, Schweiz, Großbritannien, Spanien, Portugal) sollte das Schutzzollsystem der wirtschaftlich unterentwickelten Autokratien zerbrechen. Hierzu kam es jedoch nicht, da Frankreich die ideologischen Gemeinsamkeiten macht- und wirtschaftspolitisch zu seinen Gunsten ausschlachten wollte. Die britisch-französischen Differenzen in der Orientalischen Frage und auf der Iberischen Halbinsel führten zum Bruch der „liberalen Allianz" und zur Wiederannäherung der Mächte der Viererallianz. Diese ermöglichte 1839 die endgültige Regelung der belgisch-luxemburgischen Frage, brachte Frankreich, wie die Rheinkrise 1840 zeigen sollte, in eine außenpolitische Isolierung und zwang es 1841, dem Vertrag der anderen Großmächte von 1840 über die Orientalische Frage zuzustimmen.

Die Rheinkrise und die französische Nahostpolitik bewirkten in Deutschland eine starke antifranzösische Stimmung, aber auch Verbesserungen in der Bundeskriegsverfassung (jährliche Inspektionen der Bundeskontingente). Für die Zukunft sollte von Bedeutung werden, daß sich Österreich und Preußen in der Rheinkrise ohne Einbeziehung des Gesamtbundes auf militärpolitische Maßnahmen verständigten. Sie liefen auf eine Zweiteilung des Bundesheeres zwischen den deutschen Großmächten hinaus. Österreich anerkannte somit militärpolitisch den preußischen Anspruch auf Alternat im Bund. Hierauf sollte Preußen in der Krimkriegskrise, 1859 und später immer wieder zurückkommen.

4.2. Die Revolutionen von 1848/49 in Deutschland und Europa: Ursachen, Ziele, Folgen

Anders als 1830, sprang 1848 der revolutionäre Funke der Pariser Februarrevolution unmittelbar auf nahezu alle europäischen Staaten über. Was waren die Ursachen, Zielsetzungen und Folgen der Ereignisse von 1848/49 für Europa, Deutschland und die internationale Ordnung? Bedeuteten sie wirklich den „tiefsten Einschnitt in der deutschen und europäischen Geschichte zwischen der Französischen Revolution von 1789 und der russischen von 1917" (Michael Stürmer)? Wie vor der Julirevolution, schufen die europäische Absatzkrise und die schlechten Ernten sozialen Sprengstoff (Hunger- und Gewerbekrise seit 1846, moderne Wachstumskrise 1847/48). Als Ursachen für die Revolutionen spielten neben den sozio-ökonomischen Rahmenbedingungen auch verfassungsrechtliche und nationale Probleme eine zentrale Rolle. Die zuletzt genannten überdeckten sogar vielfach „soziale Gärungsvorgänge" (Theodor Schieder). „Vorgefechte" als Anzeichen wachsender Unruhe gab es seit 1846. Zwischen diesen Krisen und Konflikten bestanden jedoch keine erkennbaren Querverbindungen. Sie waren regional begrenzt und zeigten sich in innerstaatlichen Spannungen. Auffällig war, daß sie zunächst an der mitteleuropäischen Peripherie auftraten (Krakau, Schweizer Sonderbundskrieg, dänische Erbfolgefrage, Sizilien). Die Wurzeln waren ähnlich, die „sozialen Dimensionen" aber in jedem Land unterschiedlich.

Auch 1848 ging das ‚Signal' von Paris aus. Wegen der inneren Bereitschaft zur Revolution konnte sich die Revolution wohl so schnell über Europa ausbreiten. Motive, Ziele und Ablauf waren je nach Land unterschiedlich. Daher war die Revolution eigentlich nur „in ihrem äußeren Verlauf" ein europäisches Ereignis „und erst in dem Augenblick, in dem sie auf die Staaten des Deutschen Bundes, vor allem auf Österreich, übergriff; denn damit warf sie sowohl die deutsche Frage als nationale Frage wie auch die Verfassungsfrage im Sinne bürgerlich-liberaler Politik in den einzelnen deutschen Staaten und die Nationalitätenprobleme des Südostens, nicht zuletzt die italienische Frage, auf" (Schieder 1982, 33).

Die erfolgreiche Pariser Revolution entschied die Geschicke Frankreichs. In Deutschland hatte die Märzrevolution mehrere Zentren. Für ihre Ausbreitung war dies jedoch kein Hindernis, denn das liberale Bürgertum als Träger der Verfassungsbewegung hatte sich in Deutschland seit den frühen vierziger Jahren „zu einem einheitlichen Kraftfeld" (Theodor Schieder) zusammengefunden. Für den mit den Revolutionen verbundenen politischen Prozeß müssen wir drei Betrachtungsebenen berücksichtigen, die in ihrer Wechselwirkung u. a. eine befriedigende Lösung der anstehenden Probleme erschwerten:

1. Die Ebene der einzelnen deutschen Staaten,

2. die „Frankfurter Ebene“ (Deutscher Bund, dann Vorparlament, Nationalversammlung, provisorische Reichsgewalt) und

3. die internationale Umwelt Mitteleuropas.

Erste Wirkungen zeigte die Revolution in Südwestdeutschland. Ende Februar 1848 werden in Mannheim Programmpunkte beschlossen, die als „Märzforderungen“ (Pressefreiheit, allgemeine Volksbewaffnung, konstitutionelle Verfassungen, Nationalparlament) später in allen deutschen Staaten erhoben werden. Damit sollte ein Grundzug des südwestdeutschen Liberalismus, die unauflösliche Verknüpfung von liberaler und nationaler Programmatik, gesamtdeutsch richtungsweisend werden.

In den meisten Mittel- und Kleinstaaten stieß die Revolution kaum auf Widerstand. Liberale Märzministerien wurden berufen, die Zweiten Kammern als Partner bei der Ausübung der Staatsgewalt im konstitutionellen Staat anerkannt. Die Preisgabe des ‚monarchischen Prinzips‘ bahnte den Übergang zum parlamentarischen Regierungssystem. In den Verfassungsstaaten wurden die bestehenden Verfassungen im liberalen Sinne ergänzt; in den anderen wurden Verfassungskommissionen eingesetzt. Ziele der „bürgerlichen Märzrevolution“ waren die Verfassungsrevision und die Verwirklichung der Ideale der bürgerlichen Gesellschaft (Rechtsgleichheit, Meinungsfreiheit, politische Partizipation), nicht aber die Beseitigung der Staatsform. Die ihrem Charakter nach reformistischen Märzbewegungen machten vor den Thronen halt. Aufruhr und Gewalt hörten meistens auf, sobald der Fürst die Forderungen ganz oder teilweise anerkannte. Auch in Berlin und Wien wurden „Märzministerien“ eingesetzt, nachdem alle Versuche, die Revolution militärisch niederzuschlagen, gescheitert waren. Für Preußen und Österreich griff die Revolution sofort über das „Ereignisfeld“ Deutschland hinaus auf weitere Bereiche über: Für Preußen stellte sich mit Posen gleichzeitig die polnische Frage, für den Vielvölkerstaat Österreich die ungarische, italienische und polnische Frage. In der Habsburger Monarchie trat das Problem der Stellung der Nationalitäten in der Monarchie hinzu, ferner die Frage nach der Fortexistenz der Großmacht Österreich überhaupt.

Die neue österreichische Regierung mußte zunächst ihre volle Aufmerksamkeit darauf richten, ein Auseinanderbrechen der Monarchie zu verhindern. Dies engte ihre Wirkungsmöglichkeit für eine sinnvolle gesamtdeutsche Politik empfindlich ein.

In Preußen versuchte Friedrich Wilhelm IV., durch das Bekenntnis zum nationalen Programm der Revolution die preußische Monarchie zu retten. Er optierte für ein einiges, freies Deutschland mit einer gemeinsamen Verfassung. Preußen sollte künftig in Deutschland aufgehen. In seinem Aufruf „An mein Volk" deutete die Formulierung, für Deutschland sei eine „Einheit in Verschiedenheit" anzustreben, allerdings an, daß er eine einheitsstaatliche Lösung der deutschen Frage ablehnte.

Welche Auswirkungen hatte nun der in den deutschen Einzelstaaten „mehr oder weniger gewaltsam herbeigeführte Systemwechsel" (Faber 1979, 219) auf Bundesebene?

Eine gemeinsame nationalpolitische Forderung in zahlreichen Märzadressen war die Einsetzung eines deutschen Parlaments. Diese brachte sofort zahlreiche Bundesreforminitiativen hervor: Einführung konstitutioneller Prinzipien auf Bundesebene bzw. Bundesreform von oben, die in der Bundesreformdiskussion der Jahre 1850–1866 immer wiederkehrten.

Anfang März 1848 reagierte der Deutsche Bund auf die Bundesreformforderungen, indem er einen Vorbereitungsausschuß für eine Bundesreform einsetzte (‚Siebzehner Ausschuß'). Den Märzregierungen bot sich so die Chance, die deutsche Frage auf gesetzlichem Wege zu lösen. Sie signalisierten ihre Entschlossenheit, den liberalen deutschen Nationalstaat als Monarchie und nicht als Republik durch einen revolutionären Akt zu begründen. Die Bundesakte von 1815 bot den Rahmen für die notwendigen Veränderungen. Mit Ausnahme Bayerns wünschten die süddeutschen Mittelstaaten eine liberale, *kleindeutsche Lösung* der deutschen Frage. Die Berliner Ereignisse, verbunden mit der Schwächung Preußens durch die Revolution, warfen jedoch die Frage auf, ob Preußen für einen Herrschaftskompromiß mit dem Bürgertum noch der geeignete Partner sein konnte.

Die aufgrund der Wahlrechtsempfehlung des Vorparlaments

und des Bundesbeschlusses vom 7. 4. 1848 gewählte deutsche Nationalversammlung konstituierte sich am 18. Mai 1848 in der Frankfurter Paulskirche. Sie verstand sich als „Souverän der Nation". Nach eingehenden Beratungen optierte die „Paulskirche" für einen nationalen deutschen Bundesstaat. Über die inhaltliche Ausgestaltung des „Bundesstaates" gab es jedoch unterschiedliche Vorstellungen. Neben den Verfechtern des nationalen Einheitsstaates fanden sich in der Nationalversammlung drei Spielarten von „Bundesstaat": der „unitarische Bundesstaat", der „Bundesstaat des föderativen Typs" und der „Bundesstaat mit starken föderativen Elementen" (Staatenverein, Staatenbund). Der Verfassungsausschuß der Nationalversammlung hatte am 20. 10. 1848 für eine Bundesform plädiert, „die zwischen der Einheitsregierung und der bisherigen Form des Staatenbundes in der Mitte steht; die Form des Bundesstaates kann nach der allgemeinen Ansicht allein den Forderungen genügen, nur sie kann den bestehenden Verhältnissen und Interessen Deutschlands entsprechen".

Kompliziert wurde die Verfassungsproblematik durch die Frage nach der künftigen Stellung Österreichs zum bzw. im deutschen Bundesstaat, kam hiermit doch auch die Frage nach der künftigen territorialen Ausdehnung Deutschlands ins Spiel. Mit der Wahl Erzherzog Johanns zum Reichsverweser und der Übertragung der Kompetenzen an ihn durch die Bundesversammlung des Deutschen Bundes schien eine großdeutsche Vorentscheidung gefallen. Der provisorischen Zentralgewalt fehlten jedoch die Machtmittel und der verwaltungsmäßige Unterbau, um Erlasse und Parlamentsbeschlüsse gegen die Einzelstaaten durchzusetzen. Es wird hier das „innenpolitische Grundproblem" der deutschen Frage deutlich, das die Beziehungen „Zentralgewalt" – „Einzelstaaten" belastete: Kompetenzverteilung, Finanzausgleich, Einnahmeformen, Struktur der Ausgaben des Bundes. 1848/49 sollte es nicht gelingen, die dadurch entstehenden Schwierigkeiten zu überwinden, vielmehr verschärfte sich der Konflikt Zentralgewalt – Einzelstaaten seit der Jahreswende 1848/49.

In einer Zirkulardepesche vom 23. 1. 1849 schlug die preußische Regierung die Bildung eines engeren und weiteren Bundes unter einem gemeinsamen Verfassungsdach vor, unter Beibehaltung des Deutschen Bundes. Österreich, Dänemark und die Niederlande würden ihm weiterhin mit ihren deutschen Territorien angehören. Diese verfassungsrechtliche Verbindung wäre vereinbar „mit dem Zusammentritt der übrigen deutschen Staaten zu einem engeren Vereine, zu einem Bundesstaate, innerhalb des Bundes". Der Zollverein habe gezeigt, daß „auch ein noch weitere Interessen umfassender Verein unter der Mehrzahl der Bundesglieder geschlossen werden und innerhalb des Bundes bestehen" könne. Österreich lehnte die preußischen Vorschläge kategorisch ab. Damit rückte die Alternative ‚großdeutsch' – ‚kleindeutsch' in das Zentrum der Auseinandersetzungen. Die Frage nach den Grenzen eines neuen deutschen Staates wurde zu einem machtpolitischen und verfassungspolitischen Konflikt, der die Entscheidungsfähigkeit nachhaltig belastete.

Die Nationalversammlung entschied sich schließlich mit der Reichsverfassung vom 28. 3. 1849 für einen kleindeutschen Bundesstaat ohne Österreich, wobei die Vorgänge in Österreich und die Vorschläge Schwarzenbergs Anfang März 1849 sicherlich eine zentrale Rolle gespielt hatten. Die Reichsverfassung warf neben starken bundesstaatlich-unitarischen Tendenzen ein Problem auf, das sie nicht zu lösen vermochte, das aber wegen des Modellcharakters dieser Verfassung für spätere Formen deutscher Staatlichkeit zu einer Schlüsselfrage der deutschen Geschichte werden sollte: Wie konnten bei einer „kleindeutschen" Lösung der deutschen Frage Preußen und sein Herrscher „zum Träger der Exekutivgewalt" gemacht werden, „ohne daß das übrige Deutschland und die übrigen Staaten zu fürchten brauchten, von Preußen erdrückt zu werden, und ohne daß Preußen das Opfer seiner Auflösung zu bringen hatte" (Meinecke 1908, 469)?

Die erbkaiserliche Politik, getragen von der Mehrheit der Nationalversammlung, scheiterte praktisch mit der Ablehnung der ihm angetragenen Kaiserkrone durch Friedrich Wilhelm IV. Zwar anerkannten 29 deutsche Regierungen im April 1849 die Reichsverfassung, doch lehnten die deutschen Großmächte und die größten deutschen Mittelstaaten (Bayern, Sachsen, Hannover) sie ab. Alle

Einigungsversuche scheiterten. Der Versuch der Zentralgewalt, die Verfassung durch einen Appell an das deutsche Volk in Kraft zu setzen, blieb ebenso erfolglos wie der außerparlamentarische Versuch der Linken, die Verfassung auf revolutionärem Wege durch Bürgerkrieg zu erzwingen. Die Revolution in Deutschland war beendet. Die Frage nach der staatlichen Organisationsform Mitteleuropas stellte sich nun unter schwierigeren Rahmenbedingungen erneut, und damit die deutsche Frage als europäisches Kernproblem.

Aus der europäisch-internationalen Perspektive warfen die Revolution in Deutschland und die Versuche einer Nationalstaatsgründung vor allem zwei Probleme auf:

1. Ein politisch und wirtschaftlich geeinter deutscher Nationalstaat, straff organisiert durch eine nach innen und außen handlungsfähige, mächtige Zentralgewalt, konnte zum neuen machtpolitischen Gravitationszentrum in Europa werden, mit möglicherweise destabilisierender Wirkung auf das Gesamtsystem.

2. Ein deutscher Bundesstaat auf der Basis des nationalen Prinzips warf die Frage nach seinen Grenzen auf, zwang zu Überlegungen hinsichtlich des Verhältnisses der nichtdeutschen Nationalitäten zu diesem Staat und erforderte Entscheidungen darüber, wie in diesem Staat die vitalen Interessen übernationaler Staatsgebilde (Österreich, Preußen) berücksichtigt werden konnten und sollten.

Die deutsche Revolution wurde somit von Anbeginn europäisiert. Der internationalen Umwelt Mitteleuropas konnte es nicht gleichgültig sein, in welchen staatsrechtlichen und territorialen Formen die deutsche Revolution ihre Ziele verwirklichte. Für ihren Erfolg oder Mißerfolg war daher in hohem Maße auch die Haltung der Nachbarn von Bedeutung. Besonderes Gewicht erhielt vor allem die Reaktion der Großmächte Großbritannien, Rußland und Frankreich. Unabhängig von ideologischen Überzeugungen und nationalen Interessen durfte aus ihrer Sicht der Gründungscharakter für das ‚Band der deutschen Nation' von 1815 nicht angetastet werden, damit Mitteleuropa auch weiterhin seine Friedenssicherungsfunktion erfüllen konnte.

Mit Ausnahme Rußlands standen die europäischen Großmächte

den deutschen Entwicklungen zunächst freundlich-wohlwollend gegenüber. Allerdings gaben das Agieren Deutschlands in der Schleswig-Holstein-Frage und die „überschießende Energie", die auf die Entstehung eines „machtvollen deutschen Nationalstaates" verwandt wurde, vielfältige Veranlassung zu Befürchtungen.

In Überschätzung der eigenen Möglichkeiten, oftmals ohne Gespür für Prioritäten und die Politik des Machbaren, versuchten starke Kräfte aus allen nationalpolitischen Lagern, in einer vermeintlich günstigen Situation einen kraftvollen deutschen Nationalstaat *gegen und nicht mit Europa* zu begründen.

Mit Aufmerksamkeit waren im Ausland deutsche Überlegungen zu den künftigen Grenzen dieses Nationalstaates registriert worden. Eine weitverbreitete österreichische Flugschrift verdeutlichte mit ihren Zielvorstellungen die potentiellen Gefahren für die europäischen Nachbarn der Deutschen; dort heißt es: „Durch Österreich gewinnt Deutschland die mittelländische Lage und die untere Donau, durch Preußen ... die Ostseelage und den unteren Rhein. Durch die übrigen Staatenglieder werden diese beiden Körper zu einem kompakten Ganzen vereinigt ... Das ist Großdeutschland! Das ist des deutschen Volkes würdiges Gebiet und gleichzeitig das in der Weltgeschichte ihm vorgezeichnete."

Aus den territorialen Vorstellungen maßgebender politischer Kräfte ergaben sich vor allem zwei Konfliktebenen mit den Westmächten und Rußland:

1. Das Ziel Großstaat an vier Meeren mit einer dominierenden Zentralstaatsstellung in Europa mußte – unabhängig von der ideologischen Orientierung – zu machtpolitischen Konflikten mit Rußland und Frankreich führen.

2. Mit dem zu erwartenden politischen, wirtschaftlichen und militärischen Potential wurden seit der Rheinkrise von 1840 maritime Ziele verknüpft (Seegeltung, Kolonien, Kriegsflotte). Diese Ambitionen mußten zu Interessenkonflikten mit der Seemacht Großbritannien führen.

Beide Konfliktebenen sollten im Vorfeld des Ersten Weltkrieges unter veränderten Rahmenbedingungen wiederkehren und zu einem belastenden Faktor für das internationale System werden.

War 1848/49 der tiefste Einschnitt für die deutsche und europäische Geschichte zwischen 1789 und 1917? Sicherlich nicht. Die von 1848 in die Gegenwart führenden Entwicklungslinien waren schon 1830 angelegt, insbesondere was die Bewußtseinslage der einzelnen europäischen Völker betraf. Das nationale Prinzip wurde nicht erst 1848/49 ein dynamischer Faktor der internationalen Beziehungen. Sicherlich wurde es aber seit 1848 stärker ideologisiert und vielfach machtpolitisch mißbraucht. Trotz der von Mitteleuropa ausgehenden gefährlichen Krisen wurde die Funktionsfähigkeit der internationalen Ordnung nicht sistiert. Die verstärkte Wirtschaftstätigkeit und die Industrialisierung vor allem in Deutschland können nicht als Folgeerscheinung der Ereignisse von 1848/49 bewertet werden. Die Anerkennung der provisorischen Zentralgewalt durch die USA verdeutlichte plötzlich die zunehmend globale Dimension des internationalen Systems. Die Anfänge hierzu liegen in den 1820er Jahren. Die Revolutionen von 1848/49 bedeuteten somit sicherlich nicht den „tiefsten Einschnitt", wohl aber eine wichtige Wegmarke für Europa und Deutschland.

4.3. Auf dem Wege zu einem globalen internationalen System 1850–1870: Die Reichsgründung als Ergebnis einer Krimkriegkonstellation?

Das internationale System von 1815 war noch weitestgehend eurozentrisch orientiert. Der militärische Konflikt in Nordamerika 1812–1814, der sich auch auf europäische Ursachen zurückführen ließ, hatte jedoch schon damals verdeutlicht:

1. eine Globalisierung der internationalen Ordnung bahnt sich an,
2. das internationale System muß zunehmend mit überseeischen Akteuren rechnen und
3. außereuropäische Faktoren werden immer stärker den Charakter und die Entwicklung des internationalen Systems beeinflussen.

Die endgültige Unabhängigkeit Lateinamerikas, die Verstärkung und Ausprägung transnationaler Beziehungen und Bewegungen (Ideen, Ideologien, Rechtsbeziehungen) und die Handelskontakte zu unabhängigen überseeischen Einheiten gaben dem Staatensystem eine globale Qualität. Diese Tendenz verstärkte sich mit dem Ausgreifen der westeuropäischen Staaten nach Übersee auf der Suche nach neuen Märkten und Rohstoffquellen für ihre expandierende Industriewirtschaft. Die Interessenverlagerung in den asiatischen Raum und nach Amerika bildete die Grundlage für spätere Konflikte, deren Dimensionen um die Jahrhundertmitte noch nicht gesehen wurden, möglicherweise auch nicht erkannt werden konnten. Sie traten erst auf dem Höhepunkt des Imperialismus um 1900 zunehmend in das Blickfeld der internationalen Politik. Erst dann wurde der Schritt von einem europäisch orientierten und dominierten zu einem globalen internationalen System mit mehreren weltpolitischen Großräumen vollzogen.

Stand eine frei vereinbarte neue Bundesakte der deutschen Staaten im Gegensatz zu den völkerrechtsetzenden Verträgen von 1814/15? Durften die Signatare der Wiener Kongreßakte, wie es Ende 1850 Prinzgemahl Albert formulierte, ,,in Beschlüsse und Maßnahmen eingreifen, durch die die deutschen Staaten selbst die Verfassungsordnung, die Grundgesetze und die Institutionen der Bundesakte (von 1815) reorganisierten" (Gruner 1981, 46)? Für London und Paris war der Bund 1848 de jure nicht aufgelöst worden. Insofern sahen sie ihr Interventionsrecht – auch wenn der Bund 1832 und 1834 diese Rechtsauffassung abgelehnt hatte – für den Fall weiterhin gegeben, daß der Gründungscharakter des Bundes aus ihrer Sicht gefährdet sein sollte. Die Folge wäre eine empfindliche Störung des europäischen Systems gewesen, sei es durch Ausfüllen des dann entstandenen machtpolitischen Vakuums durch *eine* europäische Großmacht, sei es durch die Bildung eines neuen mitteleuropäischen Machtzentrums. Die Westmächte protestierten daher 1851 gegen den völkerrechtswidrigen Schritt der deutschen Großmächte, dem restituierten Bund mit ihrem gesamten Territorium beizutreten. Die Bundesversammlung lehnte den Protest als innere Einmischung ab.

Zur territorialen Erweiterung des Bundes kam es schließlich

doch nicht. Neben der mehr oder minder offenen Rivalität Österreichs und Preußens um die Führungsrolle im Bund dürfte das Votum der Mittelstaaten durch ein französisches Deutschlandmemorandum nachhaltig beeinflußt worden sein. Auch wenn Frankreich hier seine machtpolitischen Ziele hinter der Fassade völkerrechtlicher Argumente verschleierte, enthielt die Denkschrift doch wichtige Einsichten für die deutsche Frage als europäisches Problem, die über das französische Eigeninteresse hinausreichten, vor allem diese:

1. Bei Erweiterung des Bundes bestand die Gefahr, daß dieser zu einem „größeren Österreich", zu dessen Rückenschild und Flankenschutz geworden wäre. Österreich hätte auf dieses Potential bei der Verfolgung seiner Großmachtinteressen zurückgreifen können, und Preußen wäre auf diesem Wege mitgerissen worden. Das verfügbare Potential hätte die Risikobereitschaft erhöht. Ein erweiterter Bund hätte Preußen und das „Dritte Deutschland" als Gegengewicht wirkungslos gemacht und damit die friedenssichernde Rolle des Bundes für das europäische Gesamtsystem aufgehoben.

2. Der „Vielvölkerstaat" Deutscher Bund wäre zwangsläufig in Konflikt mit Frankreich geraten. Eine französische Intervention zugunsten *einer* der Nationalitäten im Deutschen Bund wäre eine Einmischung in die inneren Angelegenheiten des Bundes gewesen. Angesichts der Dynamik und Sprengkraft der politisierten Nationalbewegung wäre Mitteleuropa zu einem Pulverfaß ersten Ranges geworden.

Wie verhielt sich nun der Gesamtbund in den internationalen Krisen der 1850er Jahre, in die seine Präsidialmacht verstrickt war?

Aus europa- und weltpolitischen Zielsetzungen hatte Napoleon III. einen Konflikt um die Heiligen Stätten in Palästina angezettelt. Er wünschte keinen militärischen Schlagabtausch, wohl aber eine machtpolitische Schwächung Rußlands. Wegen der in der Orientalischen Frage antirussischen Interessenlage Österreichs und Großbritanniens sowie des preußischen Desinteresses konnte Frankreich hoffen, die durch seine Politik der Drohungen (Belgien, Rheingrenze) wiederbelebte Bündnisformation von 1814/15 aufzubrechen. Für Zar Nikolaus bedeutete der Konflikt über eine nationale Prestigefrage hinausgreifend auch die Kraftprobe mit der Partei der Revolution, die zugunsten der konservativen Mächte entschieden werden mußte. Die Ablehnung der russischen Forderungen durch das Osmanische Reich beantwortete Rußland mit der Besetzung der zum türkischen Reich gehörigen Donaufürstentümer (Moldau, Walachei). Die russische Aktion bewerteten die anderen Großmächte als „kriegerischen Akt", als Verletzung des Vertrages von 1841, der alle die Türkei betreffenden Angelegenheiten zu europäischen Fragen erklärt hatte. Alle Versuche zur Konfliktregulierung durch Verhandlungen scheiterten, u. a. wegen der geringen Kompromißbereitschaft auf beiden Seiten.

Im Vorfeld des Krimkrieges rechnete die Mehrzahl der Bundesstaaten damit, daß der Deutsche Bund in die Auseinandersetzungen im Nahen Osten hineingezogen werden würde. Zu einer Option war das ‚Dritte Deutschland' jedoch nicht bereit. Aus existenziellen Gründen bevorzugte es die Neutralität des Gesamtbundes, zumal diese den Bestand des Deutschen Bundes und über ihn den europäischen Frieden sichern könnte. Im Dezember 1854 schloß Österreich eine Allianz mit den Westmächten. Die wichtigsten deutschen Bundesstaaten waren vorher weder informiert noch konsultiert worden. Österreich demonstrierte damit, daß es die Bundesmitglieder als seine Vasallen ansah, als willfährige Werkzeuge für das vermeintliche österreichische Staatsinteresse. Anfang 1855 lehnte die Mehrheit des Bundes eine Unterstützung Österreichs für den Kriegsfall ab und unterstützte Preußens Antrag auf eine bewaffnete Neutralität des Bundes. Österreichs Versuch, den Bund zu einem eigenständigen, von Wien aus gelenkten Machtfaktor der europäischen Politik werden zu lassen, scheiterte abermals.

Die Haltung des Deutschen Bundes in der Krimkriegkrise war – und das wird vielfach übersehen – für eine Lokalisierung des Krieges entscheidend. Eine Ausweitung zum europäischen Krieg hätte die Friedensordnung von 1815 zerbrochen, mit schwer kalkulierbaren Folgen für Mitteleuropa.

Die Niederlage im Krimkrieg brachte der russischen Großmachtstellung in Europa und im Nahen Osten einen empfindlichen Rückschlag. Der Krimkrieg hat zumindest zeitweilig eine Neuorientierung der europäischen Großmachtbeziehungen gebracht und Veränderungen der europäischen Landkarte ermöglicht. Die Tatsache, daß zwischen 1854 und 1856 drei der fünf europäischen Großmächte gegeneinander Krieg führten, blieb nicht ohne Wirkung. Das von den europäischen Großmächten dominierte internationale System schien zur friedlichen Konfliktregulierung nicht mehr fähig oder willens. In den Jahren bis zur Reichsgründung kam es immer wieder zu Kriegen, in denen sich zwei Großmächte gegenüberstanden. Dennoch bedeutete der Pariser Frieden nicht das Ende des ,,Europäischen Konzerts", das durch eine ,,Ära weitgehender Anarchie in den internationalen Beziehungen" (Baumgart) abgelöst wurde, charakterisiert durch ad hoc geschlossene Offensivallianzen, die an die Stelle von auf Dauer geschlossenen Defensivallianzen traten.

Von Bedeutung für die Entwicklung der internationalen Zusammenarbeit und der Staatenbeziehungen sollten zwei Ergebnisse des Friedenskongresses von 1856 werden:

1. Der Kongreß setzte zahlreiche internationale Gremien ein, die ,,faktisch als ein permanentes Sekretariat des europäischen Konzerts" (Baumgart) anzusehen waren und, wie die europäische Donaukommission, zu einer ständigen Einrichtung wurden.

2. Der Mediationsartikel des Friedensvertrages (Art. 8) bestimmte, daß bei einem Konflikt zwischen der Türkei und einem der Unterzeichnerstaaten vor einer militärischen Auseinandersetzung die anderen Signatare einen friedlichen Konfliktaustrag in dieser europäischen Frage vermitteln sollten. Dieser zukunftsweisende Grundsatz zur Kriegsverhütung sollte in europäischen Krisenlagen immer wieder angewandt werden, wenn auch vielfach ohne den erhofften Erfolg.

Im Sinne der Erhaltung des Friedens und der unkalkulierbaren europäischen Folgen eines Krieges zwischen Frankreich und Österreich in Italien wurde Großbritannien 1859 in der ,,italienischen Krise" als Vermittler tätig. Frankreich und Piemont waren jedoch zu einer militärischen Lösung entschlossen. Es gelang ihnen, Österreich vor der europäischen Öffentlichkeit in die Rolle des Angreifers zu drängen. Wegen seiner desolaten Finanzlage und innenpolitischer Überlegungen meinte Österreich, eine schnelle militärische Lösung suchen zu müssen, glaubte es doch, anders seine internationale Großmachtstellung und mitteleuropäische Führungsrolle nicht bewahren zu können. Würde der Deutsche Bund erneut neutral bleiben, wie man in Paris hoffte, oder auf der Seite der Donaumonarchie in den Krieg eingreifen, wie die Wiener Regierung erwartete?

1859 stand die öffentliche Meinung in Deutschland hinter Österreich. Es wurde viel über das „große deutsche Vaterland", über die „gemeinsame Verteidigung" deutschen Bodens gegen Frankreich, die „Verteidigung des Rheins am Po" geschrieben. Wien nützte diese Stimmungslage aus und beantragte am Bundestag „Bundeshilfe" gemäß der Wiener Schlußakte (Art. 47). Einem entsprechenden Beschluß der Bundesversammlung würde sich auch Preußen nicht widersetzen können. Um Zeit zu gewinnen, berief sich Preußen auf seine Verpflichtung als „europäische Macht" *und* als „Bundesstaat", für die Erhaltung des Friedens zu sorgen. Aus französischer Sicht schien mit der preußischen Politik der Weg zur Neutralität Preußens und damit des „Dritten Deutschland" geöffnet, die Gefahr eines Zweifrontenkrieges gebannt. Auch Österreich wurde in Erwartung einer breiten Unterstützung durch den Bund zu einer falschen Lagebeurteilung und Entscheidung verleitet. Ausgelöst durch Österreich, begann im Mai 1859 der Krieg in Italien.

Frankreich bemühte sich, den Krieg zu lokalisieren und vor allem ein Eingreifen des Deutschen Bundes zu vermeiden. Es versicherte, die Rechte und Interessen des Bundes nicht zu verletzen. Angesichts der öffentlichen Stimmung in Deutschland schienen jedoch alle Bemühungen um eine Neutralität des Bundes vergeblich. Mit nostalgischem Blick zurück auf die Befreiungskriege wurde die Stimmung antifranzösisch aufgeheizt. Frankreich mußte nun einen deutschen Angriff auf sein Territorium unter Verletzung der belgischen Neutralität als Möglichkeit einkalkulieren. Erneut erhielt die Rolle Preußens Gewicht, das sich seinerseits an Großbritannien orientierte. Diesem war an einer abwartenden, neutralen

Haltung des Bundes gelegen. Trotzdem wurde eine Bundesintervention im Juni 1859 immer wahrscheinlicher, da der Druck der öffentlichen Meinung so stark war. Die Aufstellung eines preußischen Observationskorps am Mittelrhein und zweier Bundesarmeekorps am Oberrhein spitzten die internationale Lage bedrohlich zu. Für die mobilisierten Bundesarmeekorps beanspruchte Preußen den Oberbefehl und rechnete mit geringem Widerstand der betroffenen süddeutschen Bundesregierungen. Es war gewillt, die Gunst der Stunde für die Erweiterung seines Einflusses in Deutschland zu nutzen, über die anerkannte Hegemonie nördlich des Mains Österreich endlich die 1814/15 verwehrte Gleichberechtigung im Bund abzutrotzen, Österreich langfristig aus Deutschland hinauszudrängen und die deutsche Frage im „kleindeutschen" Sinn zu lösen.

Wenn der Krieg in Italien durch den Waffenstillstand von Villa Franca relativ schnell beendet werden konnte, so hatten hier die Teilmobilisierung des Bundes und die drohende Intervention des Bundes eine gewichtige Rolle gespielt.

Die Entscheidungsprozesse in der Krise von 1858/59 waren weitgehend an der Frankfurter Bundesversammlung und den Staaten des ‚Dritten Deutschland' vorbeigelaufen. Eine seit 1850/51 als notwendig anerkannte Bundesreform wurde dringender denn je. Als Ansatzpunkt bot sich die Bundeskriegsverfassung an. Die Mobilisierung des Bundesheeres 1855 hatte Mängel in den Verteidigungseinrichtungen des Bundes offenbart. Nach dem Krimkrieg kam es daher zu verschiedenen mittelstaatlichen Reforminitiativen. Ihr Anliegen war es, den österreichisch-preußischen Gegensatz, der die Bundesversammlung seit ihrer Wiederbegründung zur Kampfarena zwischen den beiden Großmächten hatte werden lassen, auf der Grundlage einer umfassenden, die divergierenden Interessen ausgleichenden Bundesreform zu überwinden, zumal eine Reform, die auf die Stärkung der Präsidialmacht Österreich zielte, nach den Erfahrungen während des Krimkrieges kaum noch möglich war. Voraussetzung für eine erfolgreiche Bundesreform waren der österreichisch-preußische Ausgleich und der Zusammenschluß des ‚Dritten Deutschland'. Nach dem italienischen

Krieg ergriffen die Mittelstaaten erneut die Initiative, denn ihre eigenen Sicherheitsinteressen ebenso wie die des Bundes verlangten dringend nach einer funktionsfähigen Bundesarmee für den Verteidigungsfall. Insbesondere mußte die Frage des militärischen Oberbefehls bereits im Frieden geregelt werden.

Es hatte sich 1859 gezeigt, daß die Donaumonarchie aus eigener Kraft zur Verteidigung seiner Mitteleuropastellung nicht in der Lage war. Der leidenschaftlichen Parteinahme für Österreich folgte nach der Niederlage bald Enttäuschung. Der Gedanke einer ‚Wiedergeburt' eines preußisch geführten deutschen Bundesstaates wurde erneut aufgegriffen. Seine Forderungen und Ziele entsprachen einer Tendenz der Zeit, die nicht auf Mitteleuropa beschränkt war: Der Wunsch nach größerer Einheit und Stärkung der Bundesgewalt hatte sich vorher schon in der Schweiz artikuliert und traf auch auf den amerikanischen Sezessionskrieg (1861–1865) zu. Die deutsche Einheitsbewegung, durch die Vorgänge in Italien angeregt, gehörte, ebenso wie die italienische, einem „internationalen Zusammenhang" an.

Die Binnenbeziehungen des Bundes wurden durch die Niederlage und den erneuten Prestigeverlust der Präsidialmacht belastet. Preußens erneuerter Anspruch auf Gleichberechtigung mit Österreich im Bund ließ auch die nichtmilitärischen Probleme der Bundesreform wieder aktuell werden. Träger der Reforminitiativen auf Regierungsebene waren die Mittelstaaten. In einer österreichisch-preußischen Doppelherrschaft über den Bund sahen sie ebenso eine Gefahr für ihre Selbständigkeit wie in den zentralistischen Bestrebungen der Nationalbewegung. Wenn die anhaltende Reformdiskussion im Deutschen Bund bis zu seiner Zerschlagung 1866 keine tiefgreifenden Verbesserungen der Bundesinstitutionen brachte, so lag dies nicht nur an der Destruktionspolitik Preußens und der weitgehenden Konzeptionslosigkeit der österreichischen Bundespolitik, gepaart mit massivem Vertrauensverlust, sondern auch an der Unfähigkeit des ‚Dritten Deutschland', insbesondere Bayerns, zugunsten einer besseren Funktionsfähigkeit des Bundes – auch durch Schaffung eines Bundesparlaments – Souveränitätsopfer zu bringen.

Eine genaue Analyse der Bundesgeschichte zwischen 1851 und 1866 verdeutlicht eine schon früher bei den deutschen Mittel- und Kleinstaaten festzustellende Tendenz: Zu Souveränitätsverzicht zugunsten einer strafferen Organisationsform des Bundes konnten sie einzig und allein unter dem äußeren Druck einer bedrohlichen internationalen Krise oder bei Gefährdung ihrer eigenen ‚nationalen' Existenz gebracht werden.

Die Gründung des kleindeutschen Nationalstaates wurde zweifelsohne durch die internationalen Beziehungen zwischen 1859 und 1871 begünstigt. Dabei stellt sich die noch zu untersuchende Frage, ob wir auch unter Einbeziehung der komplexen Wechselwirkungen von nationaler und internationaler Politik von einer „Krimkriegkonstellation" sprechen können, die einen preußisch-kleindeutschen Nationalstaat in Mitteleuropa als einzig mögliche, ‚realpolitisch' begrenzte Lösung der deutschen Frage zugelassen hat. Preußen und andere Mitglieder des Zollvereins hatten seit den 1840er Jahren unter dem Einfluß einer beschleunigten ökonomischen Entwicklung den Schritt zur industriellen Massengesellschaft vollzogen. Der Großwirtschaftsraum Zollverein wurde für Investoren und für die anderen Industriestaaten als Markt zunehmend interessant. Wie in den westeuropäischen Staaten gab es auch in Preußen Bestrebungen, auf der Suche nach Rohstoffquellen und Absatzmärkten über Europa hinauszustreben. Politisch dominierend blieben jedoch die ‚Großagrarier'. Sie dachten und handelten in kontinentalen Kategorien. Mit durch ihren Einfluß konzentrierte sich die preußische Deutschland- und Europapolitik auf Mitteleuropa. Bedeutsam war dabei, daß sich Preußen 1862 durch den Handelsvertrag mit Frankreich der 1860 durch den Cobdenvertrag geschaffenen westeuropäischen Freihandelszone anschloß. Mit diplomatischem Geschick und Druck erzwang die „Zollvereinspräsidialmacht" die Anerkennung der eingegangenen vertraglichen Verpflichtungen durch seine Partner, „zumal das außen-, finanz- und wirtschaftspolitisch angeschlagene Österreich nicht die erhoffte Unterstützung geben konnte" (Hahn 1982, 300). Dieses „handelspolitische Königgrätz" (Heinrich Benedikt) bedeutete nicht automatisch den Weg zur „politischen Verschmelzung", wie die mittelstaatliche Bundesrepublik zeigen sollte.

Mit dem Anschluß an die westeuropäische Freihandelszone hatte Preußen den Westmächten einen interessanten Markt zugänglich gemacht. Die seit der Gründung des Zollvereins von Frankreich und Großbritannien erhoffte Liberalisierung der Handelspolitik des Zollvereins war Wirklichkeit geworden. Im krassen Gegensatz hierzu stand die protektionistische Handels- und Wirtschaftspolitik der Donaumonarchie, die zunehmend ihre Kreditwürdigkeit auf den europäischen Finanzmärkten einbüßte.

Die verstärkte Konzentration Preußens auf Mitteleuropa sahen die Westmächte und auch Rußland nicht ungern. Insbesondere die Briten, die bis in das 20. Jahrhundert zu einem Schlüssel für die Lösung der deutschen Frage werden sollten, begrüßten die Rückkehr Preußens in die ihm in der Wiener Ordnung zugewiesene Rolle als vornehmlich „deutsche Großmacht" – im Gegensatz zur „europäischen Großmacht" Österreich. Preußens stärkeres mitteleuropäisches Engagement sahen sie nicht als Gefahr für die Stabilität des Bundes und des europäischen Systems. Preußen galt nach wie vor als „anlehnungsbedürftige" Großmacht, wie es die Londoner „Times" ausdrückte. Ohne den Bund schien es für Preußen keine gesicherte europäische Existenz zu geben, zumal es durch den wirtschaftlichen „Sonderbund" eine enge Bindung mit den anderen Mitgliedern eingegangen war. Wegen der Gefährdung der Friedenssicherungsfunktion des Bundes durch den österreichisch-preußischen Antagonismus befürworteten die anderen europäischen Großmächte eine Reorganisation der Bundeseinrichtungen (Dreierpräsidium als Exekutivorgan) im Prinzip. Auch eine preußische Hegemonie in Norddeutschland war noch tragbar, versprach doch auch diese, Mitteleuropa größere Festigkeit und politische Stabilität zu geben. Für das Verständnis des Reichsgründungsvorgangs sind diese Rahmenbedingungen wichtig. Sie erklären, warum die politisch-militärische Konfliktstrategie Preußens zur Lösung der deutschen Frage im Sinne von Bismarcks Weihnachtsdenkschrift 1862 nicht auf den entschiedenen Widerstand Großbritanniens, Frankreichs und Rußlands stieß. Hinzu kamen innen- und außenpolitische Einflußgrößen, die ihr außenpolitisches Konfliktverhalten in den Entscheidungen von 1864, 1866 und 1870/71 mitbestimmten.

Großbritanniens Hauptaugenmerk galt der globalen Absicherung seiner Position gegen die potentiellen Weltmächte Rußland und USA. Die Beziehungen zu den USA waren seit 1850, u.a. wegen politischer und ökonomischer Rivalitäten in Mittelamerika, angespannt. Die britische Haltung zum Bürgerkrieg 1861–1865 bedeutete bis in die Zeit nach der Reichsgründung eine zusätzliche Belastung. Ein militärischer Konfliktausgleich mußte einkalkuliert werden. Um seine überseeische Handlungsfähigkeit zu erhöhen, war Großbritannien daher an einer störungsfreien europäischen Ordnung gelegen. Revisionen zur Stabilisierung des europäischen Staatensystems erschienen so durchaus wünschenswert. Veränderungen sollten jedoch friedlich erfolgen. Mit Hilfe der Kriegsverhütungsartikel des Friedensvertrages von 1856 versuchte Großbritannien 1866 und 1870, eine militärische Lösung der bundespolitischen Gegensätze bzw. der preußisch-französischen Differenzen im letzten Augenblick zu verhindern. Seine europapolitische Handlungsfähigkeit zeigte sich auch 1867 bei der Beilegung der Luxemburger Krise durch den Londoner Vertrag und die Abrüstungsinitiative des Frühjahrs 1870, trotz Ablenkung durch außereuropäische und innenpolitische Probleme.

Sicherlich wurde der britische Handlungsspielraum durch innenpolitische Schwierigkeiten eingeengt (Rücktritt der Regierung, Wahlrechtsreform, Irische Frage, Militärreform, Wirtschaftsprobleme). Dies hätte das Land jedoch nicht daran gehindert, bei Verletzung bzw. Gefährdung vitaler Interessen notfalls die Kriegsschwelle zu überschreiten. Die preußisch-kleindeutsche Lösung der deutschen Frage, der Großbritannien abwartend positiv gegenüberstand, schien die weltpolitische Stellung des Landes nicht zu gefährden. Ein gestärkt aus den Kriegen hervorgehendes Preußen, das als stabilisierender Faktor für das Mächtegleichgewicht zwischen Rußland und Frankreich wirksam werden konnte, lag ganz im britischen Interesse, dies um so mehr, nachdem sich ein von Österreich geführter Deutscher Bund hierzu nicht mehr in der Lage gesehen hatte.

Von den Großmächten des 19. und 20. Jahrhunderts hat einzig Rußland durchgängig den Status besessen ,,oder doch so viel davon behauptet, daß es auf Deutschlands Wege zur Einheit wie in die Teilung folgenreich einwirken konnte" (Rexhäuser/Ruffmann). Die unmittelbare Nachbarschaft an der geostrategisch wichtigen russischen Westgrenze spielte dabei eine zentrale Rolle, denn fürs „Kalkül der Macht ... war Deutschland mithin politisches und militärisches Vorfeld des Ostens, eine Zone erhöhter Sicherheitsempfindlichkeit, der jede russische Regierung, sie mochte in Petersburg oder Moskau sitzen und ihre Sicherheit defensiv verstehen oder in der Offensive finden", Rechnung tragen mußte (Rexhäuser/Ruffmann 1982, 12).

Die außenpolitische Manövrierfähigkeit Rußlands nach 1856 war eingeschränkt, u. a. wegen der Entscheidung des Zaren zur inneren Reform, zur Verbesserung der Wirtschaftsstruktur sowie zum Ausbau der verkehrsmäßigen Infrastruktur. Mit der „Rechnung auf die Zukunft" verbanden sich enorme finanzielle Lasten, die die Bereitschaft zu militärischer Aktion verminderten. Hinzu kam, daß die „innenpolitische Annäherung" Rußlands an den Westen das Bedürfnis, als „Gendarm Europas" zu agieren, herabsetzte.

Der sich abzeichnenden Neuformierung Mitteleuropas in den 1860er Jahren stand Rußland insgesamt neutral-wohlwollend gegenüber. Dabei spielten zusätzlich folgende Momente eine Rolle:

1. Rußland war durch seine Ostexpansion zur pazifischen Macht geworden. In Konkurrenz zu den Westmächten und den USA, bemühte es sich, seine ökonomischen, politischen und territorialen Interessen im künftigen eigengewichtigen internationalen Großraum Fernost – besonders in China und Japan – zu sichern und zu erweitern.

2. Zum deutschen Wirtschaftsraum bestanden starke Abhängigkeiten. Eine Intervention hätte also zu wirtschaftlichen und finanziellen Engpässen führen können.

3. Bundesauflösung, Norddeutscher Bund und Reichsgründung schienen die internationale Stellung Rußlands existentiell nicht zu verändern.

1866 beteiligte sich Rußland als ‚Garantiemacht' des Wiener Kongresses am letztlich erfolglosen Versuch einer friedlichen Regelung der bundespolitischen Gegensätze, schlug einen europäischen Kongreß zur Neuordnung Mitteleuropas vor und erwirkte, als dieser nicht durchsetzbar war, für seine deutschen Verwandten (u. a. Baden, Württemberg, Oldenburg) mildere Friedensbedingungen. Den Krieg von 1870/71 benutzte es, um nach der einseitigen Aufkündigung der Pontusklausel des Pariser Friedens 1871 eine Vertragsrevision zu erzwingen.

In der französischen Gesamtpolitik spielte Deutschland eine vergleichsweise untergeordnete Rolle. Es hat mehrere Konzeptionen und Optionen gegeben, von der handelspolitischen über die preußische, national-politische, mittelstaatlich-bundesreformerische bis hin zu den österreichischen Initiativen nach 1861. Sie existierten nebeneinander und wurden je nach Interessenlage entsprechend der Generallinie der französischen Politik – Revision der Verträge von 1814/15 – eingesetzt. 1866 hatte auch Frankreich einen militärischen Konfliktaustrag innerhalb des Deutschen Bundes verhindern wollen. Am Ende des Krieges von 1866 setzte es aber der Auflösung des Bundes, der nach seiner Rechtsauffassung auf „ewige Zeiten" abgeschlossen war, keinen Widerstand entgegen. „Sterben für Frankfurt" entsprach keineswegs der innen- und außenpolitischen Interessenlage Frankreichs. Zudem versprachen machtpolitische Verschiebungen in Mitteleuropa territoriale Kompensationen. Sie konnten als Instrument innenpolitischer Konfliktregulierung eingesetzt werden. Nach dem erzwungenen Ausscheiden Österreichs aus Deutschland beschränkte sich Frankreich darauf, im Prager Frieden eine unabhängige Existenz für die süddeutschen Staaten zu sichern. Sie sollten einen Südbund bilden und in ein lockeres staatsrechtliches Verhältnis zum preußisch geführten Norden treten. Frankreich hoffte, sich so Einwirkungsmöglichkeiten auf Süddeutschland zu erhalten und gleichzeitig macht- und sicherheitspolitisch einen Puffer zwischen Österreich und dem Norddeutschen Bund zu schaffen.

Die Rückschläge für die weltpolitischen Ambitionen Frankreichs (Korea 1866, Mexiko 1867) blieben nicht ohne innenpolitische Folgen, zumal das Herrschaftssystem Napoleons III. zunehmend auf Widerstand stieß. Die Bekanntgabe der preußisch-süddeutschen Schutz- und Trutzbündnisse und die Eskalation der Luxemburger Krise 1867 mit ihrer emotionalen Überhitzung brachten Frankreich und Deutschland an den Rand eines Krieges. Weitere Krisen sollten bis 1870 folgen. Trotz des Übergangs zum ,,liberalen Reich" (Empire libéral) seit 1869 schwächten die außenpolitischen Mißerfolge die innenpolitische Stellung des ,,plebiszitären Kaisers" Napoleon III. Sie verschärften die innenpolitische Krise in Frankreich und erhöhten die Bereitschaft der Regierung, wegen der ,,Spanischen Thronkandidatur" des Hohenzollernprinzen Leopold den Waffengang mit Preußen zu wagen, zumal mit einer süddeutschen Neutralität – trotz der Trutz- und Schutzbündnisse – fest gerechnet wurde. Hinter der französischen Kriegserklärung vom 18. Juli 1870 stand weniger die Absicht, die Entstehung eines kleindeutschen Nationalstaates zu verhindern, als der Versuch, die gekränkte Ehre wiederherzustellen. Im Vorfeld des Krieges gab es in der liberalen Presse und in Regierungskreisen in Paris keinerlei Anzeichen dafür, daß die Herstellung der kleindeutschen Einheit als Kriegsgrund angesehen werden würde, auch wenn sie als Ergebnis einer preußischen ,,Eroberungspolitik" zustande käme.

An Stimmen gegen den unnötigen Krieg hatte es nicht gefehlt. Dennoch entlud sich in der Julikrise der im französischen ,,Sadowa-Komplex" angelegte chauvinistische Zündstoff, den die bonapartistische Kriegspropaganda verwerten konnte. Die Reaktion des Deutschlandbewunderers Michelet war für die geistige Elite Frankreichs typisch: ,,Wir (haben) immer die deutsche Einheit gewünscht; aber die wirkliche, frei gewollte Einheit, nicht diese barbarische, gewalttätige und auf unwürdige Weise erzwungene Einheit." Wenn sie schon nicht zu verhindern war, hätte Frankreich diese Form der Einheit lieber gesehen als die ,,Reichsgründung von oben", erstritten auf dem Schlachtfeld.

Für Österreich war ein Arrangement mit Preußen aus außen-, finanz- und innenpolitischen Überlegungen wünschenswert. Es durfte jedoch nicht den Charakter einer *echten* politisch-militärischen Doppelleitung annehmen. Als Österreich 1861 ein preußisches Bündnisangebot ablehnte, leitete dies eine Phase der aktiven Konfrontation ein. Die Möglichkeit eines Zweifrontenkrieges in

Italien und Deutschland mußte zunehmend einkalkuliert werden. Sie trat neben die zahlreichen ungelösten Probleme der Donaumonarchie. Die Entscheidungen der österreichischen Politik müssen daher vor dem Hintergrund der Notwendigkeit einer grundlegenden Reform des politisch-sozialen und ökonomischen Systems der Monarchie sowie der äußeren Existenzsicherung bewertet werden. Dennoch bleibt es unverständlich, warum Österreich aus falschverstandenem Staatsinteresse gegenüber dem ‚Dritten Deutschland' eine doppelzüngige Politik betrieb. Konnte es auf eine preußische Garantie für seinen Besitzstand in Italien hoffen? Der erlittene Vertrauensverlust der Bundespräsidialmacht in Deutschland war groß, zumal es sich von Preußen immer wieder in bundespolitische Grauzonen ziehen ließ und sich auf außerbundesrechtliche Vereinbarungen in Fragen des Gesamtbundes mit Preußen – auf Kosten der anderen deutschen Staaten – einigte. Dabei schien es die Bedeutung und Funktion von unabhängigen Staaten, insbesondere in Süddeutschland, für die deutsche Ordnung und das europäische Gesamtsystem zu verkennen. Die komplexen Probleme der Monarchie und die Dominanz der „preußischen Frage" für die österreichische Politik stellten sich einer klaren, langfristigen deutschland- und europapolitischen Konzeption entgegen. Das Dilemma Wiens war, „politische Strategien zu entwickeln, die sich mit der Tatsache vereinbaren ließen, daß Preußen für Österreich gleichzeitig der gefährlichste Rivale und der bei weitem wichtigste Verbündete war" (Roy A. Austensen).

Wie schon während des Krimkrieges, war Österreich auch in den 1860er Jahren an der Bewahrung des Friedens interessiert. Sie konnte den Prozeß der inneren Reorganisation und der Sanierung der Staatsfinanzen – Voraussetzungen für die Wiedergewinnung uneingeschränkter außenpolitischer Aktionsfähigkeit – vorantreiben. Ließ sich ein militärischer Schlagabtausch mit Preußen nicht vermeiden, so sollte er möglichst lange hinausgeschoben werden. 1866 wurde Österreich in einen militärischen Konflikt mit Preußen hineingedrängt, den es wegen möglicher radikaler Veränderungen im politisch-sozialen System und wegen der ökonomischen, finanziellen, macht- und sicherheitspolitischen Auswirkungen hatte vermeiden wollen. Mit der Niederlage im Bundeskrieg gegen Preußen und dem Zusammenbruch des mitteleuropäischen Föderativsystems wurde Österreich mit völlig neuen innen- und außenpolitischen Konstellationen konfrontiert. Trotz der preußischen Punktgewinne in Deutschland blieb die deutsche Frage zunächst jedoch noch offen, denn nach dem österreichisch-ungarischen Ausgleich von 1867 und dem Übergang zum liberal orientierten, parlamentarisch regierten Staat betrieb die Donaumonarchie aus politisch-wirtschaftlichen Motiven ihren „Wiedereintritt in Deutschland". Dies sollte durch moralische Eroberungen und durch den politischen Wettbewerb ihrer „freiheitlichen Errungenschaften" mit dem preußischen Junker- und Kasernenstaat erfolgen (Heinrich Lutz 1969, 62ff.).

Dieser Versuch scheiterte jedoch. Verschiedene Gründe führten 1870 zur Annäherung an die neue deutsche Vormacht. Sie bereitete den späteren Zweibund vor. Durch die Reichsgründung wurden die Probleme der Donaumonarchie verschärft, wenn auch nicht verursacht. Die Abhängigkeiten schaffende Zusammenarbeit mit Preußen-Deutschland engte den Handlungsspielraum Österreich-Ungarns in seinen Außen- und Wirtschaftsbeziehungen sowie in seiner Innenpolitik ein. Die Donaumonarchie ist in der letzten „krisenhaften Phase ihrer Existenz" mit ihren schwierigen Problemen „im Sinne einer positiven, staatserhaltenden Lösung aus eigener Kraft nicht mehr fertig geworden" (Helmut Rumpler in: Kolb 1980, 167).

Im Vergleich zur Neuordnung Mitteleuropas 1814/15 und der dort erarbeiteten Lösung für die deutsche Frage vollzog sich die Gründung des kleindeutschen Nationalstaates 1870/71 unter grundverschiedenen internationalen Rahmenbedingungen. Sie wurde begünstigt und ermöglicht durch internationale Konstellationen, aber auch durch die Interessenlage der Regierungen der süddeutschen Staaten. Angesichts wachsender Reformfeindlichkeit, zunehmender innenpolitischer Schwierigkeiten, sich verändernder parlamentarischer Mehrheiten, vielfach verbunden mit bzw. verursacht durch einen emotionalisierten Antiborussianismus, waren die Südstaaten bereit, ihre „internationale Existenz" als souveräne europäische Mittelmächte aufzugeben. Dem Deutschen Reich traten sie 1871 keineswegs aus nationaler Begeisterung bei. Im Juli 1870 anerkannten sie den Bündnisfall mehr aus innenpolitischen und existentiellen Motiven. Die Folgen einer international nicht abgesicherten Neutralität vor allem Bayerns und Württembergs waren schwer kalkulierbar. Die Mehrheiten in den Landtagen würden die Ablösung eines angeblich ‚preußischen' Militärsystems durch ein Milizsystem möglicherweise erzwingen. Wegen seiner Auslegung der Schutz- und Trutzbündnisse von 1866 würde Preußen den Südstaaten einen Vertragsbruch vorwerfen. Nur bei einem französischen Sieg über Preußen und den Norddeutschen Bund würde im Falle der Neutralität die Unabhängigkeit Süddeutschlands erhalten bleiben. Welche Grenzen dieses bei der dann erforderlichen deutschen Neuordnung gegen Frankreich erhalten würde, blieb jedoch ungewiß.

Das Ende der unabhängigen internationalen Existenz der Südstaaten ist in seiner Bedeutung für die deutsche und europäische Geschichte bisher kaum beachtet worden. Es spricht viel dafür, daß ihr Verschwinden als Mitglieder der europäischen Staatengesellschaft mindestens ebenso wichtig ist wie die Reichsgründung selbst. Die Wirkungen, die von Historikern in der Regel direkt oder indirekt der Einigung Deutschlands zugeschrieben werden, sollten „ebenso oder mehr auf das Ende der süddeutschen Unabhängigkeit zurückgeführt werden" (Paul W. Schroeder). Eine genaue Analyse der Rolle und Funktion von Mittel- und Kleinstaaten als Stabilisatoren der regionalen und internationalen Ordnung zeigt, daß das durch Bismarcks geschickte Verhandlungstaktik herbeigeführte, so von den Südstaaten sicherlich nicht angestrebte, de-jure-Ende der völkerrechtlichen Souveränität Süddeutschlands langfristig zu einer Destabilisierung des europäischen Systems und der bündischen Form deutscher Staatlichkeit geführt hat.

1870/71 war die Gründung der neuen Großmacht Preußen-Deutschland nur möglich gewesen, weil sich prinzipiell die großmächtlichen Hauptakteure zu deren Anerkennung bzw. Tolerierung bereit fanden. Es darf in diesem Zusammenhang nicht übersehen werden, daß die „Weiterexistenz der süddeutschen Mittelstaaten ... zur Funktion eines diplomatischen Kompromisses der Großmächte geworden und nicht mehr eigener Kraft zu verdanken" war (Schieder 1981, 594), daß auch hier, wie in der innerdeutschen Diskussion, handels- und wirtschaftspolitische Aspekte ein nicht zu unterschätzendes Gewicht besaßen.

Der zunehmenden Internationalität von Wirtschaft, Technologie, Kultur- und Rechtsbeziehungen tritt als vorherrschendes Organisationsprinzip von Großgruppen zunehmend die nationale/nationalstaatliche Orientierung der Politik entgegen, d. h. in nie gekanntem Ausmaß verdichtet die technisch-industrielle Revolution den Warenaustausch, den Verkehr und den weltweiten Kapitalverkehr. Zur Funktionsfähigkeit dieses globalen Austausches werden internationale Abkommen über den Handel, die Patentsicherung, das Urheberrecht, Maße, Gewichte und die Konvertierbarkeit von Währungen abgeschlossen. Die „nationale Struktur der Politik überlagert diese Internationalität". Dies führte zunehmend zu Krisen und Spannungen, die um die Jahrhundertwende die internationale Ordnung zunehmend destabilisierten und sich im militärischen Konfliktaustrag des Ersten Weltkrieges entladen sollten. Allerdings war der Erste Weltkrieg nicht die zwangsläufige Folge dieser Spannungsbeziehungen.

5. Die Großmacht Preußen–Deutschland in der internationalen Ordnung 1871–1918: zwischen europäischer Großmachtsicherung und Hegemoniestreben

Die Gründung des deutschen Nationalstaates von 1871 wurde zunächst nicht als „kritische Größenordnung", als Störfaktor für das europäische Gleichgewicht, gewertet. Dennoch weckte die „Deutsche Revolution" (Disraeli) erstmals Unbehagen und Befürchtungen. Sie ergaben sich aus der Geographie der neuen Großmacht Preußen-Deutschland, sollten diese bis zu ihrem Ende 1945 begleiten und nachhaltig die Deutschland- und Europaplanungen der deutschen Kriegsgegner in beiden Weltkriegen beeinflussen. Für die Zeitgenossen ergaben sich folgende Gesichtspunkte:

1. Mit der Reichsgründung hatten sich die politischen Gewichte in Kontinentaleuropa von den Flügeln in das Zentrum verschoben. Das neue mitteleuropäische Gravitationszentrum enthielt traditionell die Versuchung zur Hegemonie. Dies um so mehr, als das preußische Übergewicht im bundesstaatlich organisierten Reich das im Deutschen Bund durch die subtile Verbindung der Mittel- und Kleinstaaten vorhandene äußere „Maß an inneren Ausgleichmöglichkeiten" (Henry Kissinger) drastisch beschnitten hatte.

2. Die potentielle Gefahr eines Zweifrontenkrieges – Ergebnis der geostrategischen Lage Deutschlands – zwang eine derartig exponierte Großmacht wie das Deutsche Reich, sich in die internationale Ordnung zu integrieren; denn nur eine Politik der Stabilisierung des bestehenden Staatensystems bot langfristig die Aussicht, die neu errungene, halbhegemoniale Großmachtstellung in Europa zu sichern.

Für die europäischen Nachbarn trug das deutsche Kaiserreich nicht bereits in seiner Geburtsstunde den „Todeskeim" in sich.

Es wurde auch nicht wegen seiner ,inneren Verfassung' als ein ,,Fremdkörper" in der europäischen Staatengesellschaft empfunden.

5.1. Das deutsche Kaiserreich: Ein gescheiterter Kompromiß?

1915 machte der amerikanische Soziologe Thorstein Veblen darauf aufmerksam, daß die Deutschen innerhalb einer Generation einen modernen, leistungsfähigen Industriestaat aufgebaut hätten. Es sei jedoch versäumt worden, auch eine Verfassungsordnung zu schaffen, die den Bedürfnissen und Problemen einer industriellen Massengesellschaft genügen konnte. Es entstand die Vorstellung vom deutschen Sonderweg in der europäischen Geschichte, der den alten Kontinent in zwei Kriege gestürzt und an deren Ende die ,,Entmachtung" Europas als Zentrum der Weltpolitik gestanden habe. Die Diskussion lenkte u. a. den Blick auf mögliche Kontinuitäten und Brüche in der neueren deutschen Geschichte, zumindest seit der von oben erfolgten Reichsgründung 1871. Im Mittelpunkt stand vor allem die Frage nach der Verfassungs-, Wirtschafts- und Sozialstruktur des deutschen Kaiserreiches in ihrer Bedeutung für die innere und äußere Politik. Wichtig für das Verständnis der deutschen Frage wurden dabei die Wirkungszusammenhänge zwischen der politisch-sozialen und ökonomischen Verfassung, der politischen Kultur des Kaiserreiches und seiner geistig-seelischen Verfassung. Bedeutsam war in diesem Zusammenhang auch die den Gang der deutschen Frage im 20. Jahrhundert mitbestimmende Vorgeschichte des Ersten Weltkrieges: Wie verhielt sich die Reichsleitung in der Julikrise 1914? Welcher Stellenwert mußte neben außenpolitischen Einflußgrößen möglichen Defekten eines den Bedürfnissen einer modernen industriellen Massengesellschaft kaum entsprechenden politisch-sozialen Systems gegeben werden?

Auf einige Aspekte der ,inneren Verfassung', die für die deutsche Frage wichtig sind, soll kurz eingegangen werden:

Nach 1849 hatte sich in der nationalen Reformbewegung die Erkenntnis durchgesetzt, daß, in realistischer Einschätzung der politischen, ökonomischen und sozialen Rahmenbedingungen, versucht werden müsse, ,,eine Rangordnung des zu Erstrebenden als auch wirkliche praktikable Lösungen einzelner Probleme" (Gall) zu entwickeln, ohne Prinzipien und Ideen aufzugeben. Die betonte Hinwendung zum Realismus bedeutete Chance *und* Gefahr. In den späten 1850er Jahren schien angesichts der wachsenden wirtschaftlichen und sozialen Probleme, Folgeerscheinungen der beginnenden ,Industriellen Revolution' in Deutschland, bei den Herrschaftseliten die Bereitschaft zur Reform und Parlamentarisierung nicht allein in den konstitutionellen Südstaaten vorhanden. Würde auch Preußen den längst überfälligen Weg zum wirklich konstitutionellen Verfassungsstaat gehen? Viele Liberale glaubten hieran. Voraussetzung war aber, daß Preußen zur Verteidigung des Deutschen Bundes kein militärisches ,Übersoll' erbringen mußte, d. h. um eine ,,soziale Militarisierung" in Preußen zu verhindern, mußten die Bundesstaaten ihre militärische Eigenleistung erhöhen. ,,Ohne eine andere Gestaltung der deutschen Verhältnisse ist", so meinte 1859 der spätere Reichstagspräsident von Forckenbeck, ,,für die Dauer auch die Existenz einer vernünftigen und freien Verfassung Preußens eine Unmöglichkeit. Bleiben die deutschen Verhältnisse so, wie sie sind, so wird und muß in Preußen nur der Militärstaat ausgebildet werden" (nach Stern/Winkler 1979, 41). Der preußische Verfassungskonflikt wurde zum Testfall. Die Krone optierte nicht, wie in Baden, für die Reformpartei. Bismarck gelang es, durch Zugeständnisse Teile der nationalen Reformbewegung auf seine Seite zu ziehen. Dabei wurde für die innenpolitische Wende in Preußen bedeutsam, daß sich bei den nationalen Liberalen im Verlaufe des Verfassungskonfliktes die Einsicht durchsetzte, daß nur eine preußisch-kleindeutsche Einigung die ,,verkrusteten Strukturen des preußischen Militär- und Obrigkeitsstaates" werde aufbrechen können. Sie erhofften von einer begrenzten Kooperation mit dem nationalen Machtstaat eine Liberalisierung des monarchischen Obrigkeitsstaates. Diesen Bestrebungen schien Bismarck mit dem für die Wahl zum Norddeutschen Reichstag eingeführten Wahlrecht – dem liberalsten im damaligen Europa, das den Übergang zur Massendemokratie einleitete – entgegenzukommen.

Die moderne, plebiszitäre Mobilisierung von Massen schwächte jedoch die ,,liberale Modernisierung" und somit die parlamentarische Modernisierung zugunsten des alten Systems. Mit der Reichsgründung von oben wurden die bestehenden gesellschaftlichen und politischen Machtpositionen der alten Herrschaftselite bewahrt. Sie stemmte sich jeder Demokratisierung und sozialen Emanzipation entgegen. Zudem konnte Bismarck seine politische Basis durch die Einbeziehung von Teilen des Mittelstandes und des industriellen Großbürgertums erweitern. Diese Gruppen sahen ihre Stellung durch das Aufkommen neuer sozialer Kräfte bedroht. Die weltwirtschaftliche Aufschwungphase begünstigte Industrialisierungsschübe und verstärkte den ,demokratischen Trend'. Es stellte sich das Problem der Industriearbeiterschaft. Sie sah sich im Modell der liberalen Demokratie nicht mehr vertreten. Ihre Forderung nach *sozialer* Gleichheit rüttelte an den Fundamenten der bürgerlich-kapitalistischen Gesellschaft.

Bismarcks Konzessionspolitik, mit der er die ,,Partizipationswünsche der Liberalen eindämmen wollte, ehe sie eine parlamentarische Regierung durchgesetzt hatten" (Nipperdey 1979, 299), sowie die Furcht, welche Folgen die Forderungen nach sozialer Gleichheit haben würden, spalteten die nationale Reformbewegung. Liberalisierung und Parlamentarisierung des Kaiserreiches blieben auf der Strecke. Der Liberalismus wurde auf andere Felder, wie weltpolitische und imperiale Ziele, abgelenkt. Der Abschluß der ,inneren Reichsgründung' 1878/79 hatte verdeutlicht: Eine Förderung des Liberalismus durch Zusammenarbeit mit Bismarck war illusorisch. Langfristig bot nur eine Politik der ,,Verweigerung" die Chance, den Kampf um die Liberalisierung Deutschlands in einer politisch und wirtschaftlich günstigeren Situation zu gewinnen. 1878/79 wurde deutlich, daß die konjunkturelle Krise von einer Krise des politischen Systems überlagert wurde. Ursache dafür war der Machtanspruch der industriellen Arbeiterschaft. In einer liberaldemokratischen Verfassungsordnung wäre er auf dem Wege der Integration durch eine schrittweise und zeitgemäße Anpassung des politisch-sozialen Systems befriedigt worden. Im ,,vordemokratischen" Kaiserreich wurde ein anderer Weg versucht, ein Weg, der die Stellung der alten Machteliten im politisch-sozialen System absicherte: Staatliche Integration der Gesellschaft – mit durchaus modernen sozialpolitischen Mitteln – durch „soziale Verwaltung".

Rudolf Vierhaus hat diesen Weg als den „Kompromiß zwischen technisch-industrieller Modernisierung einerseits und der Aufrechterhaltung traditioneller Führungsstrukturen und traditioneller politischer Werte andererseits mit administrativen Mitteln" bezeichnet (Vierhaus 1969, 11 f.). Dem Zeitgenossen zeigte sich seine Problematik nicht so scharf wie dem, der aus dem Wissen um das Scheitern dieses Kompromisses auf das Kaiserreich zurückblickt. Erst die Niederlage im Ersten Weltkrieg, der Zusammenbruch, die Revolution und die Beseitigung der monarchischen Staatsform ohne großen Widerstand verdeutlichten: „Der Kompromiß zwischen obrigkeitsstaatlicher Vergangenheit und demokratischen Gegenwartstendenzen, zwischen Monarchie und Volkssouveränität, der Versuch partieller Modernität unter Bewahrung traditioneller Strukturen und Werte, die preußisch-deutsche konstitutionelle Monarchie war gescheitert" (Vierhaus 1969, 24). Für die Entscheidungsprozesse, die in den Ersten Weltkrieg führten, sollte das Scheitern des Kompromisses zwischen politischer und gesellschaftlicher Verfassung nach der Reichsgründung von oben jedoch nicht als ‚Leitmotiv' angesehen werden. Sicherlich ermöglichte es das „Überleben" vormoderner sozialer Strukturen und politischer Eliten und führte zu Spannungen in den Sozialbeziehungen. Einflußreiche Gruppen aus der alten Herrschaftselite erhofften sich sogar „von einem Krieg die Gesundung der inneren Verhältnisse in Deutschland" im konservativem Sinne, d. h. die Bewahrung ihres politisch-gesellschaftlichen Status durch einen die Nation über alle Gegensätze, Spannungen und Konflikte hinweg einenden äußeren Krieg, wie Lerchenfeld nach München berichtete.

Neben anderen, die Entscheidung zum Krieg beeinflussenden Faktoren muß zusätzlich ein Phänomen mit berücksichtigt werden, das bisher bei der historischen Analyse des Kaiserreiches kaum beachtet wurde: Die Angst als eine „wesentliche und kontinuierliche sozialpsychologische Grundbefindlichkeit in Deutschland" (Wendt 1981, 221). Die europäische Mittellage barg immer die Gefahr eines Zweifrontenkrieges in sich. Unabhängig von der Realität oder Irrealität einer Bedrohung, gab sie den Machteliten die Chance, die öffentliche Meinung in ihrem Sinne zu beeinflussen. Hegemoniale und imperiale Ziele ließen sich mit Hilfe der Angst, so u. a. mit sicherheitspolitischen Motiven, begründen. So konnte das „Präventivkriegsdenken ..., eine gefährliche Überdehnung und Radikalisierung erfahren" (Wendt 1981, 222).

Der Furchtkomplex dürfte neben der aus der Sicht der Reichsleitung schwer kalkulierbaren russischen Politik in den Entscheidungsprozessen der Julikrise eine zentrale Rolle gespielt haben. Genährt durch ein jahrelanges „Bedrohungssyndrom", das seinen Niederschlag fand in der deutschen Furcht vor „Einkreisung", in einer „Belagerungsmentalität" (Das Reich in einer Welt von Feinden) und im Kalkül des Präventivkrieges, der durch erfolgreiche Militäraktion zumindest kurzfristig das „Sicherheitsdilemma" beseitigen sollte, erhielt die Julikrise in ihrer Endphase eine Eigendynamik, die, mitbedingt durch institutionelle Rahmenbedingungen, ein Vorbeisteuern am Krieg und eine friedliche Konfliktregulierung zunehmend schwieriger gestalten sollten. Unabhängig davon, welche Motive für die deutschen Entscheidungen in der Julikrise 1914 im Vordergrund standen – innenpolitische, sicherheitspolitische, machtpolitisch-hegemoniale, wirtschaftliche, soziale oder ein realer Furchtkomplex –, die nachhaltige Mitverantwortung an der Auslösung eines alle Großmächte einbeziehenden großen Krieges, an dessen Ende die Zerstörung der Wiener Ordnung von 1815 stehen sollte, ist unbestreitbar. Kontrovers bleiben wird sicherlich der Anteil der Verantwortung für den Krieg, solange nicht für alle Hauptakteure die Erforschung der Entscheidungsprozesse im Zusammenhang mit den politischen, wirtschaftlichen, sozialen und auch psychologischen Einflußgrößen so weit gediehen ist wie für das Deutsche Kaiserreich.

Für die Entwicklung seines politisch-sozialen Systems läßt sich zusammenfassend feststellen: Das politische System wurde zu spät – und dann auch nur halbherzig – an die Bedürfnisse einer industriellen Massengesellschaft angepaßt. Vormoderne gesellschaftliche Strukturen konnten sich so verfestigen. Die u. a. hieraus resultierenden Spannungen in den Sozialbeziehungen waren eine wesentliche Ursache für die „Labilität der deutschen Gesellschaft". Die Niederlage im Krieg und die Revolution zerstörten 1918 die Grundlagen des wilhelminischen Sozialgefüges nicht. Auch die „älteren politischen Machtverhältnisse" wurden nicht radikal verändert. Für die Demokratie von Weimar wurde dies zu einer ernsten Belastung. Sie muß als *ein* Bestimmungselement für die „Ermöglichung" Hitlers 1933 angesehen werden.

Für die nicht rechtzeitig vollzogene politische Modernisierung sollten noch weitere Faktoren Berücksichtigung finden:

1. Die Reichsgründung von oben hat „das Prestige der traditionellen Herrschaftseliten" nochmals „massenwirksam stabilisiert" (Nipperdey).

2. Die staatliche Sozialreform bewältigte ein zentrales Problem der modernen Industriegesellschaft und schien damit die entstandene Arbeitsteilung zwischen Bürgertum und alten Eliten zu legitimieren (Wirtschaft – Politik).

3. Späte nationale Einigung und eine neue, ungewohnte Großmachtrolle im internationalen System blockierten die politische Modernisierung bzw. schienen zunächst der äußeren Existenzsicherung Vorrang zu geben.

5.2. Deutsche Außenpolitik 1871–1918: Europäisches Konzert, degeneriertes Blocksystem und Zusammenbruch der internationalen Ordnung

Unmittelbar nach der Reichsgründung war die Beurteilung der europäischen Situation noch „offen". Den Kritikern des neuentstandenen mitteleuropäischen Kraftzentrums standen Stimmen gegenüber, die ein nationalstaatlich geeintes Deutschland als einen ganz normalen Vorgang ansahen, ja erwarteten, daß gerade die neue Großmacht zur Stabilisierung der europäischen Verhältnisse beitragen werde.

Bis zur Jahrhundertwende entwickelte sich das deutsche Kaiserreich zu einem der wichtigsten Industriestaaten. Es wurde der bis dahin führenden Weltwirtschafts- und Handelsmacht Großbritannien weitgehend ebenbürtig, auf verschiedenen Sektoren (Chemie, Elektroindustrie) sogar überlegen. Unmittelbar vor dem Ersten Weltkrieg überholten die deutschen Produktionsraten die britischen. Ein Blick in die Statistik verdeutlicht, daß zwischen 1871 und 1914 insgesamt eine ansteigende Tendenz bei den Lohn-, Einkommens- und Vermögensverhältnissen zu verzeichnen ist. In der Sozialgesetzgebung besaß Deutschland vergleichsweise eine Spitzenstellung. Das deutsche Schul- und Bildungssystem genoß hohes internationales Ansehen. Forschung und Wissenschaft hatten Deutschland innerhalb einer Generation auch zur anerkannten „technischen" Großmacht werden lassen. Hinzu kam ein enormes Bevölkerungswachstum.

Zwischen 1871 und 1900 baute Deutschland politisch und militärisch seine Großmachtstellung aus, erwarb Kolonien und entwickelte weltpolitische Ambitionen. Es strebte zunehmend in die weltpolitische Konkurrenz der alten und neuen Großmächte hinein. Erst jetzt wurde vollends deutlich, welch enormes Gesamtpotential dem Parvenu unter den europäischen Großmächten zur Verfügung stand. Die skizzierte Entwicklung war jedoch nicht zwangsläufiges Ergebnis der politisch-territorialen Neuorganisation Mitteleuropas.

Während der Reichskanzlerzeit Bismarcks standen Außenpolitik und Innenpolitik unter einer „einheitlichen Leitlinie" (Hillgruber): Sicherung des Erreichten. Ziel deutscher Außenpolitik war es daher, „vom Deutschen Reich die bedrohlichen Folgen seiner Gründung abzuwenden, es in die europäische Staatenwelt als ‚saturierte', im Eigeninteresse auf Bewahrung des allgemeinen Friedens bedachte Großmacht einzufügen" (Hillgruber 1980, 17). Die deutsche Politik nach 1871 verhielt sich daher zunächst „systemstabilisierend". Wegen seiner exponierten europäischen Stellung und der Kräfteverschiebung von den europäischen Flügeln in das Zentrum sah sich die neue Großmacht Preußen-Deutschland, ähnlich wie vor ihr das Zarenreich und das Frankreich Napoleon III., jedoch unter wesentlich schwierigeren Rahmenbedingungen, vor die Aufgabe gestellt, das Spannungsverhältnis zwischen Hegemonie und Gleichgewicht in Europa aufzuheben bzw. zumindest zu neutralisieren.

Welche außenpolitische Konzeption eröffnete Deutschland die Chance, seine europäische Großmachtstellung abzusichern? Für die Zeit zwischen 1871 und 1914 gab es eigentlich nur *drei* Möglichkeiten:

1. Einigung der europäischen Großmächte über Einflußsphären und Interessenzonen, Machtausgleich auf Kosten der Klein- und Mittelstaaten;

2. einzelne militärische Präventivschläge gegen potentielle Gegner, um eine antideutsche Koalition in Europa zu vereiteln und so die Existenz und Sicherheit des Reiches zu gewährleisten;

3. Anknüpfen an ältere außenpolitische Traditionen aus der Zeit des Deutschen Bundes: Deutschland müsse wegen seiner exponierten zentraleuropäischen Lage eine Brücken- und Ausgleichfunktion nach Osten und Westen übernehmen und sich zur Sicherung eines unbeschnittenen Handlungsspielraumes seine Optionen offen halten.

Die erste Konzeption bewegte sich weitgehend in den großmächtlichen Traditionen des 18. Jahrhunderts, die bereits durch die Revolutions- und Napoleonischen Kriege in Frage gestellt worden waren. Sie basierte auf einem im wesentlichen „territorialen" Machtausgleich unter den europäischen Großmächten zur Wiederherstellung des Gleichgewichtes sowie der Anerkennung von Interessenräumen einzelner Großstaaten. Auf diesem Wege ließ sich ein mäßiger Machtzuwachs Preußen-Deutschlands verwirklichen ohne gleichzeitige Destabilisierung der europäischen Staatenordnung. Langfristig konnte der macht-, sicherheitspolitische und wirtschaftliche Interessenausgleich unter den Großstaaten nur auf Kosten der anderen Mitglieder der europäischen Staatenwelt erfolgen, d.h. die europäischen Mittel- und Kleinstaaten würden von den Großstaaten absorbiert. Diese würden auf diese Weise zwangsläufig zu Vielvölkerstaaten. Der multipolare Charakter der internationalen Ordnung seit 1815 würde erneut zu einem problematischen Gleichgewicht unter den Großmächten degenerieren. Die europäische Mittellage brächte für Deutschland wegen der raschen, immer größere Räume überwindenden technologischen Entwicklung möglicherweise neue Abhängigkeiten, insbesondere zum Zarenreich. Das Deutsche Reich könnte so den Status einer ,,vollwertigen Großmacht" verlieren und ,,in die Sekundantenrolle Preußens gegenüber Rußland in der Zeit vor dem Krimkrieg" (Hillgruber) zurückfallen. Gerade diese mögliche Wirkung war für die junge Großmacht Preußen-Deutschland als ,,Schatten der Vergangenheit" abzuwehren.

Als *zweite Grundmöglichkeit deutscher Außenpolitik* bot sich die von Moltke seit den 1860er Jahren diskutierte Konzeption von ,,Präventivschlägen" an. Potentielle Gegner des Deutschen Reiches sollten in schnellen, kurzen Kriegen besiegt und im Frieden geschwächt werden. Die deutsche Überlegenheit würde so immer wieder dokumentiert und die Ausbildung von starken Koalitionen gegen die mitteleuropäische Großmacht vereitelt werden. Eine derartige Kriegspolitik war nicht ohne Risiko, denn;

1. die deutsche militärische Aktion würde gerade ein Bündnis fördern, das verhindert werden sollte;

2. ein deutscher Sieg über eine oder beide Nachbargroßmächte (Frankreich, Rußland) würde die kontinentalen Mächtebeziehungen grundlegend ändern und Preußen-Deutschland den Schritt von der ,,halbhegemonialen" Großmacht zur Hegemonialmacht erlauben.

Das Kalkül des präventiven Offensivschlages wurde zwischen Reichsgründung und Erstem Weltkrieg immer wieder aktualisiert und schließlich seit 1892/94 im Schlieffenplan konkretisiert. Der Präventivkriegsgedanke fand über den engeren Militärbereich hinaus zunehmend Anhänger bei ,,nationalistischen Kräften bis weit in die Mitte des innenpolitischen Spektrums hinein". Sie erblickten in ihm die Chance für die Rettung des gesellschaftlichen status quo mit ,,sozialimperialistischen Mitteln". Zwischen Bismarcks Rücktritt und dem Ersten Weltkrieg kam es zu einer fatalen Überdehnung des radikalisierten Präventivkriegsdenkens. Es wurde durch mobilisierbares Einkreisungstrauma und die ungewöhnlich starke Stellung des Militärs in der Gesellschafts- und Verfassungsordnung des Kaiserreiches gefördert. Drohgebärden und das Spiel mit der Präventivkriegskonzeption – auch eingesetzt als Mittel, Deutschland den ,Platz an der Sonne' zu erringen und einen anerkannten Weltmachtstatus zu verwirklichen – förderten im Vorfeld des Ersten Weltkrieges einen internationalen Rüstungswettlauf zu Lande und zur See. Die internationale Ordnung degenerierte zu einem Quasi-Blocksystem, basierend auf Abkommen und Bündnissen.

Die Präventivkriegskonzeption und die „Drohgebärden" hatten für Europa folgende Konsequenzen:

1. Sie legten seit 1875 die psychologische Basis für eine französisch-russische Zusammenarbeit, stimulierten nach 1892/94 die Kooperation, beförderten die wirtschaftliche und finanzpolitische Neuorientierung Rußlands, führten zur stärkeren Verflechtung beider Volkswirtschaften, ebneten auch den Weg für eine britisch-französische „Entente cordiale", für den russisch-britischen Ausgleich von 1907 und schließlich für die Bildung der Triple-Entente.

2. Frankreich konnte einen möglichen deutschen Präventivschlag als Argument für die Notwendigkeit von Absprachen der Generalstäbe und der Admiralität der Entente-Mächte anführen.

3. Das Denken und Planen in den Bahnen einer „militarisierten" kontinentalen Außenpolitik, das dem Militärischen Vorrang zu geben geneigt war, mußte aus der Perspektive des Schlieffenplans zwangsläufig zum politischen und militärischen Engagement Großbritanniens im antideutschen Lager führen. Bismarck und auch Bethmann-Hollweg sahen diese aus dem britischen Interesse sich ergebenden Gefahren und stemmten sich mit Erfolg bzw. teilweisem Erfolg gegen eine Politik, die für Großbritannien wegen des sicherheits- und handelspolitisch bedingten casus belli bei Verletzung der belgischen Neutralität eine neutrale Haltung nicht zulassen würde. Die falsche Einschätzung der britischen Sicherheitsinteressen durch die deutschen politischen Entscheidungsträger sollte sich als „Kontinuität des Irrtums" wie ein roter Faden durch die Außenpolitik des Deutschen Reiches im Vorfeld beider Weltkriege ziehen. Die Präventivkriegdrohungen und immer wieder geäußerte hegemoniale Ziele mußten aus britischer Sicht das kontinentale Gleichgewicht stören. Stabilität auf dem Kontinent war aber eine wichtige Voraussetzung für die innen- und globalpo-

litische Aktions- und Reaktionsfähigkeit der Weltmacht Großbritannien, zumal sich vor dem Ersten Weltkrieg im Fernen Osten ein eigengewichtiger internationaler Großraum ausgebildet hatte.

Eingedenk der historischen Erfahrungen Großbritanniens mit Napoleon 1802 in Amiens lehnte es jeden Versuch eines weltmächtlichen Arrangements auf bipolarer Grundlage ab. Weder 1914 noch 1939 war es bereit, für die Garantie seines Überseeimperiums ein deutsches Kontinentalimperium zu akzeptieren. Sehr wahrscheinlich hat Bismarck die sich aus der Präventivkriegskonzeption für die Existenz und Sicherheit Deutschlands ergebenden negativen Konsequenzen erkannt und gab daher der *dritten Grundmöglichkeit* für die Außenpolitik des Deutschen Reiches den Vorzug: der Mitteleuropatradition des Alten Reiches und des Deutschen Bundes, die der preußisch-deutsche Staat von 1871 verdrängt hatte. Bismarck wurde in dieser Hinsicht zum späten Schüler Metternichs. Er hatte spätestens 1875 erkennen müssen, daß die 1871 geschaffene Neuorganisation des mitteleuropäischen Raumes das Maximum dessen war, was die europäische Ordnung ertragen konnte. Die Existenz und Großmachtstellung Preußen-Deutschlands in Europa war nur dann gesichert, wenn sich die deutsche Politik zur Maxime machte, auf die Interessen der ,,Mitspieler" in der internationalen Ordnung ständig Rücksicht zu nehmen. Wie einst der Deutsche Bund besaß auch das Kaiserreich von 1871 eine Friedenssicherungs-, Ausgleichs- und Brückenfunktion für das europäische Gesamtsystem, d. h. das Deutsche Reich sollte sich seine politischen Optionen nach Westen und Osten offenhalten, um seinen eigenen Handlungsspielraum zu erhöhen und so die Entwicklung Preußen-Deutschlands in friedlichen Bahnen zu gewährleisten. Allerdings mußte diese außenpolitische Konzeption den sich verändernden internationalen Rahmenbedingungen flexibel angepaßt werden und durfte nicht zum statischen System erstarren.

Der Gedanke der Brücken- und Mittlerposition des Deutschen Reiches wurde in der Weimarer Republik im Zeichen einer Politik des ,,nationalen Realismus" von Gustav Stresemann wieder aufgegriffen. Die nationalsozialistische Politik korrumpierte die außenpolitische Mitteleuropakonzeption und entzog ihr die Basis. In der internationalen Konstellation von 1945 mußten daher alle Versuche, beispielsweise Jakob Kaisers (,,Deutschland als Brücke zwischen Ost und West"), die Mitteleuropakonzeption neu zu beleben, scheitern. Seine spezielle Ausformung hat die Mitteleuropakonzeption im außenpolitischen ,,System" Bismarcks gefunden. Es war ganz einem eurozentrischem Weltbild verpflichtet. Gerade weil es Bismarcks europäisches System konzipierte – wie das sog. ,,Kissinger Diktat" vom 15. Juni 1877 zeigt – mußte es schwierige Probleme aufwerfen:

1. Die Politik der ,,freien Hand" und des ,,ehrlichen Maklers" ließ sich nur unter einer doppelten Voraussetzung verwirklichen: a) Deutschland verzichtet auf aktive Weltpolitik und Weltmachtstatus. Es gibt sich – ungeachtet seiner wachsenden Dynamik als moderner Industriestaat – weitgehend mit einem ,halbhegemonialen' europäischen Status zufrieden. b) Eine wesentlich eurozentrische Groß- und Weltmachtkonstellation mußte auch weiterhin zulassen, ,,vom Herzen des alten Kontinents, d.h. autonom von Berlin aus, alle europäischen und außereuropäischen Konflikte zu steuern und das Entstehen neuer und nicht kontrollierbarer machtpolitischer Gravitationszentren außerhalb des Kontinents zu verhindern" (Wendt 1981, 228). Aus einer Zukunftsperspektive betrachtet waren beide Vorbedingungen gleichermaßen unwirklich.

2. Die Schwäche des kunstvoll gewobenen Geflechts von Verträgen mit dem Mittelpunkt Berlin als Kraftzentrum lag darin, daß es einen status quo bewahren wollte, der von Anbeginn brüchig und damit auf Dauer unhaltbar war. Dem Bismarckschen Europasystem haftete in seiner außen- und innenpolitischen Dimension etwas Statisches an. Viel zu gering wurde die Bedeutung des Übergangs zu einem globalen internationalen System eingeschätzt. Gleiches galt für die Dynamik des innen- und außenpolitischen Wandels, der sich in Europa beim Übergang zum Industriezeitalter vollzog.

3. Bismarcks großmacht- und sicherheitspolitisches Ziel, Deutschland zum ,,Bleigewicht am Stehaufmännchen Europa" werden zu lassen und so das permanent virulente Konfliktpotential in der europäischen Politik durch ein kompliziertes Bündnis- und

Vertragssystem diplomatisch einzudämmen und für Deutschland kontrollierbar zu halten, ließ sich angesichts der widerspruchsvollen Bündniskonstellationen immer weniger realisieren. Außenpolitisch hatte sich das Deutsche Reich gegen Ende der 1880er Jahre in eine Sackgasse manövriert. Das Konzept, den saturierten Nationalstaat Deutsches Reich bündnispolitisch nach allen Seiten offen zu halten, drohte zu scheitern. Bismarcks Überlegungen, das Reich durch eine Option für den Westen (Großbritannien) oder Osten (Rußland) existenziell abzusichern, verdeutlichen dies. Die in den letzten Jahren seiner Reichskanzlerschaft aufgerichteten „Dämme gegen die Flut" nach innen und außen degenerierten zu einem „System der Aushilfen" (Lothar Gall). Bismarcks Welt, die des alten Mächte-Europa seines Geburtsjahres 1815, war zu Beginn des Zeitalters des Imperialismus in seinem Bestand und seinem Selbstverständnis bedroht. Der „schleichende" Prozeß des wirtschaftlichen und sozialen Wandels hatte die Grundlagen des Ganzen entscheidend verschoben. Er begann, die bestehende Ordnung auch im Innern der Staaten zu gefährden.

4. Bismarcks europäisches System ist nicht gescheitert, weil es „unlogisch oder übermäßig kompliziert" (Kennan) war. Mitverantwortlich war vor allem die Tatsache, daß die 1871 gefundene Ordnung zu stark im Gegensatz zu den Gefühlen Frankreichs stand und wegen ihrer primär politischen Orientierung in Widerspruch zum Veränderungsprozeß im gesellschaftlichen und wirtschaftlichen Leben geriet. Dem an einer stabilen europäischen Ordnung interessierten Bismarck stand nun der Bismarck aus der Reichsgründungszeit im Wege. Der Reichskanzler „mußte jetzt für die Fehler der preußischen Armeeführung büßen, die er in früheren Jahren zur Erreichung seiner politischen Ziele geduldet hatte" (Kennan 1979, 460). Hierzu gehörte die Annexion von Elsaß und Lothringen. Für sein europäisches Bündnissystem wurde sie zu einem destabilisierenden Element und engte in verhängnisvoller Weise den außenpolitischen Handlungsspielraum aller Reichskanzler vor 1914 ein. Die Wunde von 1871 verhinderte eine weitergehende französische Zusammenarbeit, für die es gute Ansätze gegeben hat.

5. Die Wirkung des auf den mitteleuropäischen Raum angelegten Sicherheitskonzeptes mußte zur Belastung des Gesamtsystems führen. Die Reichsgründung war vom internationalen System als die Grenze der Belastbarkeit toleriert worden, zumal die Donaumonarchie als Element mitteleuropäischer Machtbalance funktionsfähig zu bleiben schien. Der Zweibund von 1879 sollte nur einen ersten Schritt auf dem Wege zunehmend engerer militärischer, politischer und wirtschaftlicher Verflechtung bedeuten. Diese Sonderbeziehungen schienen nach der militärischen Regelung der deutschen Frage im kleindeutschen Sinne nun mit friedlichen Mitteln die Ergebnisse des Jahres 1866 rückgängig zu machen, auf die großdeutsche Lösung abzuzielen und den Schwarzenbergplan entsprechend den neuen machtpolitischen Gewichten zwischen den deutschen Großmächten zu verwirklichen. Die von Bismarck verfolgte „Mitteleuropakonzeption" brachte latent ein Element des Mißtrauens in die internationalen Beziehungen. Sie mußte auch zu einem belastenden Moment für das Gleichgewicht werden. Eine großdeutsche Mitteleuropalösung würde den neuen Machtblock in Zentraleuropa eine für das Gesamtsystem „kritische Größenordnung" erreichen lassen. Was für die Deutschen zur Hoffnung und zum Traum wurde – und Hitler schien ihn 1938 endlich zu verwirklichen –, sollte für die europäischen Nachbarn auf die Dauer zum Alptraum werden, zu einem Wesensmerkmal der „deutschen Gefahr", die es zu bannen galt.

6. Die Bismarcksche Großmacht-, Sicherheits- und Bündnispolitik war schon in ihrer Spätphase anachronistisch. Eurozentrisches Denken entsprach nicht mehr den politisch-ökonomischen Realitäten im Zeitalter des Imperialismus. Es wurde durch die Idee von der bewußten Europäisierung der Welt abgelöst. Hinzu kam ein Element, das zwangsläufig die engen Schranken der eurozentrischen und kleindeutschen Orientierung des „System Bismarck" sprengen mußte: das für den europäischen und amerikanischen Imperialismus kennzeichnende Denken in Großräumen. Es brachte nicht nur ein allgemein dynamisches Element in die Staatenbeziehungen, sondern enthielt in sich auch ein explosives Gemisch global-machtpolitischen, ideologisch-biologistischen und ökono-

misch-autarkistischen Politikverständnisses. Das Ziel waren Großräume, die politisch-militärstrategisch und wirtschaftlich abgesichert waren und um einen industrialisierten „Kern" Ergänzungsräume aufwiesen. Diese besaßen einen niedrigeren Entwicklungsstand und funktionalen Charakter für das Zentrum (Rohstoffbasis, Absatzmarkt, Siedlungsraum für den Bevölkerungsüberschuß, Lebensmittellieferant). Imperialistische Großraumprogramme schufen für die internationale Ordnung neue Konfliktebenen und Krisenherde, erschwerten angesichts der Dominanz der nationalen Egoismen vielfach ein erfolgreiches Krisenmanagement und schränkten durch den innenpolitischen Erwartungs- und Forderungsdruck des „politischen Massenmarktes" (Hans Rosenberg) häufig den außenpolitischen Entscheidungsspielraum der Regierungen empfindlich ein, damit aber auch ihre Kompromißbereitschaft. Die letzten Jahre der Kanzlerschaft Bismarcks müssen bereits als eine Periode des Übergangs angesehen werden, in der sich neue Formen und Mechanismen politischer Entscheidung ausbildeten.

Angesichts der zahlreichen Einflußgrößen, die langfristig die europäische Stellung der Großmacht Preußen-Deutschland instabiler werden ließen, dürfte das Jahr der Entlassung Bismarcks für die internationalen Beziehungen nicht eine so tiefe Zäsur bedeuten, wie dies vielfach angenommen wird. Hinzu kommt, daß die Außenpolitik Bismarcks bereits in den der Amtsenthebung vorausgehenden Jahren heftig kritisiert wurde. Sie stand im Widerspruch zu einer weltpolitischen Aufbruchstimmung in den deutschen Führungsschichten zu Beginn der Wilhelminischen Ära. Eine neue Generation trat in die Verantwortung. Sie kannte den Krieg nur aus Erzählungen. Die Risiken der Reichsgründungszeit waren für sie nicht mehr „lebendige Vergangenheit", der Großmachtstatus war zur Selbstverständlichkeit geworden. Die Unrast und Dynamik der Wilhelminischen Ära erwuchs aus dem Gefühl der wirtschaftlichen Kraft, der Faszination der ökonomischen und demographischen Wachstumsziffern und der Bewunderung der raschen Entfaltung einer kapitalistischen Industriewirtschaft. Sie war daher mehr als „Säbelrasseln" und „Prestigesucht". Eine neue Generation mit einem jungen Kaiser strebte nach neuen politischen Zielen und Horizonten. Mit Mitteleuropa als Basis glaubte man sich neben den USA, Rußland und dem Britischen Empire als *vierte Weltmacht* etablieren zu können. Zu ,,Propagandazentralen dieser imperialistischen Strömungen" (Waldemar Besson) wurden die deutschen Universitäten und insbesondere die Geschichtswissenschaft.

Bis kurz vor dem Ersten Weltkrieg hatten sich die europäischen Machtverhältnisse, betrachtet man die ökonomischen Einflußsphären und die wirtschaftliche Leistungsfähigkeit der europäischen Großstaaten, zugunsten des Deutschen Reiches verschoben. Allerdings war diese Verschiebung im ,,Weltmaßstab" kaum vergleichbar mit der abgeschlossenen territorialen Expansion des britischen Empire und des Zarenreiches. Das deutsche Ausgreifen über Mitteleuropa hinaus auf den Balkan und in den Orient brachte das Deutsche Reich zwangsläufig in Gegensatz zu Rußland, zumal das südosteuropäische ,,Glacis" als Nahtstelle zwischen deutscher Weltpolitik und europäischen Hegemonialmöglichkeiten angesehen wurde. Aus dieser Perspektive war die Türkei ,,zu einem ,Pfeiler' der deutschen ,Mitteleuropa'-Stellung geworden, der auf keinen Fall ,einstürzen' durfte" (Hillgruber 1980, 42). Unabhängig davon hatte das Deutsche Reich eine zielstrebige Weltpolitik mit friedlichen und ökonomischen Mitteln verfolgt, die allerdings den Krieg als politisches Mittel der Konfliktregulierung in das Kalkül einbezog.

Der Verlauf des Ersten Weltkrieges zeigte zunächst, daß Deutschland ohne nennenswerte Unterstützung durch seine Verbündeten – für die es häufig zusätzliche Sicherungsaufgaben übernehmen mußte – seinen Kriegsgegnern mehr als gewachsen war. Vor dem militärischen Eintritt der USA in den Krieg und dem Zusammenbruch Rußlands hatte Deutschland eine hegemoniale Stellung in Europa erreicht. Es zeigte sich, daß das seit dem ausgehenden 19. Jahrhundert gestörte, alte europäische Gleichgewicht nicht länger allein europäischen Bedingungen unterworfen war. Als Gegengewicht zum Deutschen Reich bedurfte es einer außereuropäischen Großmacht, der USA mit ihrem gewaltigen Potential an Material und Menschen, um das Pendel nach der Seite der

Kriegsgegner der Mittelmächte ausschlagen zu lassen. Der Erste Weltkrieg war nicht lediglich die Fortsetzung des Krieges von 1870/71, wie es die Unterzeichnung des Friedensvertrages im Spiegelsaal von Versailles, der Gründungsstätte des deutschen Kaiserreiches, zu symbolisieren schien. Im Grunde hatte der Krieg in mehr oder minder großer Abstufung alle europäischen Kriegsparteien zu Verlierern gemacht. Es war eingetreten, was Öffentlichkeit und Politiker 1914 sich nicht vorstellen konnten: Die Zerstörungen eines modernen Krieges schwächen auch die Sieger in erheblichem Maße.

6. Deutschland in der internationalen Ordnung der Pariser Vororteverträge 1919–1939: zwischen Realitätspolitik und illusionärer Verblendung

Im Weltkrieg hatten beide Seiten Kriegszielpläne entwickelt. Sie richteten sich auf eine nachhaltige Schwächung des Gegners und eine machtpolitisch-ökonomische Ausweitung des je eigenen Herrschaftsbereiches. Die Kriegsgegner der Mittelmächte diskutierten Pläne für ein ,,Démembrement" Deutschlands und die Wiederherstellung eines deutschen Mehrstaatensystems. Im Deutschen Reich dagegen wurden Vorstellungen von einer machtpolitisch, sicherheitspolitisch und ökonomisch abgesicherten Mitteleuropastellung ausgearbeitet. Der militärische Sieg war jeweils die Vorbedingung für die Realisierung dieser Kriegsziele. Viele von ihnen entstanden in der ideologisch, emotional und propagandistisch aufgeheizten Situation des Krieges. Gemeinsam war ihnen der hemmungslose, ,,über einen natürlichen Lebensraum hinaus ausholende Machttrieb" (Werner Näf 1935, 228).

Würden sich 1918/19 die Anhänger eines Machtdiktats durchsetzen oder die Gruppen die Oberhand gewinnen, die Kriegs- und Machtpolitik innerlich abgelegt hatten und nach neuen, wirkungsvolleren, den Krieg ausschließenden Formen internationaler Zusammenarbeit in einer künftigen Friedensordnung strebten? Würde die internationale Ordnung institutionalisierte Einrichtungen zur friedlichen Konfliktregulierung erhalten, die von allen Staaten akzeptiert werden könnten, und die neue Friedensordnung eine ähnliche Solidität und Dauer bekommen wie die Wiener Ordnung von 1815?

Mit dem Ersten Weltkrieg hatte die deutsche Frage über den europäischen Bezugsrahmen hinaus eine weltpolitische Dimension erhalten, die die Bedingungen ihrer Lösbarkeit beeinflußte. Für die Überlebensfähigkeit der neuen internationalen Ordnung war eine befriedigende Lösung der komplexen deutschen Frage von zentraler Bedeutung. In diesem Zusammenhang sollte es wichtig werden, ob Sieger und Besiegte in Fehleinschätzung der Ergebnisse des Krieges und der Möglichkeiten des Friedens sich einer illusionären, realitätsfernen Politik verschrieben und die Staatenordnung von 1919 nur als „Zwischenkriegslösung" (Bracher) einstuften. Der Entstehungsprozeß des internationalen Systems von 1919/20 verdeutlicht, daß damals nicht zwangsläufig der Keim für neue Kriege gelegt, daß 1945 nicht zur logischen Konsequenz für das System der Pariser Vororteverträge wurde.

6.1. Friedenssicherung und internationale Ordnung 1919/20: Machtdiktat oder Rechtsfriede?

Der ehemalige italienische Ministerpräsident Francesco Nitti prophezeite Siegern und Besiegten ein „friedloses Europa", sollte es nicht gelingen, gemeinsam den Frieden zu erobern, Haß und Anmaßung zu überwinden und nicht nur die Sprache, sondern auch die Ideen des Friedens wiederzufinden. Was waren die Ideen des Friedens? Warum war die Sprache des Friedens der Sprache der Gewalt gewichen? Warum glaubten die Deutschen, mit diesem Frieden, der den Nationalstaat erhalten hatte, den Sicherheitsbedürfnissen ihrer europäischen Umwelt entsprechen wollte, aber auch die Voraussetzungen für die Reintegration Deutschlands als Großmacht in die internationale Ordnung geschaffen hatte, nicht leben zu können? Warum wurde „Versailles" immer wieder als Hauptquelle für den Zweiten Weltkrieg verketzert und schließlich zum festen Bestandteil der „deutschen Neurose"?

Das Urteil über die Friedensverträge und das durch sie geschaffene internationale System wird in hohem Maße durch ihr Scheitern geprägt. Es konzentriert sich vor allem auf die politisch-territorialen und die wirtschaftlich-finanziellen Aspekte der Verträge, ohne die umfangreichen Friedensbestimmungen – unter Einschluß der zahlreichen Anlagen – einer genauen Analyse zu unterziehen.

Entscheidend hierfür war wohl, daß die Verträge durch ihre Komplexität und ihren Versuch, Rechtsnormen zu setzen, für den Laien schwer verständlich waren. Dennoch unternahmen diese Verträge es erstmals in der Geschichte der europäischen Friedenskongresse, ,,in Detailbestimmungen Recht zu setzen, statt mit Pauschalformulierungen Macht zu demonstrieren" (Fritz Fellner 1981, 40). Das unterschied sie von den Friedensverträgen der Mittelmächte mit Sowjetrußland und Rumänien.

Das Verständnis für die mit den Friedensverträgen zu verwirklichenden Ziele wird dadurch erschwert, daß sie immer noch mit der Elle der klassischen Bestimmungen von Friedensverträgen gemessen werden. In deren Zentrum aber standen in der Regel Fragen der territorialen Neuordnung, der Festlegung neuer Grenzen und eventuell zu leistender Kriegsentschädigungen. Betrachten wir diese allein, so vernachlässigen wir dreizehn von fünfzehn Vertragsteilen. Die Kritik, der Friedenskongreß sei schlecht vorbereitet gewesen und habe vorher öffentlich verkündete Ideale aus niedrigen machtpolitischen Motiven verraten, trifft in dieser Form nicht zu. Die Friedenskonferenzen wurden auf alliierter Seite seit 1916 eingehend durch Expertenkommissionen vorbereitet und die Grundlagen 1919 in Vorkonferenzen und Fachausschüssen gelegt. Allerdings kam das Kriegsende früher als erwartet. Es traf die Sieger ,,noch im Planungsstand, unvorbereitet und überraschend" (D. C. Watt 1978, 159). Der mühsame Prozeß der Koordination und Abstimmung über eine gemeinsame Haltung bei den Friedenskonferenzen war bei Kriegsende noch nicht abgeschlossen. Dies offenbarte der Konflikt über die deutsche Forderung, einen Waffenstillstand auf der Basis der vierzehn Punkte Wilsons abzuschließen. Hinzu kamen bei den europäischen Siegern vor allem tiefgreifende innenpolitische und ökonomische Probleme, wie sie sich beim Übergang von einer Kriegs- zu einer Friedenswirtschaft nach großen Kriegen einstellen.

Trotz dieser Rahmenbedingungen und ihrer Wirkungen auf den Prozeß der Friedensfindung müssen wir uns davon lösen, den Weg zu einer neuen internationalen Ordnung vom traditionellen Verständnis des Sinns und der Funktion von Friedensschlüssen her zu betrachten. Vielmehr sollte das neue Verständnis für die Beendigung militärischer Konflikte großen Stils beachtet werden. Wird beispielsweise Teil I des Versailler Vertrages (Völkerbundakte) in Beziehung zu den Teilen XII (Häfen, Wasserstraßen, Eisenbahnen) und XIII (Arbeit) gesetzt, so wirkt dieser nicht als Instrument „territorialer Machtpolitik", als Mittel für die Absicherung und den Ausgleich divergierender nationaler Territorial- und Wirtschaftsinteressen. Die Geschichtswissenschaft begreift „Außenpolitik" heute nicht mehr als „souveränitätsbezogene Diplomatie", sondern betrachtet sie vor dem komplexen Hintergrund innen- und außenpolitischer Einflußgrößen. Im Falle „Versailles" ermöglicht dies, machtpolitische Denkkategorien zu verlassen und die „Ansätze und Grundsätze der Rechtspolitik zu erkennen, auf die die Friedensordnung von 1919/20 aufgebaut werden sollte, deren Anerkennung allerdings Voraussetzung für die Erhaltung dieser Friedensordnung gewesen wäre" (Fellner 1981, 42). Am Beginn von Wilsons 14 Punkten stehen nicht „traditionelle Ziele", vielmehr die Forderung nach Öffentlichkeit von Verträgen sowie der Wunsch, die Beschränkungen im freien Warenaustausch zu beseitigen. In Paris sollte hierfür eine anerkannte internationale Rechtsordnung geschaffen werden, die das Mächtegleichgewicht mit seiner nationalen und territorialen Orientierung durch eine „auf internationaler Kommerzialwirtschaft beruhende Ordnung der Rechtsgleichheit" ersetzte (Fritz Fellner 1981, 42).

Sicherlich ließen sich die „Idealvorstellungen" der Angelsachsen nur teilweise durchsetzen. Es mußten Kompromisse mit dem machtstaatlich-sicherheitspolitischen Denken Frankreichs und dem proklamierten Selbstbestimmungsrecht der Völker geschlossen werden. Die letztgenannte Problematik lag vor allem darin, daß alte Staatskörper, die „historisch gewachsen" waren, zerstört oder in ihrer Funktionsfähigkeit beschnitten werden mußten. Rußland und Deutschland mußten territoriale Opfer bringen, die Donaumonarchie verschwand als Faktor der internationalen Politik. Aus scheinbar übergeordneten Interessen der europäischen Sicherheit, der Überlebensfähigkeit der neuen Staaten und der Funktionsfähigkeit vor allem des europäischen Regionalsystems wurde das Selbstbestimmungsrecht immer wieder verletzt. Es entstanden zusätzliche Konfliktherde, die die Idee und Realisierung der Friedensordnung langfristig belasten sollten. Dennoch darf man der Friedensordnung von 1919/20 nicht das Bemühen absprechen, einen gerechten, rechtlich abgesicherten Frieden angestrebt zu haben, deren beide Säulen einerseits der Völkerbund für die Verwirklichung eines universalen Friedens und andererseits die Internationale Arbeitsorganisation (ILO) für die Sicherung des inneren, sozialen Friedens der Völker werden sollten. Hier werden Ansätze erkennbar, die Gewalt und Krieg als Mittel der Politik überwinden wollten.

Die Konzeption eines Rechtsfriedens empfanden die Deutschen als Machtdiktat, den Völkerbund nicht als Institution zur Bewahrung des universalen Friedens durch ein kollektives Sicherheitssystem, sondern als ,,Heilige Allianz der Sieger". Das Kriegsende 1918 traf die deutsche Öffentlichkeit, die über die tatsächliche militärische Lage im unklaren gelassen worden war, unvorbereitet. Der Friedensvertrag schließlich, von den Siegern psychologisch schlecht vorbereitet, wirkte als Schock, als ungerechtfertigte Demütigung einer im Felde unbesiegten Großmacht. Die Chancen der Friedensordnung für Deutschland – und dies wird gerade beim Vergleich mit 1945 deutlich – wurden damals von der Mehrheit der Deutschen nicht gesehen oder nicht akzeptiert. Die Ablehnung des Status quo von 1919 prägte ,,das außenpolitische Denken und Handeln aller relevanten und auch der meisten irrelevanten politischen Gruppierungen in der Weimarer Republik" (Heß in: Becker/Hillgruber 1983, 277).

Für die siegreichen Großmächte gab es 1918 nur zwei Lösungen des ,,deutschen Problems":

1. Ein ,,Karthago" - Friede, d.h. völlige militärische Niederwerfung Deutschlands, Abdankung Deutschlands als Großmacht, Bildung mehrerer souveräner Nachfolgestaaten des Deutschen Reiches und Gebietsabtretungen an die Nachbarn.

2. Ein Friede des Ausgleichs zwischen den berechtigten Wünschen und Bedürfnissen der Nachbarn und den Interessen Deutschlands zur Schaffung einer stabilen Friedensordnung.

Ähnlich wie 1814/15 im Falle Frankreichs würde die Großmachtstellung, wenn auch beschnitten, beibehalten und Deutschland ohne Brüche in das System der Pariser Vororteverträge eingebunden werden, d. h. die Deutschen sollten mit ihrer Niederlage versöhnt werden.

Die als fair empfundene Versailler Friedensregelung schien Deutschland als ,,kritische Größenordnung" zu entschärfen, das Sicherheitsbedürfnis seiner Nachbarn durch den Organisationsrahmen des Völkerbunds und des durch ihn geschaffenen kollektiven Sicherheitssystems zu befriedigen und die ,,deutsche Frage" durch wirtschaftliche, militärische, politische, territoriale und finanzielle Maßnahmen unter Wahrung der Einheit Deutschlands zu lösen. Dennoch behielt Deutschland von allen europäischen Großmächten das entwicklungsfähigste Potential. Wie würden die Deutschen dieses Potential nutzen? Als mitteleuropäischer Stabilisator des neu formierten europäischen Regionalsystems und Vorreiter einer engeren europäischen Zusammenarbeit oder als Basis für eine ,,künftige neue Erschütterung der europäischen Mächtebalance von der Mitte Europas her" (Wendt) und damit des internationalen Systems der Pariser Vororteverträge?

6.2. Europa und die Weimarer Republik 1919–1933: Die deutsche Frage auf dem ‚Prüfstand'

Die ,,Liquidierung des Krieges" und die Schaffung eines internationalen Klimas des Vertrauens mußten für die deutsche Innen- und Außenpolitik, für die Stellung Deutschlands in und zu Europa und damit für die Qualität der deutschen Frage nach dem Ersten Weltkrieg von entscheidender Bedeutung werden. Dem Verhältnis zwischen Deutschland und Frankreich fiel hierbei eine Schlüsselrolle zu. Der ,,kalte Krieg" (Bariéty), den beide zwischen 1920 und 1923 wegen der Erfüllung des Versailler Vertrages führten, ehe an seine Stelle die Politik der Konfliktregulierung durch Verhandlungen trat, verzögerte in den für die Weimarer Demokratie wichtigen Anfangsjahren die notwendige Liquidierung des Krieges. Er hat u. a. die deutsche und „europäische Stabilisierung" unmöglich gemacht, die „Entspannung und wirtschaftliche Wiederaufrichtung ... um wertvolle Jahre zurückgeworfen, die unentbehrliche deutsch-französische Verständigung verzögert, die tiefsitzende Kriegspsychose verlängert und das nationalistische Ressentiment verschärft" (Krüger 1983, 14).

Es sind hier einige außenpolitische Belastungselemente mit ihrer innenpolitischen und fremdbestimmten Dimension angedeutet, die als „Schatten von Versailles" für die Geschichte der Weimarer Republik Bedeutung gewinnen sollten. Allerdings wäre es verfehlt, sie monokausal als Ursache für den Zusammenbruch der ersten deutschen Demokratie zu bewerten, trotz aller schädlichen sozialpsychologischen Einflüsse, die sie sicher gehabt haben. In der Diskussion um die Ursachen für das Scheitern der Weimarer Demokratie werden zahlreiche Erklärungsmuster angeführt. Neben institutionellen (politische Einrichtungen, Verfassungsordnung) und ökonomischen (Inflation, Wirtschaftskrise, Arbeitslosigkeit) sowie soziologischen (Kleinbürgerpanik) werden insbesondere massenpsychologische, ideologische, mentale und personalistische Gründe genannt. Eine Hierarchisierung dieser Einflußgrößen ist – so paradox dies klingen mag – beim derzeitigen Stand der historischen Forschung noch nicht möglich. Sicher ist jedoch, daß die Weimarer Republik, trotz starker antidemokratischer Strömungen, nicht von Anbeginn zum Scheitern verurteilt war. Auch eine Analyse der strukturellen und individuellen Bedingungen der Republik in ihrem europäisch-internationalen Umfeld führt zu dem Ergebnis, „daß Weimar nicht schicksalhaft oder bedingt durch anonyme Sachzwänge scheitern mußte" (Gerhard Schulz). Die Möglichkeit, sich für die parlamentarische Demokratie von Weimar zu entscheiden, hat für den Einzelnen wie für Gruppen immer bestanden.

Die Weimarer Demokratie stellte sich bewußt – wie es auch die Reichsflagge schwarz-rot-gold symbolisierte – in die Tradition der politisch-emanzipatorischen Strömung der Nationalbewegung. Sie griff eine im Kaiserreich verdrängte Tradition auf. Weimar bedeutete „die Wiederaufnahme einer übernationalen, weltbürgerlichen Kultur- und Gesellschaftstradition jenseits nationalstaatlicher Verengung. Die Weimarer Republik war im Grunde der Versuch, den Bismarck-Staat mit 1848 und 1789 zu verbinden. Darin lag ihr teils konservativer, teils liberal-vorausweisender Charakter beschlossen" (Bracher 1979, 169).

Zu Beginn konnte die Republik mit der überwiegenden Zustimmung ihrer Bürger rechnen. Seit der erzwungenen Unterzeichnung des Friedensvertrages begannen jedoch politische Strömungen zu überwiegen, die das „System von Weimar" bekämpften. Dennoch wanderte weder 1919 noch im Krisenjahr 1923 die Zahl der „Schwankenden" aus dem breiten bürgerlichen Lager *endgültig* in das antidemokratische Lager ab. Das demokratiefeindliche Potential – es verstand sich als das „eigentliche Deutschland" – befand sich an den äußeren Polen des Parteienspektrums der Weimarer Republik. Hitler mußte es nicht erst formieren, sondern es lediglich aktivieren und sich zum radikalen „Vorreiter der antidemokratischen Welle" aufbauen (Bracher). 1919 wie 1923 blieben die Optionen und Alternativen noch offen.

Die Verknüpfung von liberalen, sozialen und konservativen Elementen gab der Republik einen „Mischcharakter", der sich auf eine Integration positiv auswirken konnte. Voraussetzung hierfür war allerdings, daß die Republik innen- und außenpolitisch Erfolge aufweisen konnte und „allmählich das Odium des Erfüllungsgehilfen der Alliierten" (Bracher 1979, 169) verlor. Das bedeutete: außenpolitische Erfolge, die sich auch innenpolitisch vermarkten ließen und die „Systemgegner", die mit der Behauptung „Demokratie = Krise und Unordnung" auftraten, beim mündigen Bürger unglaubwürdig machten.

Mit dem Abbruch des Ruhrkampfes 1923, der Niederwerfung von Putschversuchen von links und rechts, der erfolgreichen Bewahrung der staatlichen Einheit, der Stabilisierung der Währung durch die Rentenmark, der Überführung der Reparationsproblematik von einer politischen zu einer mehr technischen Frage durch den Dawesplan, schließlich mit der Politik der Verhandlungen, die über die Locarnoverträge, den Beitritt zum Völkerbund und die Aufhebung der alliierten Militärkontrolle Deutschland eine angemessene und geachtete Stellung als europäische Großmacht brachte, ging auch eine Periode innenpolitischer Normalisierung und Stabilisierung einher. Die Politik der erfolgreichen Revision des Versailler Friedensvertrages mit friedlichen Mitteln wirkte sich stabilisierend auf die parlamentarische Demokratie aus. Äußeres Zeichen hierfür waren das Volksbegehren und der Volksentscheid über den Youngplan 1929 – er beseitigte den reparationspolitischen Einfluß des Auslands aus dem Dawesplan und legte die Dauer der Zahlungen auf 59 Jahre fest. In der kritischen Endphase der Republik stimmte nur eine Minderheit des deutschen Volkes gegen den Plan und optierte für eine Politik der friedlichen Revision.

Mit der breiten, integrierend wirkenden Ablehnung des Friedensvertrages im Weimardeutschland und der einhelligen Forderung nach einer Revision des Vertrages war das zentrale außenpolitische Ziel der Weimarer Republik, „Deutschlands Freiheit und Deutschlands Größe" (Stresemann) wiederzuerlangen, d.h. Abschwächung der Niederlage mit friedlichen Mitteln, Beseitigung ihrer Folgen und Schaffung der Voraussetzungen für die Rückkehr Deutschlands in den Kreis der Großmächte, vorgegeben. Neben positiven Aspekten hatte die revisionistische Zielsetzung auch negative Momente. Sie eröffnete vor allem wegen des inhaltlich wenig präzisierten Begriffes „Revision" ein weites Feld für Illusionen und Manipulationen angesichts des ungebrochenen Großmachtbewußtseins. Sie vereinte sonst stark divergierende Kräfte. So konnten unter dem Deckmantel der „Revision" außenpolitische Programme von der Wiedergewinnung einer dominierenden Mitteleuropastellung über eine europäische Hegemoniestellung bis hin zu einem erneuten „Griff nach der Weltmacht" blühen, auch Ziele, die Deutschland zwar seinen Großmachtstatus zurückzugeben trachteten, aber auch die europäische Verantwortung des Zentralstaates von Europa anzunehmen bereit waren.

Stresemann, von 1923/1929 Außenminister, ging in seiner Politik des „nationalen Realismus" von der internationalen Ordnung von 1919/20 aus und knüpfte an die Mitteleuropatradition deutscher Politik an. Ohne Ausgleich ist noch nie etwas „großes in der Welt geschaffen worden, was Bestand hatte" wurde Leitgedanke seiner friedlichen Revisionspolitik. Die stärkere Einbindung

Deutschlands in das internationale System von 1919/20 forderte eine Außenpolitik der Kooperation, nicht eine der Konfrontation in systemzerstörerischer Absicht. Sollte das im 19. Jahrhundert nur unvollkommen gelöste Problem Deutschland, das als Kernproblem der europäischen Politik 1919/20 weder durch den Versailler-Vertrag noch durch die europäische Neuordnung auf den Pariser Friedenskonferenzen gelöst worden war, doch noch eine für Europa befriedigende Regelung erhalten, so bot sich in einer engeren europäischen Zusammenarbeit und mit einem Ausgleich zwischen Deutschland und Frankreich eine Chance.

Mit dem „Aufbau eines neuen europäischen Konzerts" nach 1925 mit dem Kern Großbritannien-Frankreich-Deutschland wurden entscheidende Grundlagen für eine gemeinsame europäische Politik geschaffen, doch sollte sich die bis zur Weltwirtschaftskrise verfügbare Zeit als zu kurz erweisen. Angesichts der von den Gegnern der Republik der Regierung zugewiesenen Verantwortung für die „Misere der Gegenwart", der geschickten, massenwirksamen „Verknüpfung von ‚Novemberverrat', ‚Dolchstoß' und ‚Versailles'" (Hillgruber), brauchte Weimardeutschland rasche Erfolge bei seinen Revisionsforderungen. Innenpolitisch wichtig war vor allem eine vorzeitige Räumung des Rheinlandes, um der nationalistischen Opposition propagandistisch verwertbare Argumente aus der Hand zu nehmen. Die für Deutschland wichtige Vergrößerung der Handlungsfreiheit bereitete der französischen Regierung Probleme, wurde doch befürchtet, eventuell notwendige Druckmittel einzubüßen. Briand und Stresemann rangen um eine Lösung der für beide Länder und Europa so wichtigen Fragen. Sicherlich spielten Macht- und Einflußfragen sowie die Stellung in Europa eine gewichtige Rolle. Es ging aber auch um den europäischen Frieden, die bessere Zusammenarbeit, die Verständigung und den deutsch-französischen Ausgleich. Dieser bildete eine notwendige Voraussetzung für eine erfolgreiche Revisionspolitik in anderen Bereichen. Der Konzeption Stresemannscher Außenpolitik wird nicht gerecht, wer versucht, die Zusammenarbeit mit Frankreich lediglich als Hebel für revisionistisch-(expansive) Ziele zu bewerten. Vielmehr war die europäische Verständigung, ausgehend von einer deutsch-französischen Basis, ,,eine umfassende wirtschaftliche und politische Konzeption, die auf einer grundsätzlichen politischen Entscheidung (seit 1923) über die langfristig günstigste Wahrnehmung deutscher Interessen beruhte" (Krüger 1983, 16).

Die dominierende Wirtschaftskraft der USA, die sich seit dem Kriege zur führenden Weltwirtschaftsmacht entwickelt hatte, mit ihren Auswirkungen auf die europäischen Märkte, beförderte Schritte auf dem Wege zu einer engeren europäischen Zusammenarbeit und ließ den Gedanken einer europäischen Zollunion zunehmend in das Blickfeld geraten. Diesen Themenbereich besprachen Briand und Stresemann im Sommer 1929. Den hieraus erwachsenen Europaplan Briands, der eine lockere förderative Verbindung der europäischen Staaten anregte, sollte Stresemann nicht mehr erleben. Er starb am 3. Oktober 1929.

Die große wirtschaftliche Depression warf bereits ihre Schatten voraus. Die Krise in Deutschland verschärfte sich im Zuge der Weltwirtschaftskrise und gefährdete den für das politisch-soziale und ökonomische System der Republik und seine Fortexistenz ,,kategorischen Imperativ des gesellschaftlichen und politischen Ausgleichs" (Erdmann). Die zunehmende Polarisierung in Fragen der Wirtschafts- und Sozialpolitik entzog dem notwendigen gesellschaftlich-wirtschaftlichen Ausgleich nicht nur im innenpolitischen Bereich die Basis, sondern betraf ebenfalls den weniger faßbaren außenpolitischen Basiskonsens. Für eine modernen Verhältnissen angepaßte industriewirtschaftlich-liberale internationale Kooperation und eine erfolgreiche Fortführung der Locarno-Politik spielte der Young-Plan – neben seiner wichtigen innenpolitischen Funktion – eine zentrale Rolle. Voraussetzung war allerdings die Bereitschaft Deutschlands und anderer Mächte zu einem ,,kooperativen, liberalisierten Weltwirtschafts- und Finanzsystem".

Der Young-Plan bedeutete für die Reichsregierung einen Erfolg, ,,auch für die Konsolidierung Europas und ihre Politik der Machtsteigerung und Verankerung Deutschlands im internationalen System durch Zusammenarbeit, Verständigung und Interessenausgleich" (Krüger 1983, 19). National- und Gruppenegoismus gewannen in der Krise von 1929/30 aber wieder die Oberhand. Sie entzogen diesem Lösungsversuch der deutschen Frage, mit der die Deutschen, ihre Nachbarn und das internationale System erfolgreich und zufrieden hätten leben können, die Basis. So signalisierte das Jahr 1929 auf internationaler Ebene das Ende einer weltwirtschaftlichen Restauration, auf nationaler Ebene den Endpunkt des liberalen Umformungsprozesses des deutschen Nationalstaates und der außenpolitischen Revision des Friedensvertrages auf der Basis einer deutsch-französischen Annäherung.

Das Scheitern der Regierung des sozialdemokratischen Kanzlers Müller war symptomatisch für die Polarisierung gesellschaftlicher Gruppeninteressen in der Schlußphase der Weimarer Republik. Mit der Akzentuierung der nationalen Politik verschob sich auch die außenpolitische Zielrichtung. An die Stelle einer europäischen Politik des Ausgleichs und der Verständigung und der Einbindung Deutschlands in weltwirtschaftliche Verflechtungen trat eine Politik der Konfrontation, die geeignet war, international das deutsche Vertrauenskapital der Ära Stresemann zu verspielen. Die bewußte Abkehr von einer Politik der Verständigung vollzog sich am „Begräbnis Erster Klasse" für den Briandschen Europaplan. Zwar noch vorsichtig formuliert, wurde der europäisch-internationale Weg für den nationalen geopfert. So heißt es in einer Stellungnahme des Außenministers Curtius, daß Deutschland die französische Initiative begrüße, daß aber jedes Land die „gestellte Aufgabe" aus der Perspektive seiner nationalen Interessen betrachte. „Kein Land kann die Mängel der Struktur Europas stärker empfinden als Deutschland, das, in der Mitte des Kontinents gelegen, von diesen Mängeln und ihren Auswirkungen in besonderem Maße berührt wird. Kein Land hat an der Beseitigung dieser Mängel ein höheres Interesse als Deutschland. Die deutsche Regierung wird daher bereitwillig an der Lösung des Problems mitarbeiten . . . Sie sieht das Endziel darin, im Geiste der Verständigung eine mutige Reform der einmal als unhaltbar erkannten Verhältnisse ins Auge zu fassen und so *eine wirkliche Befriedung Europas herbeizuführen, die nur auf den Grundsätzen der Gerechtigkeit und Gleichheit beruhen kann*". Die Redner im außenpolitischen Ausschuß des Reichstages wurden in der künftigen Stoßrichtung deutscher Außenpolitik, für die der Briandplan ein Hindernis war, schon deutlicher. So betonte Prälat Dr. Kaas vom Zentrum, daß ein im wesentlichen befriedetes Europa ,,nicht *mit,* sondern gegen Frankreich" erstritten werden müsse. ,,Man müsse verhindern, daß aus einem Gewalteuropa zu unserem Schaden und unter unserer Mitwirkung ein Vertragseuropa werde, das wir dann nicht mehr korrigieren können. Deutschland müsse um die Revision deshalb *vor* Abschluß eventueller Pakte kämpfen, nicht sie erst nach deren Abschluß eventuell vergeblich erwarten!"

Im außenpolitischen Denken wurden jetzt wieder Mitteleuropapläne aufgegriffen, die in Variationen seit der Paulskirche immer wieder diskutiert worden waren. Ein republikanisches Großdeutschland, das seinen Rang unter den ersten Mächten wieder einnehmen sollte, wurde zur neuen nationalstaatlichen Perspektive. Wie allerdings Europa auf eine großdeutsche Republik reagieren würde, ob sie nicht destabilisierend auf die internationale Ordnung der Pariser Vororteverträge wirken würde, darüber machten sich die Republikaner weniger Gedanken. Nach ihren Vorstellungen hätte die großdeutsche Republik ,,einem einigermaßen funktionierenden Völkerbundssystem sich nicht entzogen und sich auch sonst in friedlichen Bahnen bewegt" (Becker/Hillgruber 1983, 313). Systemsprengend waren jedoch die Revisionsvorstellungen der nationalen Rechten, die nach dem Zusammenbruch der großen Koalition nicht ohne Einfluß auf die Regierungspolitik blieben. Mitteleuropa – unter Einfügung der ,Anschluß'-Tendenzen gegenüber Österreich – und der Donauraum wurden zum neuen Schwerpunkt deutscher Außenpolitik in der Ära Brüning. Signalisiert wurde der neue Kurs durch das österreichisch-deutsche Zollunionsprojekt. Dieser überraschende Vorstoß mußte auf den Widerstand Frankreichs stoßen, aber auch anderer ,Betroffener' in der Region, wie der Tschechoslowakei. Frankreich brachte das Projekt schließlich zu Fall. Die mühsam aufgebaute Vertrauensbasis zwischen beiden Ländern war zerstört, mit weitreichenden Folgen für die internationale Ordnung.

Das Zollunionsprojekt hatte gleichermaßen ,,brüskiert" und

„alarmiert". Es war der „eigentliche Sündenfall der deutschen Außenpolitik nach der Stresemann-Ära" (Peter Krüger) gewesen, – das Bestreben, für Deutschland eine politische und ökonomische Machtstellung im Donauraum, unter Einbeziehung der Tschechoslowakei, zu erlangen. Zur Vorbereitung der Grenzrevision im Osten sollte Polen isoliert werden. Ohne Bedenken nutzte die deutsche Regierung die Weltwirtschaftskrise aus, um den Young-Plan zu zerstören und die Gleichberechtigung Deutschlands rigoros durchzusetzen. Dies verdeutlichten die Abrüstungsverhandlungen. So trug die Politik der Reichsregierung in hohem Maße zur Erschütterung des internationalen Systems bei.

Es zeigte sich hier die enorme Sprengwirkung, die im Revisionsverlangen selbst steckte. Jeder Erfolg einer revisionistischen Außenpolitik wurde „nur als ‚eine Vorstufe zum eigentlichen Ziel'" (Becker/Hillgruber 1983, 312) angesehen. Die Nationalsozialisten, denen es in keiner Phase um die Realisierung der ‚klassischen Ziele' der Revisionspolitik ging und die auch keinerlei Interesse an der deutschen Nation hatten, konnten das aus Weimar überkommene „Revisionssyndrom" bis in das Vorfeld des Zweiten Weltkrieges innenpolitisch herrschaftsstabilisierend und außenpolitisch als ‚legitimes' Ziel einer friedlichen deutschen Politik einsetzen.

6.3. Die Krise des liberalen Systems und die Zerstörung der Internationalen Ordnung 1933–1939

In der Zwischenkriegszeit, insbesondere in den Jahren 1930–1939, wiederholten sich Konfliktkonstellationen aus der Zeit vor dem Ersten Weltkrieg, die endgültig zu beseitigen Ziel der Friedensordnung von 1919/20 hätte sein sollen. Das liberale Konzept für die internationalen Beziehungen, „eine friedliche Welt auf der Grundlage von Freihandel, Abrüstung und der demokratischen Kontrolle von Außenpolitik, in der unabhängige, sich selbst regierende Nationen jede für sich zum allgemeinen Wohl der Menschheit beitragen" (James Joll), schien gescheitert. Der politische Rückzug der USA vom Völkerbund und ihre Weigerung, eine verantwortliche, ihrer neuen Führungsrolle in der Weltwirtschaft entsprechende weltpolitische Aufgabe zu übernehmen, eröffnete nochmals Großbritannien und Frankreich die Chance, eine dominierende europäische Großmachtstellung zu erringen. Zu Hilfe kam ihnen dabei die Tatsache, daß die Sowjetunion zunächst außerhalb des durch die Pariser Vororteverträge geschaffenen internationalen Systems blieb. Das sozialistische Alternativmodell für die Gestaltung der innerstaatlichen Ordnung und des internationalen Systems, das seit der erfolgreichen Oktoberrevolution von 1917 vertreten wurde, ging davon aus, daß Kapitalismus und Imperialismus den Krieg zur logischen Folge hatten und daß das Ende aller Kriege erst nach der erfolgreichen Beseitigung des kapitalistischen Systems durch die Revolution möglich sein werde. Die nur gelegentlich durchbrochene, selbstgewählte sowjetische Isolierung und das Schwanken der sowjetischen Außenpolitik zwischen weltrevolutionärem Anspruch und einer an nationalen, vor allem sicherheitspolitischen Interessen orientierten Politik trugen mit zu einer Unterschätzung der Sowjetunion bei und führten in den 1930er Jahren bei den Versuchen eines europäischen Krisenmanagements der Großmächte zur Nichtberücksichtigung der UdSSR. Das auf dem liberalen Konzept beruhende internationale System der Zwischenkriegszeit mit den tragenden Säulen Völkerbund und kollektives Sicherheitssystem krankte u. a. daran, daß die als Ergebnis des Ersten Weltkrieges entstandenen machtpolitischen Vakuen nicht gesehen oder unterschätzt wurden und daß das Denken in eurozentrischen Kategorien noch sehr stark war. Der „Geist von Locarno" und die Reintegration Deutschlands in die europäisch-internationale Ordnung hatten Ende der zwanziger Jahre Aussichten auf eine erfolgreiche Rekonstruktion des europäischen Staatensystems im Rahmen einer europäischen Zusammenarbeit und eine Stabilisierung des Völkerbundes durch einen bündischen europäischen Zusammenschluß eröffnet.

Die Wechselwirkungen zwischen der Weltwirtschaftskrise, dem Zurückdrängen demokratischer Systeme durch autoritäre Ordnungen und dem Zusammenbruch des europäischen und fernöstlichen Regionalsystems zwischen 1930 und 1939 sind noch wenig untersucht. Sicher ist, daß der Versailler Friedensordnung, dem Versuch einer Rekonstruktion des europäischen Staatensystems sowie dem Bemühen, im Rahmen des Völkerbundes weltweit ein kollektives Sicherheitssystem zu verwirklichen, durch die Weltwirtschaftskrise die ökonomische Basis entzogen wurde.

Die ökonomische Krise, die daraus resultierenden sozialen Spannungen und der Angriff extremer ideologischer Kräfte auf die demokratische Ordnung ließen die nationalen Regierungen zu unterschiedlichen Lösungsmodellen für die Beendigung der „Periode der Krise" (Gathorne-Hardy), wie sie die Zeitgenossen begriffen, Zuflucht suchen. In zahlreichen europäischen Ländern engte die Krise den Handlungsspielraum der – oftmals nur kurz amtierenden – Regierungen ein; vielfach trat an die Stelle der demokratischen Ordnung ein autoritäres Regime. Dabei wurden neben Auswirkungen der Weltwirtschaftskrise vor allem strukturelle Rahmenbedingungen wirksam. Die Krise und die Zerstörung demokratischer Ordnungsstrukturen, die nach dem Zusammenbruch der Weimarer Demokratie beschleunigt wurde, wirkte destabilisierend auf die sowieso labile internationale Ordnung der Pariser Vorortverträge und mündete bis zum Ausbruch des Krieges in Europa 1939 in eine Dauerkrise des internationalen Systems.

Diese Dauerkrise wurde mit verursacht durch den aggressiven Versuch, die Politik des friedlichen Ausgleichs durch eine Wiederbelebung imperialistischer und hegemonialer Ziele zu blockieren und in den Staatenbeziehungen das Faustrecht als Mittel der Politik einzusetzen. Die Spielregeln der internationalen Politik und das Völkerrecht wurden mißachtet. Die Bereitschaft oder die Fähigkeit der Staatengesellschaft, gegen die Verletzung internationalen Rechtes vorzugehen, war begrenzt; Völkerbundssanktionen blieben wirkungslos, wenn sie nicht mit weltweiter Unterstützung rechnen konnten. Die japanische Expansionspolitik in Ostasien seit 1931 und der Austritt Japans aus dem Völkerbund, als dieser sich auf einen kleinsten Nenner für Sanktionen einigte, erhielten Signalwirkung für revisionistische, expansionistische autoritäre Regime. So versuchte das faschistische Italien 1935 durch einen Angriff auf das Völkerbundsmitglied Äthiopien seinen Herrschaftsbereich zu erweitern. Die Maßnahmen des Völkerbundes waren erfolglos. Die Bereitschaft der Demokratien, einen militärischen Konflikt für ein fernes, kleines Land zu riskieren, war nicht sehr groß.

Der totale Umsturz des internationalen Systems drohte in den dreißiger Jahren aber vom Deutschen Reich. Die nationalsozialistische Außenpolitik wurde als „rassenideologische Weltpolitik" (Niedhart) konzipiert. Sie war – wenn überhaupt – zunächst nur äußerlich machtpolitischen und nationalstaatlichen Interessen verpflichtet. Die Übertragung von sozialdarwinistischen Kategorien auf das internationale System und die zwischenstaatlichen Beziehungen („Recht des Stärkeren im Lebenskampf der Völker") bedeutete ein revolutionäres Element in einem auf Friedenssicherung und Friedenserhaltung angelegten Staatensystem. Die expansionistischen, systemsprengenden Ziele des Nationalsozialismus wurden anfangs nicht gesehen, der Nationalsozialismus insgesamt unterschätzt. Als Antriebsfeder der Außenpolitik diente Hitler in der Phase der militärischen Schwäche und Unterlegenheit die traditionelle Forderung nach Revision des Friedensvertrages von Versailles, nach großmächtlicher Gleichberechtigung, nach Selbstbestimmungsrecht für alle Völker und nach nationaler Unabhängigkeit Deutschlands. Damit schien sich die nationalsozialistische Außenpolitik als Fortsetzung der außenpolitischen Revisionspolitik der Schlußphase der Weimarer Republik zu verstehen. Gleichzeitig betonte Hitler in Friedensreden seit dem Frühjahr 1933 immer wieder die friedfertigen Ziele deutscher Politik, den deutschen Wunsch nach gutnachbarlichen Beziehungen zu seiner europäischen Umwelt. Auf diese Weise wurden die Expansionsziele nach außen propagandistisch und ideologisch mit dem Hinweis auf das Selbstbestimmungsrecht aller Deutschen verschleiert. Bis zum Münchener Abkommen von 1938 einschließlich waren somit die auf dem Selbstbestimmungsrecht der Völker beruhenden Wünsche des nationalsozialistischen Deutschlands für die Westmächte im Sinne einer friedlichen Konfliktregulierung noch vertretbar, auch wenn die Aktionen (Wiedereinführung der Wehrpflicht 1935, Rheinlandbesetzung 1936, Anschluß Österreichs

1938, Sudetenfrage) einen Bruch gültiger Verträge bedeuteten. Das revolutionäre Element in der nationalsozialistischen Außenpolitik erkannten die zeitgenössischen Gegenspieler Hitlers erst relativ spät.

Seit den zwanziger Jahren war Hitler einem außenpolitischen Programm verpflichtet – sein Stellenwert für die Politik und Geschichte des Dritten Reiches ist in der Forschung kontrovers –, das ihm als Orientierungsrahmen diente und für das es sicherlich keinen festen „Zeitplan" gegeben hat. Sein „biologischer Nationalismus" wollte als Endziel die Weltherrschaft der germanischen Rasse, die ohne Krieg nicht zu erreichen war. Schon 1925 äußerte Hitler die Überzeugung, daß ein Bündnis, „dessen Ziel nicht die Absicht zu einem Krieg umfaßt ... sinn- und wertlos" sei. Wenige Tage nach seiner Ernennung zum Reichskanzler sprach Hitler in diesem Sinne auch vor der Generalität der Reichswehr, d. h. die außenpolitischen Ziele ließen sich nur mit kriegerischen Mitteln erreichen und das Gesamtpotential des Staates mußte hierauf ausgerichtet werden. Mit einer Politik der vollendeten Tatsachen seit 1933 hatte sich das Dritte Reich nach der Zerschlagung der Tschechoslowakei im März 1939 eine gute mitteleuropäische Ausgangslage für seine Ziele geschaffen und mit der Annexion Österreichs scheinbar einen Wunsch der Nation zur Lösung der deutschen Frage im großdeutschen Sinne erfüllt. Davon überzeugt, daß die westlichen Demokratien auch weiteren Aktionen des Deutschen Reiches tatenlos zusehen würden, befahl Hitler am 1. 9. 1939 den deutschen Angriff auf Polen, dem Großbritannien und Frankreich mit der Kriegserklärung antworteten. Der europäische Krieg war da. Hitler hatte das internationale System zerstört. Wie würde Deutschland am Ende des Krieges aussehen? In „Mein Kampf" hatte Hitler geschrieben: „Deutschland wird entweder Weltmacht oder überhaupt nicht sein". Der Weltmachttraum wurde spätestens in den Trümmern des Zweiten Weltkrieges verschüttet. Verspielt aber wurde auch der kleindeutsche Nationalstaat von 1871.

7. Hegemonie oder Gleichgewicht? Die Suche nach einer neuen europäischen und internationalen Ordnung 1939–1948

Der deutsche Angriff auf Polen am 1. September 1939 entfesselte einen europäischen Krieg, der globale Dimensionen annehmen sollte. Die Mehrheit der europäischen Bevölkerung reagierte auf den Krieg mit Beklommenheit. Dauer, Dimension und Ausgang des Krieges waren ungewiß. Kriegsbegeisterung wie 1914 konnte kaum aufkommen. Kriegsgreuel, Schützengräben, neue, schrecklichere Waffen, 8 Millionen Gefallene, 20 Millionen Verwundete, Hungertote, riesige Materialverluste, Zerstörung der Landschaft, Eingriffe des Staates in den persönlichen und materiellen Bereich des Menschen, die langfristigen volkswirtschaftlichen Konsequenzen und die Probleme des Übergangs vom Krieg zum Frieden, Bilanz der Jahre 1914–1918, waren auf beiden Seiten noch lebendige Erinnerung. Die Vorhersage des Militärtheoretikers Jean de Bloch, der moderne Krieg kenne keine Sieger, nur Verlierer, hatte sich bewahrheitet. Auch Militärs und Politiker hatten ihre Lehren aus dem Krieg gezogen, auch wenn sie ihn je nach politischem System und politischem Standort unterschiedlich bewerteten.

Was 1939 äußerlich als „traditioneller" europäischer Hegemonialkrieg begann, entwickelte sich bald zu einem Krieg der inneren Herrschaftsformen und Ideologien mit globalen Ausmaßen. Es ging nicht mehr allein um die Verteilung der Macht, sondern auch um das zukünftige Gesicht der zu schaffenden europäischen und internationalen Ordnung. Der oder die Sieger würden versuchen, *ihre* Ordnungsvorstellungen durchzusetzen.

7.1. Die ‚Lösung' der „deutschen Frage" durch das nationalsozialistische Deutschland: Die gescheiterte deutsche Großmacht und der verspielte deutsche Nationalstaat

Mit Hitler und dem Nationalsozialismus gewann die deutsche Frage nach außen und innen eine neue Dimension und neue Qualität. Trotz nachweisbarer Kontinuitätslinien, die für die „Ermöglichung Hitlers" (Ernst Deuerlein) eine Rolle gespielt haben, bedeutet das Jahr 1933 für die deutsche Frage eine tiefe Zäsur, ungeachtet der Tatsache, daß das Kriegsende 1945 neue Rahmenbedingungen für die deutsche Frage in unserer Zeit absteckte.

Zum Verständnis des funktionalen Charakters der deutschen Frage für die nationalsozialistische Politik ist die Erkenntnis wichtig, daß es zum Charakter des Nationalsozialismus gehörte, daß er – ähnlich wie die deutsche Nationalbewegung seit den napoleonischen Kriegen – durchgängig von Ambivalenzen geprägt war. Aufgrund neuerer Forschungen setzt sich zunehmend die Auffassung durch, daß wir es beim Nationalsozialismus – im Vergleich mit anderen politisch-sozialen Systemen in Europa und ihrer Entwicklung – mit einem Phänomen im Spannungsfeld zwischen Tradition und Revolution mit Kontinuitäten und Brüchen zu tun haben. So lassen sich im innen- und außenpolitischen Bereich Kontinuitäten nachweisen. Sie bringen den Nationalsozialismus in die Nähe des „alten Deutschlands", beispielsweise in der deutschen Großmachtpolitik. Sicherlich gilt dies auch für Bereiche, die sich mit den Begriffen „politische Kultur", „Mentalität", „politische Verhaltensweisen" im etatistischen und sozialpsychologischen Bereich erfassen lassen; d.h., daß der Nationalsozialismus an „kollektive Wertvorstellungen und Dispositionen" (Thomas Nipperdey) appellieren konnte. Gerade in den Anfangsjahren ihrer Herrschaft verschleierten die Nationalsozialisten durch eine bewußte Anlehnung an die Traditionen Preußens und des kaiserlichen Deutschlands ihre eigentlichen Ziele.

Durch die Verbindung mit rassen- und raumpolitischen Vorstellungen gelangten jedoch revolutionäre Elemente in die Endziele der NS-Politik. Die scheinbare Nähe zu den alten Führungsschichten erhält damit eine neue Qualität, die es zu beachten gilt. Es kam daher nicht von ungefähr, daß der Widerstand gegen den Nationalsozialismus in diesen Gruppen zu einem beträchtlichen Teil auf Hitlers Bruch mit den Zielen des „alten Deutschland" zurückzuführen war:

1. Das rassisch motivierte Weltmachtstreben bedeutete den Bruch mit den Traditionen deutscher Großmachtpolitik.

2. Das Rassenimperium negierte die „deutsche Nation".

3. Die totalitäre Gesellschaftsordnung des Nationalsozialismus war unvereinbar mit der angestrebten autoritären Form von Herrschaft.

4. Die Sonderstellung des Militärs in Gesellschaft und Staat wurde zunehmend beseitigt.

Mit dem „biologischen Nationalismus" der Nationalsozialisten, ihrer Rassen- und Lebensraumpolitik, erhielt die deutsche Frage national und international eine neue Qualität, denn den Nationalsozialisten ging es nicht mehr um die deutsche Nation. Vielmehr bedurften sie für ihr rassisch motiviertes Weltmachtstreben der deutschen Nation als Sprungbrett und mußten mit Schlagworten ohne konkreten Inhalt („Volksgemeinschaft" u. ä.) und einer Beschwörung preußisch-deutscher Traditionen das deutsche Volk durch eine Emotionalisierung der nationalen Frage im machtstaatlichen Sinne zu gewinnen suchen. Ihr großgermanisches Rassenimperium als politisch-ideologisches Fernziel hatte die totale Negation der Nation zur Voraussetzung.

Zwei Beispiele aus dem innen- und außenpolitischen Bereich mögen dies illustrieren.

1. Im außenpolitischen Denken und Handeln der Nationalsozialisten kann man den „Unterschied zwischen Bismarck, Bethmann und Stresemann einerseits, Hitler andererseits ... nicht relativieren: Hier ist nicht ein quantitatives Mehr, sondern ein qualitatives Anderes" (Nipperdey 1980, 383).

Die globalen Zielsetzungen nationalsozialistischer Politik und Ideologie ließen sich ohne Krieg – darauf hatten die Nationalsozialisten immer wieder hingewiesen – nicht verwirklichen. Für die Nationalsozialisten hatte Deutschland daher nur funktionalen Charakter. Es war bestenfalls Kernland und Ausgangsbasis für das zu bauende Großgermanische Reich, wesentliches Mittel zu seiner Realisierung. Das Deutsche Reich und die deutsche ,,Volksgemeinschaft" steuerten nur die personellen und materiellen Hilfsquellen bei. Das vermeintliche ,,Siegesrezept" der deutschen Blitzkriege machte das nationalsozialistische Deutschland bis 1942 mehr oder minder zum Herren Europas. Die hegemoniale Großmachtstellung schien dauerhaft abgesichert, ein ,,deutscher Friede" nur eine Frage der Zeit. Es war daher sicherlich kein Zufall, daß gerade zu diesem Zeitpunkt Karl Griewank die europäischen Neuordnungspläne Hardenbergs edierte und seine große, umfassende Studie über den Wiener Kongreß vorlegte (Griewank 1942), die dritte Auflage von Kirns ,,Politische Geschichte der deutschen Grenzen" erschien und Arbeiten über die ,,zukünftige europäische Gemeinschaft" publiziert wurden. Seit der Kriegswende 1942/43 wurden die Hoffnungen auf einen deutschen Endsieg zunehmend zur Durchhalteparole in einem total geführten Krieg. Für die militärischen Entscheidungen gewann nun die Mobilisierung des Gesamtpotentials der Kriegführenden zentrale Bedeutung. Die Befürchtungen der Militärtheoretiker vor 1939, daß ein künftiger Krieg lang und verlustreich sein werde, bewahrheiteten sich nun in der weltweiten militärischen Auseinandersetzung, an deren Ende die totale Niederlage Deutschlands in Europa und Japans in Asien standen.

2. Auch im Bereich der Innenpolitik besaß die nationalsozialistische Politik eine andere Qualität. Die Innenpolitik wurde klar durch die außenpolitische Zielsetzung bestimmt. Es kommt zu einer Aufhebung der Unterscheidung beider Bereiche. Mit nationalen Parolen wie vom ,,Geburtstag der neuen deutschen Nation", ,,von der Einheit des Geistes und des Willens der deutschen Nation", mit der Beschwörung preußisch-deutscher Traditionen – so wird beispielsweise der Tag von Potsdam 1933 mit dem 4. August 1914 verglichen, einem Tag, an dem auch ,,ein neuer Wille zu einem neuen deutschen Staat ... überall zu spüren" sei –, der ,,Emotionalisierung" der nationalen Frage im machtpolitischen Sinne und der offensichtlichen Verwirklichung der großdeutschen

Lösung der deutschen Frage 1938 versuchten die Nationalsozialisten, das deutsche Volk für sich zu gewinnen.

Ohne die Mobilisierung der Kräfte und Ressourcen des gesamten Volkes konnten die als Langzeitkonzept angelegten Ziele nicht realisiert werden. Für den notwendig werdenden Krieg mußte die Basis geschaffen werden, beispielsweise durch eine Rüstungswirtschaft bereits im Frieden. Auch galt es, die Zivilbevölkerung, die in einem modernen Krieg nicht verschont werden würde, zur „kämpfenden Nation" zu machen, sie psychologisch zu stabilisieren, würde sich doch die Trennung von „Heimat" und „Front" nicht mehr aufrechterhalten lassen. Hierzu gehörte es, Vorsorge zu treffen, daß die Ernährung der Bevölkerung während des gesamten Krieges sichergestellt werden konnte, um so neben der Erhaltung der Kriegsmoral gleichzeitig eine systemstabilisierende Wirkung zu erzielen.

Für die deutsche Frage ergaben sich aus den nationalsozialistischen Zielen und Ordnungsvorstellungen folgende Konsequenzen:

1. Die bisher unbekannte Mobilisierung von Menschen und Material durch die Nationalsozialisten, die Niederwerfung und Beherrschung Europas vom Nordkap bis Nordafrika, vom Atlantik bis zum Kaukasus durch das Großdeutsche Reich 1941/42 mußten bei einer militärischen Niederwerfung Deutschlands aus macht-, wirtschafts- und sicherheitspolitischen Überlegungen tiefgreifende Folgen haben, denn Deutschland als kritische Größenordnung in Europa, als europäisches Sicherheitsrisiko, mußte beseitigt werden.

2. Die NS-Politik in Ost- und Südosteuropa zerstörte die Minderheitenschutzpolitik. Nach dem Krieg war die Fortexistenz deutscher Siedlungsgebiete in Räumen mit nationaler Gemengelage, wie beispielsweise in Osteuropa, undenkbar.

3. Die großdeutsche Idee wurde durch die nationalsozialistische Ausbeutungs- und Unterdrückungspolitik während des Krieges sowie durch den hegemonialen, gleichgewichtsfeindlichen Machtanspruch Hitlerdeutschlands in Europa desavouiert. Für eine künftige europäische Ordnung schied die „großdeutsche Lösung der deutschen Frage", die großdeutsche Einheit als Bauprinzip deut-

scher Staatlichkeit aus. Dies galt gleichermaßen für einen nationalsozialistischen Sieg wie für eine Niederlage. Ob bei einem alliierten Sieg wenigstens der 1871 gegründete kleindeutsche Staat über das Kriegsende hinaus weiterbestehen würde, mußte, wie die deutschlandpolitischen Planungen der Antihitlerkoalition zeigen, mehr als zweifelhaft erscheinen.

7.2. Die alliierten Deutschlandplanungen im Zweiten Weltkrieg: ‚Dismemberment' Deutschlands oder Preußens als Lösung des „deutschen Problems"?

Die Ausweitung des europäischen Hegemonialkrieges zu einem ideologischen Weltkrieg – hier Kreuzzug gegen Bolschewismus, Weltjudentum und Weltfreimaurertum, dort Kreuzzug für die Rettung der Zivilisation, der Demokratie und geregelter internationaler Rechtsbeziehungen – setzte in beiden Lagern enorme Energien für die Kriegführung frei. Es galt, die „materiellen Kraftquellen" und die „seelischen Kräfte" des Gegners zu zerstören. Der Krieg wurde zunehmend zum erbarmungslosen Vernichtungs- und Ausrottungskampf. Die deutschen Kriegsgegner unterschieden seit etwa 1942 nicht mehr zwischen dem nationalsozialistischen Regime und den Deutschen. Vielmehr wurde nun der Nationalsozialismus als logisches, zwangsläufiges Ergebnis der deutschen Geschichte und vor allem auch des deutschen Volkscharakters angesehen. Das negative Psychogramm des deutschen Wesens, des sentimentalen, romantischen, idealistischen und zwiespältigen Deutschen, ließ als Kriegsziel zunehmend die „Umerziehung der Deutschen zur Demokratie" erscheinen. In den Überlegungen der Alliierten tritt sie neben die „Lehren von Versailles".

Zu den Lehren von 1919 gehörte beispielsweise, die Entstehung einer neuen „Dolchstoßlegende" zu verhindern. Im Januar 1943 vereinbarten daher Roosevelt und Churchill auf der Konferenz von Casablanca die „bedingungslose Kapitulation" Japans und Deutschlands als gemeinsames Kriegsziel. Dabei ging es nicht um eine „Vernichtung" der Bevölkerung, sondern um die „Zerstörung einer Weltanschauung", die auf die Unterjochung und Eroberung anderer Völker abziele. Stalin schloß sich nachträglich diesen Forderungen an. In den gemeinsamen Kriegsanstrengungen erhielt die Niederringung Deutschlands erste Priorität. Zu den Erfahrungen mit Deutschland seit Versailles gehörte es auch, daß eine künftige Nachkriegsordnung Vorsorge traf, „Deutschland und vor allem Preußen daran zu hindern, ein drittes Mal über uns herzufallen" (Churchill). Dies ließ sich verwirklichen durch:

1. Besetzung des Staatsgebietes des Gegners und Verlust der politisch-staatlichen Souveränität für den Besiegten;
2. vollständige Entmilitarisierung Deutschlands und deren Überwachung durch interalliierte Rüstungs- und Wirtschaftskontrolle;
3. Entnazifizierung und „Umerziehung" der Deutschen;
4. Internationalisierung der „Waffenschmiede" Ruhrgebiet, Dezentralisierung der deutschen Wirtschaft, und
5. Aufgliederung Deutschlands in mehrere Staaten.

In diesem Grobraster bewegten sich während des Krieges die deutschlandpolitischen Planungen der Alliierten der Antihitlerkoalition, vom Stalin-Deutschland über die Pläne Morgenthaus und Sumner Welles', Roosevelts und Churchills. Einigendes Band dieser „unheiligen Allianz" waren weder Vertrauen noch Neigung, sondern „Eigennutz, Zweckmäßigkeit und der gebieterische Zwang einer schicksalschweren Stunde" (Manfred Rexin). Für die Nachkriegspolitik wurde bedeutsam, daß die Antihitlerkoalition konkrete Beschlüsse über die politisch-territoriale Zukunft Europas erst nach dem Sieg über Deutschland fassen wollte und hier „nicht aus Versailles lernte" (D. C. Watt), geschweige denn aus der Wiener Ordnung von 1815. Wenn die Alliierten während des Krieges keine bindenden Verpflichtungen in Bezug auf die politisch-territoriale Struktur Europas und seines Zentrums eingehen wollten, so geschah dies vor allem aus allianzpolitischen Rücksichten. Die deutsche Frage als stets europäisch-internationales Problem mußte die gegensätzlichen Ziele und Auffassungen innerhalb des Bündnisses aufbrechen lassen, konnte möglicherweise – so befürchteten vor allem die Briten – zu einem deutsch-russischen Separatfriedensvertrag führen, der das überkommene europäische Gleichgewichtssystem überwinden und damit die Niederlage und bedingungslose Kapitulation Hitler-Deutschlands als Vorbedingung von Frieden und Sicherheit in Europa verhindern würde.

Spätestens seit der militärischen Kriegswende 1943 strebte die UdSSR für die Nachkriegsordnung ein politisches und militärisches Glacis an, das weite Teile Mitteleuropas und des Balkans umfaßte. Es sollte dem Sicherheitsbedürfnis sowie den machtpolitisch-revolutionären Interessen der Sowjetunion dienen. Frankreich war in dieser Konzeption als Großmacht nicht mehr vorgesehen, die Angelsachsen sollten in Westeuropa lediglich noch eine ,,mehr oder weniger weiträumige Brückenkopffunktion" behalten. Offen muß bislang noch bleiben, ob kleinere und mittlere neutrale Staaten als ,,Zwischenglieder" vorgesehen waren, und wenn ja, in welchem Umfang. Trotz des Beitritts der UdSSR zur Atlantik-Charta und trotz der Auflösung der Komintern muß der sowjetischen Führungsspitze bewußt gewesen sein, daß die machtpolitischen und ideologischen Gegensätze in der Antihitlerkoalition nur zeitweilig verdeckt werden konnten. Dies zeigten Äußerungen Stalins aus dem Frühjahr 1945. Das macht- und sicherheitspolitische als auch ideologische Hegemoniedenken der kommunistischen Führungsmacht zielte auf tiefgreifende Veränderungen im politisch-gesellschaftlichen System ihres ,,imperialen" Vorfeldes ab.

In den Nachkriegsplanungen der USA lassen sich im wesentlichen zwei Phasen unterscheiden. In der ersten, 1941–1942/43, dominierte die Idee von einer globalen ,,Pax Americana". Sie fand ihren Niederschlag in der Atlantik-Charta. Die USA erhielten in der neuen Weltordnung indirekt eine Leitungsfunktion. Großbritannien fiel die Rolle eines Juniorpartners zu. Die Macht- und Sicherheitsinteressen der UdSSR wurden, wegen der erwarteten Niederlage gegen Hitlerdeutschland, in der Atlantikcharta nicht berücksichtigt. Auch die angelsächsischen Vorstellungen zur künftigen Weltwirtschaftsordnung entsprachen nicht der sowjetischen Interessenlage. Im ,,One-World"-Konzept Roosevelts sind wohl, trotz der späteren Einbeziehung der UdSSR in die amerikanischen

Weltordnungsvorstellungen, die Wurzeln für den „Kalten Krieg" zu suchen.

In der ersten Planungsphase fand die Zukunft Deutschlands kaum Berücksichtigung. Allerdings befaßten sich Anfang 1942 eingesetzte Expertenausschüsse eingehend mit der künftigen politisch-territorialen Struktur Nachkriegsdeutschlands. Anders als Sumner Welles oder Henry Morgenthau jr., die im Verlauf des Krieges mit holzschnittartigen, vielfach mehr emotionalisierten als differenzierten Teilungsplänen hervortraten, untersuchten die Fachleute die vielschichtige Frage, die auch in den 1950er Jahren erneut diskutiert werden sollte, ob sich ein besiegtes Deutschland besser kontrollieren ließe, wenn es in mehrere Staaten aufgegliedert würde oder wenn es als Gesamtstaat bestehen blieb? Die Befürworter einer Aufgliederung in drei Staaten (Süddeutschland, Nordwest- und Nordostdeutschland) argumentierten vor allem sicherheitspolitisch. Es komme darauf an, Deutschland durch die Teilung zu schwächen. Die Gefahr eines Wiedererstarkens des Militarismus könne so gebannt werden. Die Teilungsgegner begründeten ihre Sicht damit, daß die Wiedervereinigungsfrage in den „Nachfolgestaaten" zum erstrangigen politischen Problem werden würde, die Sieger die Teilung auf Dauer nicht garantieren könnten und ein später wiedervereinigtes Deutschland möglicherweise eine noch größere Wirtschaftskraft entwickeln könnte als das nationalsozialistische Deutschland.

Die Alternativlösungen der Experten zeigten einen Trend zugunsten der Einheit Deutschlands, auch wenn keine Empfehlungen ausgesprochen wurden. In der Deutschlandpolitik der USA gab es bis Kriegsende konkurrierende Konzepte innerhalb der Administration. Die Möglichkeit der Teilung, in welcher staatsrechtlichen Form auch immer (Einzelstaaten in einer Konföderation; Teilstaaten), wurde im Prinzip anerkannt. Untere Regierungsebenen zögerten jedoch, eine Teilung zu unterstützen.

In den französischen Kriegszielen für Deutschland und Europa dominierte die Forderung, die Nachkriegsverhältnisse so zu ordnen, daß künftig eine deutsche Aggression ausgeschaltet werden konnte. Frankreich wünschte daher ein „Macht- und Sicherheitsglacis" jenseits seiner alten Grenzen. Territoriale Maßnahmen (z. B. Bildung eines autonomen Rheinstaates, Abtrennung des Saarlandes), ein westeuropäischer Bund sowie Allianzen mit England und der UdSSR sollten langfristig die französische Sicherheit gewährleisten. Ziel war ebenfalls die Wiederherstellung des eigenen Großmachtstatus mit globalen Interessen und – nach dem erwarteten Rückzug der USA aus Europa – ein französisch-russisches Kondominium über den Kontinent. De Gaulles Deutschlandplanungen liefen auf die Zerstörung der staatlichen nationalen Einheit der Deutschen hinaus. Deutschland sollte neben beträchtlichen territorialen Verlusten im Osten an Polen und die UdSSR eine neue „Binnenstruktur" erhalten. Dabei rechnete De Gaulle mit dreierlei:

1. mit der Einbeziehung eines mitteldeutschen Staates in den sowjetischen Herrschaftsbereich;

2. mit der Schaffung mehrerer Staaten in Süd- und Norddeutschland; diese könnten eine lockere staatsrechtliche Beziehung eingehen und sich, vor allem im Süden, außenpolitisch an Frankreich orientieren;

3. mit einer Pufferzone zwischen Frankreich und Rumpfdeutschland (Ruhrgebiet internationalisiert; Rheinland, Saarland autonom).

Historisches Vorbild war die „germanische Welt" zur Zeit des Deutschen Bundes. Insgesamt war die französische Deutschlandpolitik im Gegensatz zur britischen wenig flexibel.

Großbritannien war sich der wirtschaftlichen, finanziellen, militärischen und auch politischen Abhängigkeit von den USA bewußt. Es galt daher Mittel und Wege zu finden, um seine Interessen in der Nachkriegsordnung zu wahren. „Eher als die USA oder die UdSSR sind wir von der Zukunft Europas betroffen, und die Schaffung einer für uns annehmbaren europäischen Ordnung ist eines unserer Ziele", äußerte Attlee im Februar 1945 im Kriegskabinett. Zu einer annehmbaren europäischen Ordnung gehörte auch die Lösung des deutschen Problems. Aus britischer Sicht mußten folgende Voraussetzungen erfüllt sein:

1. die deutsche Niederlage durfte kein machtpolitisches Vakuum hinterlassen, das von einer Großmacht ausgefüllt werden konnte.

2. Die Nachkriegsgrenzen Europas mußten die Sicherheitsinter-

essen der Mitglieder der europäischen Staatenordnung berücksichtigen und Konflikte wie nach dem Ersten Weltkrieg vermeiden.

3. Der Handel in Europa mußte als Vorbedingung für die innere und äußere Stabilität der europäischen Neuordnung möglichst rasch wieder in Gang gebracht werden. Deutschland sollte hierzu einen Beitrag leisten. Die bedingungslose Kapitulation und die Besetzung Deutschlands wurden dabei als Chance gewertet.

Britisches Kriegsziel war eine stabile Gesamtordnung Europas, die auch die britische Weltmachtstellung absichern würde. Churchill dachte an ein vereintes Europa aus 12 Konföderationen oder Staaten. Vor allem wollte er durch eine Donaukonföderation die Entstehung eines Machtvakuums in dieser Region wie nach dem Ersten Weltkrieg verhindern. Bis zur Konferenz von Teheran (1943) wollte Großbritannien eine gewaltsame Aufgliederung Deutschlands vermeiden, freiwillige Aufteilungswünsche jedoch unterstützen. Ähnlich wie in Washington ließ sich auch in London eine „besonnene Einstellung der Basis gegenüber unausgereiften Ideen von oben" (Kettenacker/Schlenke/Seier 1981, 330) feststellen. Für die Anti-Spalter-Front wurde es aber immer schwieriger, zumal auch die Stabschefs eine Dreiteilung Deutschlands auf der Grundlage von Besatzungszonen für militärisch notwendig erachteten. Um aus dem Dilemma „Teilung oder Einheitsstaat" herauszukommen, legte Eden dem Kabinett im Herbst 1944 ein Foreign Office Memorandum vor, in dem erstmals das Dismemberment Preußens als Ersatz für die Aufgliederung Deutschlands angeregt wurde. Diese Regelung könne alle Momente für eine „positive Nachkriegsentwicklung" Deutschlands bieten. Preußen, nicht Deutschland, sei das Sicherheitsrisiko für eine neue internationale Ordnung. Die Auflösung Preußens sei daher die notwendige Vorbedingung

1. für ein ausgewogenes Größenverhältnis zwischen den deutschen Staaten und

2. für eine funktionsfähige, der historischen Entwicklung entsprechende bündische Organisation Deutschlands. Eine föderative Verfassungsordnung könne mit der mehrheitlichen Zustimmung der Deutschen rechnen, die Chancen für den Aufbau einer stabilen,

lebensfähigen Demokratie bieten und so auch eine Garantie für eine dauerhafte europäische Friedensordnung geben.

Das britische Memorandum „Staatenbund, Bundesstaat, Dezentralisierung des deutschen Staates und Zergliederung Preußens" vom 27. 11. 44 war vielleicht der „konstruktivste Beitrag zur Lösung des deutschen Problems" (Kettenacker).

Gegen Kriegsende lag den Alliierten im Grunde genommen aus den unterschiedlichsten Motiven nichts mehr an der Teilung Deutschlands. Von großer Bedeutung waren dabei die europäische Versorgungslage und die Reparationsproblematik. So erklärte sich das britische Kabinett aus ökonomischen Gründen gegen ein Dismemberment, das auch den Wirtschaftskörper Deutschland zerstören würde. Ein geteiltes, auf 20% seiner Industriekapazität demontiertes Deutschland wäre nie in der Lage, die geforderten Reparationslieferungen zu erbringen. Auf den Status einer „Sklavennation" herabgedrückt, müßte es später von den Verbündeten im Interesse Europas wirtschaftlich und finanziell unterstützt werden. So blieben als bindende interalliierte Vereinbarungen das Zonenprotokoll (12. 9. 1944) und das Abkommen über die Alliierten Kontrolleinrichtungen in Deutschland sowie die Zuweisung einer Zone an Frankreich. Die de facto Besetzung Deutschlands ließ die Zonen schon vor Potsdam zu von der Besatzungsmacht geprägten Einheiten werden. Vor der Bildung von Besatzungszonen als einer de facto Teilung Deutschlands hatte der amerikanische Außenminister im Sommer 1944 gewarnt. Die Großmächte würden die einzelnen Teile Deutschlands direkt kontrollieren und kämen in eine Situation, „in der sie um deutsche Unterstützung werben und dabei versprechen würden, für die Wiedervereinigung Deutschlands zu arbeiten" (zit. nach Backer 1981, 31).

7.3. Von der Kooperation zur Konfrontation: Deutschland als Problem der europäischen und internationalen Politik 1945–1948

Mit der deutschen Doppelkapitulation vom 7./8. Mai 1945 und der alliierten Deklaration vom 5. Juni übernahmen die USA, die Sowjetunion, Großbritannien und Frankreich „die oberste Regierungsgewalt in Deutschland, einschließlich aller Befugnisse der deutschen Regierung, des Oberkommandos der Wehrmacht und der Regierungen und Verwaltungen oder Behörden der Länder, Städte und Gemeinden". Die Sieger betonten, daß diese Maßnahmen keine Annektierung bedeuten und daß sie „später die Grenzen Deutschlands oder irgendeines Teiles Deutschlands und die rechtliche Stellung Deutschlands oder irgendeines Gebietes, das gegenwärtig einen Teil deutschen Gebietes bildet" festlegen würden. Das Vorgehen der Besatzungsmächte war ein in der Geschichte bis dahin einmaliger Vorgang. Ihre Maßnahme ließ das Deutsche Reich als politische, wirtschaftliche und rechtliche Einheit fortbestehen, nahm ihm also nicht den Status eines Völkerrechtssubjektes, wohl aber die gesamtstaatliche Handlungsfähigkeit. Wann den Deutschen die Regierungsverantwortung zurückgegeben werden sollte, wollten die Alliierten zu gegebener Zeit festlegen. Vorerst ging die Administration Deutschlands auf den Kontrollrat der vier Mächte über.

Für die Regelung der deutschen Frage in der Nachkriegsordnung gab es bei Kriegsende vor allem drei mögliche Lösungen:

1. Die USA und die UdSSR verständigen sich über die gemeinsame Herrschaft in einem zur weltpolitischen Bedeutungslosigkeit herabgesunkenen Europa. Rumpfdeutschland, in seinem Territorium etwa der heutigen Bundesrepublik Deutschland und der DDR entsprechend, würde als politische Einheit erhalten bleiben bzw. in mehrere Nachfolgestaaten mit unterschiedlichen wirtschaftlichen und politisch-sozialen Strukturen aufgeteilt werden.

2. Eine der beiden neuen Weltmächte setzt ihren Hegemonieanspruch in Europa durch. Europäische Hegemonialmacht wäre wahrscheinlich die UdSSR geworden. Roosevelt hatte auf der Konferenz von Jalta erklärt, die USA würden ihre Truppen aus Europa schnellstmöglich abziehen. Diese Absicht deutete auf ein politisches und wirtschaftliches Desinteresse an Europa. Bei Realisierung dieser Alternative wäre die staatliche Einheit Deutschlands in einem dann sowjetischen Europa erhalten geblieben, d.h. das politisch-soziale und ökonomische System Deutschlands wäre dem sowjetisch-volksdemokratischen angeglichen worden.

3. In Europa entstehen in den Regionen, die von der USA bzw. von der UdSSR befreit wurden und in denen diese nach der Kapitulation Hitlerdeutschlands einen dominierenden Einfluß besitzen, politische, soziale und wirtschaftliche Ordnungen, die den ideologischen Vorstellungen der jeweiligen „Schutzmacht" entsprechen. Diese Entwicklung wäre zu erwarten, wenn, wie seit der Konferenz von Jalta und der UN-Gründungskonferenz in San Francisco immer deutlicher erkennbar, die USA und die UdSSR ihre bisher verdeckte machtpolitische und ideologische Rivalität weltweit zur offenen Konfrontation werden ließen. Die internationale Ordnung könnte dann nicht mehr multipolar sein, d. h., daß die nationale Eigenständigkeit und Gleichberechtigung aller Mitglieder des Staatensystems nicht aufrechterhalten werden könnte. Der Versuch, wie nach dem Ersten Weltkrieg „ein einigermaßen ausgewogenes europäisches Staatensystem zu errichten, dessen Mitglieder durch wechselseitige Bindungen und Interessen eng verflochten und bereit waren, dieses System mit dem notwendigen Maß an Gemeinsamkeit und Zusammenarbeit aufrechtzuerhalten" (Peter Krüger), würde erneut scheitern. In einem bipolaren Blocksystem würden die jeweiligen Einfluß- und Interessenzonen der UdSSR und der Westmächte als eigenständige politische Einheiten auf dem Territorium des Deutschen Reiches entstehen.

Angesichts der Gefahren einer bipolaren internationalen Ordnung für die Entwicklung der Staatengesellschaft regte Großbritannien eine weitere Konferenz der „Großen Drei" an, um möglicherweise doch noch ein „kooperatives Staatensystem" zu verwirklichen. Im Gegensatz zu den Amerikanern hielten die Briten eine langfristige Zusammenarbeit mit der Sowjetunion trotz ideologischer Differenzen für möglich. Voraussetzung war jedoch die Beseitigung von Konfliktherden. So sahen es die Briten im Juni/Juli 1945 als langfristiges politisches Ziel an, mit den Staaten Ost- und Südosteuropas möglichst umgehend Friedensverträge abzuschließen. Kontrollräte würden dann überflüssig werden. Die sowjetischen Besatzungstruppen müßten abziehen. So würde die sowjetische Kontrolle über diese Länder gelockert und damit vor der vollständigen Unterwanderung der Parteien durch Kommunisten und ihre Sympathisanten eine

Chance für eine politische Konstellation geschaffen werden, aus der später demokratische Regierungen hervorgehen könnten. Vor allem aber würden die Beziehungen zwischen den Verbündeten nicht noch stärker belastet werden, war doch die als Ergebnis des Krieges notwendige Neuordnung Europas äußerst komplex und mit schier unüberwindbaren Schwierigkeiten verknüpft.

Von zentraler Bedeutung für die kurz- und langfristigen Planungen war die Lösung des Deutschlandproblems. Es warf für die Alliierten Fragen auf, die nur gemeinsam zu lösen waren: Wie konnte Deutschland in die europäisch-regionale und international-globale Nachkriegsordnung eingegliedert werden? Wie konnte eine für Deutschland befriedigende Lösung gefunden werden, die auf die subjektiven und objektiven Sicherheitsbedürfnisse der Nachbarn Rücksicht nahm? Welche Rolle war Deutschland beim europäischen Wiederaufbau zuzuweisen? Welche politische, wirtschaftliche und gesellschaftliche Verfassung sollte Nachkriegsdeutschland erhalten? Welche Grenzen sollte der Zentralstaat von Europa in einem Friedensvertrag erhalten? Wie konnten die Reparationsfrage, der Bevölkerungstransfer und die Flüchtlingsproblematik geregelt werden? Hinzu kam am Kriegsende und in den folgenden Jahren die kritische Versorgungslage Europas. Gerade die unauflösliche Verflechtung von europäischer Versorgungslage, Stabilität und Sicherheit, Lösung von europäischen Territorialfragen sowie der Rolle und Behandlung Deutschlands verdeutlicht die Problematik einer befriedigenden Lösung der deutschen Frage nach dem Kriege. Die britische Europa- und Deutschlandpolitik 1945 verdeutlicht dies: Deutschland in den Grenzen von 1937 mußte seinen Beitrag für die Lösung der kritischen europäischen Versorgungslage leisten (Kohle, Lebensmittel). Ohne eine aktive und vertrauensvolle Zusammenarbeit mit der UdSSR ließ sich dies nicht verwirklichen. Großbritannien wünschte daher eine sowjetische Mitarbeit in den entsprechenden europäischen Organisationen. Die UdSSR, die selbst große wirtschaftliche Probleme hatte, war prinzipiell zur Kooperation bereit. Sie wünschte jedoch eine möglichst sofortige Gründung des UN-Wirtschafts- und Sozialrates, der sich mit diesen dringenden europäischen Problemen befassen sollte. Kurzfristig konnte die Notlage Europas nur vermindert und langfristig die Stabilität und Sicherheit des Kontinents gewährleistet werden, wenn die Sieger in der politischen und wirtschaftlichen Behandlung Deutschlands zu einer gemeinsamen Linie fanden und diese Politik über den Kontrollrat realisierten. Auf der Konferenz von Potsdam gehörte Großbritannien daher zu den entschiedensten Verfechtern der Bewahrung der politischen und wirtschaftlichen Einheit Deutschlands. In einem Memorandum über die notwendigen Schritte für eine europäische Friedensregelung gaben die Briten der Deutschlandfrage daher Priorität. Im revolutionären Akt der Übernahme der obersten Regierungsgewalt in Deutschland sahen sie Vorteile gegenüber dem Vorgehen in Versailles 1919, zumal die deutschlandpolitischen Probleme nicht minder kompliziert waren. Im Gegensatz zu den Amerikanern wollten die Briten nicht warten, bis eine gewählte deutsche Regierung gebildet und diese einen Friedensvertrag unterzeichnen würde. Sie plädierten für einen *Frieden auf dem Verordnungswege*. Einzelprobleme könnten durch Kontrollratsgesetze geregelt werden. Dieses Vorgehen hätte den Vorteil, daß auf Entwicklungen der deutschen Innenpolitik nicht Rücksicht genommen werden mußte und daß die Unterzeichnung eines harten Friedensvertrages nicht einer gemäßigten deutschen Regierung angelastet werden könnte. Für die Kontrollratszeit optierte Großbritannien für die Erhaltung der politischen und wirtschaftlichen Einheit Deutschlands. Deutschland sei ein organisch gewachsener arbeitsteiliger Großwirtschaftsraum. Die politischen, wirtschaftlichen und territorialen Fragen Deutschlands konnten nicht isoliert behandelt werden, wollten die Alliierten ihre Ziele hinsichtlich Versorgung, Reparationslieferungen, Demontage, Dezentralisierung der Wirtschaft und Entmilitarisierung erfolgreich verwirklichen.

Die Regelung der Reparationsfrage war deswegen so schwierig, weil mit ihr, neben der europäischen Versorgung, zahlreiche politische, territoriale und wirtschaftliche Fragen verknüpft waren. Einen Weg sah Großbritannien in der Erstellung eines Reparationsgesamtplanes für Deutschland in den Grenzen von 1937. Dieser sollte die gleichmäßige Belastung ganz Deutschlands gewährleisten und die übermäßige Demontage verhindern, da sonst Deutschland die gewünschten Reparationen aus der laufenden Produktion kaum liefern könnte. Die UdSSR war hierzu bereit, sofern die USA und Großbritannien beim sowjetischen Anteil der Reparationen Entgegenkommen zeigten. Trumans Berater tendierten jedoch dazu, die Reparationsentnahme auf die jeweilige Besatzungszone zu beschränken und die Sowjetunion ihre Zone, mit niedrigem Lebensstandard und Industrieniveau, getrennt verwalten zu lassen. Die Briten hielten diese amerikanische „Reparationsphilosophie" für unklug und gefährlich. Um die wirtschaftliche Einheit zu retten, damit die politische Teilung zu verhindern und Konflikte unter den Verbündeten abzubauen bzw. zu vermeiden, kamen die Briten den Russen bei der Frage von Reparationslieferungen aus den Westzonen entgegen. Sie erkannten in der russischen Bereitschaft, unter den politischen Prinzipien für die Behandlung Deutschlands auch die Errichtung zentraler Verwaltungsstellen vorzusehen, den Willen, Deutschland als ökonomische Einheit zu behandeln.

In den Auseinandersetzungen über die Erhaltung der deutschen Wirtschaftseinheit, die Bezahlung der notwendigen deutschen Lebensmittelimporte, die Priorität des deutschen Kohlenexports in die europäischen Länder und seiner Verrechnung, die Reparationslieferungen und die Demontage von Industrieanlagen spielte stets die Frage der künftigen deutschen Grenzen, insbesondere der Grenze zu Polen, eine Rolle. Amerikaner und Briten wollten zunächst lediglich die Oder als neue polnische Westgrenze akzeptieren. Bei den Briten erhielten dabei vor allem die Frage des Bevölkerungstransfers in das verbliebene Reichsgebiet sowie die Zweifel, ob die Polen die ihnen zugesprochenen Territorien überhaupt verwalten und bewirtschaften könnten, Bedeutung. Im Mittelpunkt stand jedoch die Überlegung, daß die schlesische Kohle für die Versorgung Europas und Deutschlands von großer Wichtigkeit war und das Ausbleiben von Lebensmittellieferungen aus den ehemaligen Überschußgebieten des Deutschen Reiches schwerwiegende Probleme für die Ernährung der Bevölkerung in den hoch industrialisierten Regionen mit sich bringen würde.

Als in Potsdam auch prowestlich orientierte, polnische Politiker aus ökonomischen und sicherheitspolitischen Gründen die Oder-Neiße-Grenze forderten, ergab sich vor allem für Großbritannien ein deutschland- und europapolitisches Dilemma, denn einerseits wollte es aus wirtschafts- und reparationspolitischen Rücksichten Deutschland in den Grenzen von 1937 der Kontrollratskompetenz unterstellt wissen, andererseits wünschte Großbritannien aus innenpolitischen und europäischen Gründen auch ein freies, unabhängiges, nicht sowjetfeindliches Polen. Freie Wahlen, auf der Jaltakonferenz vereinbart, konnten dort jedoch erst stattfinden, wenn die Grenzen Nachkriegspolens festgelegt waren. Wollten die Westmächte in Potsdam die letzte Chance für ein demokratisches Polen wahren, mußten sie die geforderte Westgrenze gutheißen. Hierzu fanden sie sich bereit, nachdem die Vertreter der provisorischen polnischen Regierung freie Wahlen nach dem Wahlrecht von 1921 zugesichert hatten. Vor allem die Briten glaubten, mit dieser Entscheidung einen weiteren potentiellen Konfliktherd mit der UdSSR aus der Welt geschafft zu haben. Die de-facto-Anerkennung der Oder-Neiße-Linie und die Legalisierung des Bevölkerungstransfers verhinderten in Potsdam eine einseitige sowjetische Lösung und erhielten dem Westen zunächst Einflußmöglichkeiten.

Der von der Potsdamer Konferenz eingesetzte „Rat der Außenminister" sollte auf der Grundlage der „Potsdamer Empfehlungen" die Friedensverträge mit Italien, Rumänien, Bulgarien, Ungarn, Finnland, Österreich und Deutschland vorbereiten. Die nach dem Abwurf amerikanischer Atombomben über Hiroshima und Nagasaki unter dem Schock der verheerenden zerstörerischen Kraft dieser neuen Waffe beschleunigte Beendigung des Krieges im Fernen Osten ließ die mühsam gekitteten Risse in der Kriegsallianz endgültig aufbrechen. Zu den wachsenden machtpolitischen Spannungen traten zunehmend ideologische Differenzen. Der Wunsch nach Zusammenarbeit wurde durch eine Konfrontationspolitik abgelöst, auch wenn die Tür für Verhandlungen im Rahmen der Außenministerkonferenzen zunächst nicht zugeschlagen wurde. Das sich rapide abkühlende weltpolitische Klima machte auch Deutschland zur Arena des politisch-ideologischen Konfliktes der neuen Weltmächte. Die Verwirklichung der ,,Potsdamer Empfehlungen" für Deutschland – vor allem die Erhaltung der politischen, wirtschaftlichen und rechtlichen Einheit – wurde immer problematischer.

Angesichts dieser Entwicklungen boten sich für eine eigenständige deutsche Rolle kaum Handlungsspielräume an. So bestanden für Jakob Kaisers Konzept ,,Deutschland – Brücke zwischen Ost und West" bereits in der Inkubationsphase für das sich herausbildende bipolare Internationale System kaum Realisierungschancen. Es war einfach illusorisch zu glauben, daß der Besiegte des Krieges eine ,,Mittlerfunktion" zwischen West und Ost einnehmen könnte. Die Leitidee Kaisers, ,,Brücke zu sein zwischen Ost und West um Deutschlands, um Europas willen", fand ihre außenpolitisch akzentuierteste Ausprägung in seinem Neujahrsartikel ,,Deutscher Weg 1947": ,,Wer die Gesundung Deutschlands will, kann nur von der Tatsache ausgehen, daß Deutschland zwischen Ost und West gelagert ist. Die Konsequenz dieser schicksalhaften, aber auch aufgabenreichen Lage ist nicht das Entweder-Oder eines West- oder Ostblocks, sondern das sowohl-als-auch der Verständigung und des Ausgleiches zwischen den Völkern und die Gesundung aus eigenem Geist heraus."

Voraussetzung für die Wiederaufnahme der traditionellen deutschen Mitteleuropapolitik war der politische Kompromiß zwischen den Besatzungsmächten in Fragen einer mitteleuropäischen Friedensordnung, – jedoch keinen Großmachtkompromiß ,,mittels einer partitio leonina, sondern einen Ausgleich, der dem Gegner die heile Haut und die Glieder beließ" (Schwarz 1980, 312). In einer Blockfreiheit und Neutralität sah Kaiser die einzige Chance, die Einheit Deutschlands zu erhalten und zu verhindern, daß die Besatzungsmächte *ihr* Gesellschaftssystem in ihren Zonen einführten: ,,Neutralisierung und Blockfreiheit waren aber andererseits auch nur denkbar, wenn sie den gesellschaftlichen Leitbildern beider Großmächte auf deutschem Boden genügend Raum gewähren würden. Das hätte vorausgesetzt, daß ein selbständiger, mit nationalem Bewußtsein erfüllter deutscher Staat die Kraft gehabt hätte, die politischen Ideen der Sieger in Ost und West in die eigene nationale Tradition einzufügen" (Besson 1970, 35). Kaiser glaubte, der drohenden Gefahr der Spaltung Deutschlands durch das Angebot der „Koexistenz von Ost und West in Deutschland" begegnen zu können. Das Subsystem Deutschland durfte nicht „zum Hebel des Systems der Bipolarität" (Besson) werden. Obwohl sich 1947 das internationale System noch nicht zu einem Blocksystem verfestigt hatte, bestanden damals wie auch später realpolitisch keine Chancen, diese Vorstellungen zu verwirklichen. Die Beratungen des Rates der Außenminister brachten 1947 in der Deutschlandfrage kaum Fortschritte. Zu Beginn der Moskauer Außenministerkonferenz im März 1947 gab der amerikanische Präsident vor dem Kongreß eine Erklärung ab, die als „Truman-Doktrin" in die Nachkriegsgeschichte eingehen sollte.

Im Scheitern der Moskauer Außenministerkonferenz, der die Deutschen mit großen Erwartungen entgegengesehen hatten, spiegelte sich bereits das veränderte weltpolitische Klima. Die USA waren endgültig auf eine Politik der Blockbildung gegen die UdSSR eingeschwenkt. In diesem Zusammenhang stand auch das von Marshall verkündete europäische Wiederaufbauprogramm. Die heraufziehende weltpolitische Eiszeit blockierte auch den zaghaft begonnenen innerdeutschen Dialog, dessen erstes Opfer die Münchener Ministerpräsidentenkonferenz werden sollte. Als die Londoner Außenministerkonferenz im Dezember 1947 auseinanderging, wurde kein neues Treffen vereinbart. Das Jahr 1948 sollte für Deutschland und Europa zum Jahr der Entscheidungen werden. Es stellte endgültig die Weichen für den Weg in die „Doppelte Staatsgründung" in Gestalt der demokratisch-föderalistischen Bundesrepublik Deutschland und des zentralistischen Einheitsstaats Deutsche Demokratische Republik mit unterschiedlichen politisch-sozialen und ökonomischen Systemen. Das neue internationale System hatte sich nun ausgebildet. Es setzte an die Stelle einer bis dahin noch denkbaren multipolaren Weltordnung ein Blocksystem mit den USA und der UdSSR als Führungsmächten. Die Supermächte traten weltweit in machtpolitische und ideologische Konkurrenz. Die Sowjetunion bewegte sich dabei zunehmend in den Bahnen der traditionellen Ziele des zaristischen Rußland. Die USA mußten nach der selbst betriebenen Ausschaltung der alten europäischen Weltmacht Großbritannien das durch deren Rückzug entstandene machtpolitische Vakuum mit ihren positiven wie negativen weltpolitischen Implikationen übernehmen, so in Griechenland, der Türkei, in Persien, in Afghanistan und in Fernost. In Mitteleuropa wurde die Grenze zwischen den Westzonen und der Ostzone zur *ideologischen Demarkationslinie*. Deutschland wurde zu *einem*, jedoch zunehmend an Bedeutung verlierenden Konfliktfeld der Weltpolitik.

7.4. Die Entstehung von zwei Staaten in Deutschland

Schon vor der Potsdamer Konferenz waren verschiedene, über den Rahmen der Besatzungspolitik ausgreifende Vorentscheidungen gefallen, die auch die Zukunft Deutschlands betrafen. So erklärte Stalin am 9. Mai 1945, daß die UdSSR sich „nicht anschickt, Deutschland zu zerstückeln oder zu vernichten". Die UdSSR sprach sich nun, entgegen früherer Absichten, gegen eine Teilung aus. Im Gegensatz zu den Westmächten führte sie zunächst eine liberale Besatzungspolitik. Diese fand ihren Ausdruck u. a. in der frühzeitigen Lizensierung von antifaschistisch-demokratischen Parteien (14. 7. 1945) in ihrer Zone, die in der Hoffnung zugelassen wurden, daß sie zu Kristallisationskernen für künftige Reichsparteien werden würden. Frühzeitig hatten die Sowjets begonnen, in ihrer Zone Strukturreformen in Gesellschaft und Wirtschaft als „Modell" einzuleiten. Dies alles deutete darauf hin, daß die Besetzung Deutschlands aus russischer Sicht nicht temporären Charakter haben sollte. Premierminister Churchill drängte daher auf eine Gipfelkonferenz der alliierten Regierungschefs. Die UdSSR sollte den Übergangscharakter der Besetzung Deutschlands, Polens, des Donaubeckens und von Teilen des Balkans garantieren. Die Potsdamer Konferenz verdeutlichte dann die divergierenden Positionen der Verbündeten in zentralen Fragen des Friedens. Wegen des noch andauernden Krieges in Fernost durfte man sich das Scheitern der Konferenz nicht leisten. Unter Zeitdruck ging die Konferenz schließlich am 2. August 1945 zu Ende. Die Ergebnisse faßte ein Protokoll zusammen, dessen Kurzfassung als ,,Mitteilungen über die Dreimächtekonferenz von Berlin" veröffentlicht wurde.

Die *Empfehlungen von Potsdam* werden irrtümlich als ,,Potsdamer Abkommen" bezeichnet. Über ihren völkerrechtlich bindenden Charakter gehen die östlichen und westlichen Auffassungen auseinander. Der Streit über die ,,vertragsformalistische und rechtspositivistische Qualifikation" verdrängt die historische und politische Bedeutung von Potsdam, übersieht seine ,,Doppelgesichtigkeit, seine Liquidation der Vergangenheit und seine Konstruktion der Zukunft" (Deuerlein). Potsdam-Deutschland war mehr als das, was der Krieg von Deutschland übrig gelassen hatte. So waren als beachtenswerte Zusagen an die Zukunft anzusehen:

1. die Absicht, einen gerechten, dauerhaften Frieden zu schaffen,
2. den Außenministerrat ,,zur Vorbereitung einer friedlichen Regelung für Deutschland zu benutzen, damit das entsprechende Dokument durch die für diesen Zweck geeignete Regierung Deutschlands angenommen werden kann, nachdem eine solche gebildet sein wird."

In der Präambel des Deutschland betreffenden Teils betonten die Alliierten ihre Absicht, den Militarismus und Nazismus auszurotten und Sorge dafür zu tragen, daß ,,Deutschland niemals mehr seine Nachbarn oder die Erhaltung des Friedens der ganzen Welt bedrohen kann." Deutschland solle für die ,,furchtbaren Verbrechen", die in seinem Namen begangen wurden, büßen. Die vorgesehenen wirtschaftlichen und politischen Maßnahmen zielten jedoch nicht darauf ab, ,,das deutsche Volk zu vernichten oder zu versklaven. Die Alliierten wollen", so versicherten die ,,großen Drei", ,,dem deutschen Volk die Möglichkeit geben, sich darauf vorzubereiten, sein Leben auf einer demokratischen und friedlichen Grundlage wieder aufzubauen". Zu diesem Zweck formulierten die Alliierten als gemeinsames Rahmenprogramm politische Grundsätze (Abrüstung und Entmilitarisierung; Verfolgung und Aburteilung der Kriegsverbrecher; Erneuerung des Erziehungs- und Gerichtswesens; Aufbau von dezentralisierten Verwaltungsstrukturen; Entwicklung einer örtlichen Selbstverwaltung) sowie wirtschaftliche Grundsätze (Vernichtung des deutschen Kriegspotentials; Dezentralisierung des deutschen Wirtschaftslebens; Übergewicht von Landwirtschaft und Friedensindustrie für den inneren Bedarf; Behandlung Deutschlands als wirtschaftliche Einheit während der Besatzungszeit; alliierte Kontrolle über Wirtschaft und Auslandsvermögen; Errichtung eines deutschen Verwaltungsapparates beim Kontrollrat).

Für das Schicksal der Potsdamer Empfehlungen sollte bedeutsam werden, daß sie „allgemeine Empfehlungen und nicht praktikable Deklamationen" enthielten (Deuerlein 1970, 109). Grundlagen für einen dauerhaften Frieden wurden durch Potsdam nicht gelegt. Die Vereinbarungen spiegelten die „Ambivalenz von gewünschter Kooperation und beginnender Konfrontation" wider (Kleßmann). Formal wurde die politische Zusammenarbeit aus der Kriegskoalition fortgesetzt. Hierin wurde gerade von der UdSSR und der DDR später die Chance für die friedlich-konstruktive Zusammenarbeit der Kriegsalliierten und eine Verhinderung des „Kalten Krieges" gesehen (Badstübner/Thomas 1975, 20f.). Sicherlich waren die USA, die UdSSR und Großbritannien zunächst willens, im „Geist von Potsdam" die Ziele von Potsdam zu realisieren. Konflikte in der Viermächtepolitik verursachte zunächst vor allem Frankreich, das zentrale Bestimmungen für sich nicht anerkannte (Zentralverwaltung, Zulassung von Parteien und Gewerkschaften). Es spricht viel für die Auffassung, daß sich für mehr als ein Jahr die deutschlandpolitischen Konfliktlinien im Rahmen von normalen Divergenzen zwischen Großmächten bewegten, die nur wenige gemeinsame Interessen hatten. Die Deutschlandfrage verzögerte möglicherweise den offenen Ausbruch des Kalten Krieges, denn der Sieg über Deutschland und die gemeinsame Verantwortung für dieses Land wirkte zunächst noch als Kitt für die auseinanderbrechende Allianz.

Die inhaltliche Auslegung der Potsdamer Übereinkünfte ließ die Besatzungsmächte in ihren Zonen politisch-soziale Systeme schaffen, die ihren eigenen Vorstellungen von Demokratie entsprachen. Dies galt für die Sozialverfassung, die Verfassungen und Verfassungsorgane der Länder sowie für die Wirtschaftsverfassung. Auslegungsbedürftig waren auch die reparationspolitischen Übereinkünfte. Wegen der unterschiedlichen Zielsetzungen in der Reparationspolitik zwischen den beiden Supermächten war die ,,reparationspolitische Teilung Deutschlands" durch den britischen Vermittlungsvorschlag nur vertagt worden und mußte in dem Augenblick eintreten, als die Sowjets ihren Lieferverpflichtungen zur Versorgung der Bevölkerung der Westzonen nicht mehr nachkamen. Vielfach wird bei der Schuldzuweisung für die Teilung vergessen, daß Amerikaner und Russen am 23. Juli 1945 gleichzeitig ,,zonale Reparationspläne" (Nübel) vorschlugen. Nicht übersehen werden sollte auch, daß die Reparationsfrage nur *eine* Einflußgröße auf dem Wege zu den zwei Staaten in Deutschland darstellte. Gefördert wurde der Teilungsprozeß, wenn auch zunächst ungewollt, durch die Existenz von zwei republikanischen Staatstraditionen in Deutschland. Im Abstand von zwei Stunden hatten am 9. November 1918 der Sozialdemokrat Scheidemann die ,,Deutsche Republik", der Spartakusführer Liebknecht die ,,Freie Sozialistische Republik" ausgerufen. Die rivalisierenden Staatskonzeptionen von 1918/19 waren damals noch nicht voll ausgebildet. Aus der Retrospektive bilden sie den ersten Auftakt zu einer Entwicklung, ,,die schließlich mit der Teilung des Reiches zur Entstehung der beiden gegensätzlichen Staaten auf dem Boden Deutschlands führte" (Erdmann Anhörung 1981, 118).

So gesehen, läßt sich die Teilung als Ergebnis des Scheiterns von Weimar interpretieren und weniger als das Resultat von ,,äußeren Zwängen" und ,,wirtschaftlich-gesellschaftlicher Unentrinnbarkeiten". Es wird hier die deutsche Verantwortung für die ,,Doppelstaatsgründung" sichtbar und die Legende von der ,,Stunde Null" 1945 in Frage gestellt. Sicher gibt es Kontinuitäten und Brüche zwischen Weimardeutschland und der Entstehungsgeschichte der deutschen Nachfolgestaaten auf dem Territorium des Reiches. Die Realisierung der durch Nationalsozialismus, Krieg und Emigration geläuterten republikanischen Staatstraditionen hing jedoch von der Übereinstimmung mit dem Demokratieverständnis der jeweiligen Besatzungsmacht ab. Beide

Grundrichtungen hatten in Emigration und Widerstand Vorstellungen für Deutschland und Europa nach Hitler entwickelt.

Während die Sozialisten als Gestaltungsprinzip deutscher Staatlichkeit den zentralisierten Einheitsstaat als beste Lösung ansahen und ein Aufgehen in einer „sozialistisch geführten ... europäischen Staatsgemeinschaft" (Lipgens 1968, 176) befürworteten, orientierten sich die anderen Gruppen stärker an bündischen Organisationsformen für Nachkriegsdeutschland in Nachkriegseuropa. Die Extremformen „Zentralismus" und „Separatismus" lehnten sie ab. Die Mehrheit der führenden Politiker in den sich neu konstituierenden deutschen Parteien unterstützte die Idee der Gründung von „Vereinigten Staaten von Europa". Ein demokratischer deutscher Bundesstaat – bereit zu Sicherheitsgarantien für seine Nachbarn – sollte unter ihnen einen angemessenen Platz einnehmen. Immer wieder wurde hervorgehoben, daß die Abkehr von nationalen machtpolitischen Konzeptionen die traditionelle Bündnispolitik überflüssig machen würde. Die Vorstellung, daß das Problem Deutschland durch das Aufgehen des deutschen Staates in einem vereinigten Europa auf die Dauer zu lösen sei, stieß bei den Besatzungsmächten auf wenig Entgegenkommen. Aus tatsächlichen, oder nur vorgeschobenen allianzpolitischen Rücksichten wurden die von den Deutschen vorgelegten europapolitischen Einigungspläne blockiert und deutschen Gruppen die Teilnahme an Europakongressen verwehrt. Diese Politik stand im Widerspruch zu dem Ziel, die Deutschen zu internationalem Denken umzuerziehen.

Auch auf den „innenpolitischen Föderalismus" als deutsches Konzept reagierten die Besatzungsmächte je nach ihren eigenen politischen Zielvorstellungen unterschiedlich. Diese fanden ihren Ausdruck in den zonalen Einrichtungen (Zentralverwaltungen/Landesverwaltung der SMAD; Länderrat; Zonenbeirat; Länder). Sie verdeutlichten das Spektrum vom scheinföderativen, zentralistischen Einheitsstaat über den ‚unitarischen Bundesstaat', den ‚föderativen Bundesstaat' zu mehr staatenbündischen Organisationsformen. Die unterschiedlichen Besatzungspolitiken behinderten in den ersten Jahren die Bemühungen deutscher Politiker in allen vier

Zonen, das „Reich" auf föderativer, demokratischer Basis wiederherzustellen. Zudem behinderten die Zonengrenzen Kommunikation und Kontaktpflege, waren doch Reisen ohne Interzonenpaß und Genehmigung der Militärregierungen kaum möglich.

Aufgrund ihres ökonomischen, militärischen und politischen Übergewichtes wurden die USA in den Westzonen zunehmend zur dominierenden Kraft. Als die amerikanische Aufforderung im Kontrollrat, die vier Zonen wirtschaftlich zu vereinigen, nur von Großbritannien aufgenommen wurde, waren die „Würfel für die wirtschaftliche Integration mit der britischen Zone" (Clay) gefallen. Die Entscheidung für eine „Westlösung der deutschen Frage" wurde durch die „antikommunistische Psychose in den Vereinigten Staaten" gefördert. Ende 1946 verständigten sich die USA und Großbritannien, ihre beiden Zonen zur „Bi-Zone" zusammenzulegen. Deren Einrichtungen wurden im Laufe des Jahres 1947 effektiviert und nach dem Scheitern der Londoner Außenministerkonferenz auf neue Grundlagen gestellt. Die politische Entscheidung für die Westintegration präjudizierte ungewollt die Spaltung. Sie fiel ohne eingehende Konsultation der Deutschen. Obwohl verschiedentlich auf die Gefahren für die Einheit hingewiesen wurde, formierte sich gegen diesen Prozeß keine massive Opposition. Anfang Januar 1948 wurde deutschen Vertretern (Ministerpräsidenten, Direktoren des Wirtschaftsrates der Bizone) von den Westmächten erstmals ein Entwurf für die Reform des Wirtschaftsrates der Bizone zur Stellungnahme vorgelegt. Hier bahnte sich eine Entwicklung an, die für die Beziehung zwischen den Besatzungsmächten und den deutschen Repräsentanten charakteristisch werden sollten: Es wurde eine Basis für gegenseitiges Vertrauen geschaffen; die Deutschen waren nicht länger „Bewegte", sondern fortan auch „Beweger". In Frankfurt hatten die Deutschen durch Meinungsverschiedenheiten ihre Wirkungsmöglichkeiten beschnitten. Diese lassen sich im wesentlichen auf den Gegensatz Zentralismus – Föderalismus, Wirtschaftsrat – Länder reduzieren.

Das Vereinigte Wirtschaftsgebiet entwickelte sich in kurzer Zeit zu einem gut funktionierenden Organismus. Es sollte der Kristallisationskern für den Weststaat, die Bundesrepublik Deutschland werden. Der Weg des Frankfurter Wirtschaftsrates über die Bi- zur Trizone wurde als wirtschafts- und verwaltungsgeschichtlicher Entwicklungsstrang auf dem Wege zur Bundesrepublik bedeutsam. Der politisch-verfassungsgeschichtliche Entwicklungsstrang zum Weststaat vollzog sich über den Bonner Parlamentarischen Rat. Hier, wie in anderen Fragen deutscher Nachkriegspolitik, boten erneut die Länder und die Ebene der Ministerpräsidenten anfänglich den „obersten Rahmen". Nach der Konstituierung des Vereinigten Wirtschaftsgebietes kam die Londoner Sechsmächtekonferenz (Benelux-Staaten, USA, Frankreich, Großbritannien) zu ihrer ersten Tagungsrunde zusammen. Sie ebnete den Weg von der Bi-Zone über die Tri-Zone zum Weststaat Bundesrepublik Deutschland. In den „Londoner Empfehlungen" vom 7. Juni 1948 waren zwei Abschnitte enthalten, die für die spätere Entwicklung bedeutsam werden sollten. So war vorgesehen, den Weststaat zur Basis für die „Wiedererrichtung der deutschen Einheit" zu machen. Die Konferenzstaaten beabsichtigten, „dem deutschen Volk Gelegenheit zu geben, die gemeinsame Grundlage für eine freie und demokratische Regierungsform zu schaffen, um dadurch die Wiedererrichtung der deutschen Einheit zu ermöglichen, die zum gegenwärtigen Zeitpunkt zerrissen ist."

In dieser Kommuniqué-Formulierung ist eine der Wurzeln für den späteren Anspruch der Bundesrepublik Deutschland, allein als Sprecher aller Deutschen legitimiert zu sein, zu suchen. Ein weiterer Leitgedanke der „Londoner Empfehlungen" war die Idee eines bündischen Verfassungsdaches für Deutschland. Ein föderatives Regierungssystem berücksichtigte westeuropäische Sicherheitsinteressen. Es fand seinen Niederschlag im Grundgesetz. Das Föderalismusproblem stand im Zentrum der Auseinandersetzungen im Parlamentarischen Rat und führte zu mehreren direkten Einwirkungen der westlichen Besatzungsmächte auf die Beratungen. Nach der Veröffentlichung der „Londoner Empfehlungen" wurde die Diskussion über die Lösung der deutschen Frage in die Öffentlichkeit getragen. Unter den Deutschen gab es vor allem zwei Hauptströmungen. Die eine sah in der Aussicht auf einen deutschen Staat ein freudiges Ereignis, machte sich über die möglichen Folgen einer Weststaatsbildung wenig Gedanken oder verdrängte sie; die andere warnte eindringlich vor den Konsequenzen einer Staatsbildung, die nicht ganz Deutschland umfaßte. Die Westmächte wünschten jedoch einen westdeutschen Staat und eine westdeutsche Regierung und legten daher am 1. Juli 1948 den Ministerpräsidenten ihrer Besatzungszonen die aus den „Londoner Empfehlungen" hervorgegangenen „Frankfurter Dokumente" vor. In der deutschen Nachkriegsgeschichte schlug nun die Stunde der Ministerpräsidenten. Ein Jahr nach der Münchener Ministerpräsidentenkonferenz aller Zonen waren die Länder der Westzonen jetzt offiziell aufgefordert, an den Grundlagen für einen neuen, demokratischen Staat in Deutschland mitzuarbeiten.

In Konferenzen mit den Militärgouverneuren und bei internen Beratungen der Ministerpräsidenten unter Hinzuziehung der Parteien kam es schließlich am 26. Juli 1948 zu einer Übereinkunft zwischen den Ministerpräsidenten und den Militärgouverneuren. Bei den Beratungen in Frankfurt, Rüdesheim und Koblenz ging es den Ministerpräsidenten im wesentlichen um die öffentliche Absicherung der Politik der Länder. Nachdem seit Anfang 1948 der Anteil der selbständigen Politik der Deutschen gewachsen war und damit auch die Verantwortlichkeit der deutschen Seite, waren Kompromißformulierungen notwendig, um den Weststaat als Provisorium auszudeuten. Den Beteiligten aber war damals klar, daß „jede Verfassung ein Grundgesetz ist und daß es nur eine Frage der Zeit ist, bis sich aus einem Provisorium etwas Dauerhaftes entwickelt hat" (W. Kaisen). Die Frankfurter Beschlüsse gaben grünes Licht für den verfassungspolitischen Weg zur Gründung der Bundesrepublik Deutschland. Im August 1948 trat auf Herrenchiemsee ein Verfassungskonvent zusammen. Er erarbeitete einen Verfassungsentwurf für den Parlamentarischen Rat. Nach dem Abschluß der Beratungen hatten die Länder über die Annahme des Grundgesetzes zu entscheiden. Der bayerische Landtag lehnte das Grundgesetz ab, da er in diesem, trotz des föderalistischen Charakters, Gefahren für Veränderungen zu einer stärkeren Zentralisierung sah. Ministerpräsident Ehard prägte für die Haltung Bayerns die Formel: „Nein zum Grundgesetz, Ja zu Deutschland"! Als die Ländermehrheit das Grundgesetz annahm, unterzeichnete auch Bayern am 23. Mai 1949 den Verkündigungsakt für das Grundgesetz.

Architekt des Weststaates war der amerikanische Militärgouverneur Lucius D. Clay. Konfrontiert mit dem Dilemma der Nachbarn Deutschlands seit Generationen, „entweder mit den Deutschen bei der Verfolgung eines gemeinsamen Ziels zusammenzuarbeiten, oder sich angesichts ihrer Vitalität und Aggressivität gegen sie zu stellen", entschied er sich energisch und unbeirrt früh für eine Kooperation. Hinter seinem Votum für die Weststaatsgründung stand die Absicht, „einem wiedergeborenen deutschen Nationalstaat politische Konzepte, Institutionen und Eingliederungsmöglichkeiten im internationalen Rahmen zu geben, die die negativen Kräfte in Schach halten würden, die von den Nachbarn Deutschlands bisher mit Recht gefürchtet worden waren" (Backer 1983, 334).

Parallel zur verfassungspolitischen Entwicklung zum Weststaat verlief die zur Ausformung eines Oststaates. Schon zu Beginn des Jahres 1947 gab es Überlegungen für eine deutsche Nationalrepräsentation. Treibende Kraft für diese Initiative war Jakob Kaiser. Die Repräsentanten der politischen Parteien und nicht die Ministerpräsidenten der Länder sollten deutsche Interessen gegenüber den Besatzungsmächten vertreten und Spaltungstendenzen entgegentreten. Zudem würde eine gesamtdeutsche Repräsentation notwendig werden, weil die Moskauer Außenministerkonferenz neben der „Form und Reichweite einer politischen Organisation Deutschlands" auch einen Friedensvertrag mit Deutschland beraten sollte. Kaisers Vorstoß wurde von den bürgerlichen Parteien in den Westzonen positiv aufgenommen. Er scheiterte letzten Endes aber am Widerstand Kurt Schumachers, der aus gleichen Überlegungen auch die Münchener Ministerpräsidentenkonferenz (Juni 1947) ablehnen sollte. Aus der Idee einer gesamtdeutschen Nationalrepräsentation entwickelte sich schließlich die Volkskongreßbewegung. Der „Volkskongreß für Einheit und gerechten Frieden" verabschiedete am 6./7. 12. 1947 in Berlin ein Manifest, in dem er dem Willen zur Bewahrung der nationalen Einheit Ausdruck gab, eine deutsche Zentralregierung forderte, der alle demokratischen Parteien angehören sollten sowie die Wahl einer verfassungsgebenden Nationalversammlung verlangte, die einen Friedensvertrag unterzeichnen sollte. Der Volkskongreß erklärte sich zum Vorparlament und schickte eine Delegation zur Londoner Außenministerkonferenz. Sie wurde nicht zugelassen, da ihr aus westlicher Sicht die „demokratische Legitimation" fehlte.

Zum 100. Jahrestag der Märzrevolution von 1848 fand der 2. Volkskongreß statt, der sich bewußt – „Von der Paulskirche zum Volkskongreß" – in die 1848er-Tradition stellte. Er setzte einen Volksrat ein, dem Fachausschüsse für Verfassung, Wirtschaft, Justiz, Volksbildung, Sozialpolitik und für den Friedensvertrag zugeordnet wurden. Der Volksrat sollte ein Volksbegehren zur deutschen Einheit vorbereiten und eine Verfassung ausarbeiten. Der Verfassungsausschuß legte am 22. 10. 1948 eine Verfassung der Deutschen Demokratischen Republik vor, die sich an der Weimarer Reichsverfassung orientierte. Vorbild war ein Verfassungsentwurf der SED von 1946. Dieser sah ein Einkammerparlament vor, das nur durch Volksentscheid eingeschränkt werden konnte. Die Gewaltenteilung war entsprechend der unterschiedlichen Staatskonzeption weitgehend aufgehoben: Der Entwurf enthielt mit der Bildung einer Länderkammer zwar optische Föderativelemente. Die Länder wurden aber nur als „Gebietskörperschaften mit abgeleiteter Selbstverwaltung" anerkannt. Die Bodenschätze und „nutzbaren Naturkräfte" galten als Volkseigentum. Planwirtschaft war vorgesehen.

In einer Entschließung hatte sich der Deutsche Volksrat am 22. 10. 1948 als „die einzige legitime Repräsentation des deutschen Volkes" bezeichnet. Er forderte „die Verwirklichung des Rechtsanspruchs des deutschen Volkes auf die Gestaltung seines staatlichen und gesellschaftlichen Lebens, die Schaffung einer freien, demokratischen deutschen Republik und den Abschluß eines Friedensvertrages". Der angenommene Entwurf für eine Verfassung der Deutschen Demokratischen Republik sollte den Deutschen zur „freien Diskussion" übergeben und auf dem 3. Volkskongreß verabschiedet werden. Mit der Entschließung sollte versucht werden, Einfluß auf die Beratungen des in Bonn tagenden Parlamentarischen Rates zu nehmen. Diesem wird vorgeworfen, daß bei seinen Verhandlungen „nicht nur die Einheit der deutschen Nation, sondern auch die Demokratie preisgegeben werde". Die Beratungen verstießen gegen die „Verpflichtungen von Jalta und Potsdam". „Das Bonner Statut nimmt sowohl den Zustand der Besatzung als auch die Usurpation des größten Teils der deutschen Wirtschaft durch ausländische Machthaber bedingungslos hin ... Die Verfassung für die Deutsche Demokratische Republik kann nicht aus der Befehlsgewalt von Besatzungsmächten geboren werden, sondern sie muß dem eigenen und freien Willen des gesamten deutschen Volkes entspringen. Zu dieser Willensbildung ruft der Deutsche Volksrat das gesamte deutsche Volk auf."

Bei seiner Sitzung am 18./19. März 1949 erklärte der Volksrat in seinem „Aufruf an das deutsche Volk" den „nationalen Notstand" und nahm zwei Monate vor Verkündigung des Grundgesetzes die bereits auf seiner letzten Tagung gebilligte Verfassung der Deutschen Demokratischen Republik an. Am 7. 10. 1949 konstituierte sich der Volksrat als Provisorische Volkskammer. Die Verfassung wurde in Kraft gesetzt, um die „Interessen des deutschen Volkes durch Selbsthilfe" zu wahren. Der Volkskongreß wurde in die „Nationale Front des demokratischen Deutschland" umgewandelt. Diese übernahm die Aufgaben des antifaschistisch-demokratischen Blocks. Mit der bewußt zeitversetzten „Gegenstaatsgründung", die mit großem propagandistischem Aufwand vollzogen wurde, entstand ein zweiter Staat auf dem Territorium des Deutschen Reiches, der aus seiner Staatskonzeption und seinem Selbstverständnis sich ebenfalls als der „nationale Kernstaat" verstand. Mit den Doppelstaatsgründungen des Jahres 1949 wurde nach der wirtschaftlichen Teilung, der währungspolitischen Spaltung seit Juni 1948, der Berlin-Blockade und der verwaltungsmäßigen und politischen Teilung Berlins als Folge des Konfliktes über die Abhaltung von Wahlen in Großberlin seit dem Spätjahr 1948 nun auch die politische Teilung Deutschlands vollzogen.

Die erste Verfassung der DDR besaß eine interessante „Doppelfunktion". Sie sollte gleichzeitig eine Verfassung anbieten, die sich das „ganze deutsche Volk" gegeben hat, und im Falle des Scheiterns die Grundlagen für den Transformationsprozeß zur sozialistischen deutschen Nation schaffen. Sie wies daher Strukturprinzipien und Wesensmerkmale eines „parlamentarisch-demokratischen Systems mit föderalistischen und rechtsstaatlichen Prinzipien auf, bekannte sich jedoch bereits zum Prinzip der Gewaltenkonzentration" (Ludz 1979, 1115). Oberstes Staatsorgan war die Volkskammer. Das Fehlen einer Verfassungsgerichtsbarkeit, der „Demokratische Zentralismus" als Strukturprinzip und der Verzicht auf Bestimmungen zur Eigentumsordnung ermöglichten es, auf der Grundlage der Verfassung von 1948 eine sozialistische Staatsordnung aufzubauen.

8. Die deutsche Frage als innerdeutscher und internationaler Konflikt: vom Kalten Krieg zur Politik der Entspannung

Der wachsende Gegensatz der neuen Weltmächte hatte bis 1947/48 den „Schwebezustand" in der internationalen Ordnung beendet. Das nun bipolare internationale System schuf in Europa und Deutschland neue politische Realitäten. Der im Zeitalter des Nationalstaates vollzogene Schritt, das mehr staatenbündische Band der deutschen Nation enger und fester zu schlingen, schien revidiert. Die Teilung Deutschlands war nicht entlang der potentiellen historischen Nord-Süd-Bruchlinie erfolgt. Sie vollzog sich durch eine 1944/45 für die Zeit der Besetzung festgelegte Militärgrenze. Die 1948/49 entstandene Bundesrepublik Deutschland und die Deutsche Demokratische Republik waren, bei aller Beteiligung deutscher Politiker, Produkt, nicht Ursache des Ost-West-Konfliktes. Seit 1948/49 werden Europa und Deutschland durch eine ideologische Demarkationslinie geteilt. Auf deutschem Boden prallten zwei gegensätzliche politisch-soziale und ökonomische Systeme aufeinander. Sie machten Deutschland zu einem wichtigen Konfliktherd der internationalen Politik auf dem Höhepunkt des Kalten Krieges.

Gescheiterte Optionen und veränderte internationale Rahmenbedingungen sowie die Tatsache, daß im Osten wie im Westen kein reales Interesse am Wiedervereinigungsziel der deutschen Teilstaaten bestand, zwangen zur Überprüfung der jeweiligen deutschlandpolitischen Konzeptionen. Neue Möglichkeiten für die Lösung der deutschen Frage wurden diskutiert, unzeitgemäße Prinzipien über Bord geworfen, um die nationale Frage in Bewegung zu bringen. Mitbedingt durch einen Wandel der amerikanischen und französischen Ostpolitik, bemühte sich auch die Bundesrepublik Deutschland um eine „realistische Deutschlandpolitik“ und eine Normalisierung ihrer Beziehungen zu den Staaten Osteuropas. Dieses Bemühen mündete in die „neue Ostpolitik“ seit 1969, die, wie wir heute wissen, ihre ersten Konturen bereits in den späten fünfziger Jahren erhalten hatte. Sie stellte das Verhältnis der Bundesrepublik zu den osteuropäischen Staaten und die besonderen Beziehungen zur DDR auf vertragliche Grundlagen. Trotz aller Rückschläge, Abgrenzungsbestrebungen und Zwischeneiszeiten gewann die deutsche Frage eine neue Qualität.

Für die deutsche Frage als Problem der innerdeutschen und internationalen Politik zwischen den Staatsgründungen und der Periode konzentrierter Entspannungspolitik lassen sich drei Hauptphasen feststellen. Die erste Periode reicht von 1949 bis zum Anfang der sechziger Jahre, wobei die Jahre bis zur formalen Souveränität 1955 einen wichtigen Abschnitt bedeuten. Die zweite Phase deckt sich etwa mit den Jahren vom Rücktritt Adenauers bis etwa 1969, die dritte mit der Ostpolitik der Bundesregierungen seither.

8.1. Die beiden deutschen Staaten auf dem Weg zur „Souveränität“ 1949–1955

Die Frage nach der Wiederaufnahme von positiven Zügen aus früheren Traditionen deutscher Außenpolitik, nach möglichen Optionen in der europäischen und internationalen Politik bzw. nach der Stellung und Rolle im neugeschaffenen internationalen System der Nachkriegszeit stellte sich für die beiden deutschen Staaten zunächst nicht. Beide besaßen nicht die Kompetenz zu eigenem außenpolitischen Handeln. Beide Staaten suchten die traditionelle Machtpolitik überwindende Formen internationalen Zusammenlebens. Beide sahen sich aber auch als die legitimen Sprecher für das gesamte deutsche Volk, das sie in Gestalt eines „demokratisch-föderativen“ bzw. „sozialistisch-zentralistischen Deutschland“ wiedervereinigen wollten. Voraussetzung für außenpolitische Handlungsfähigkeit war es, souveräner Staat zu werden, die Rolle eines Objekts des Völkerrechtes gegen die eines Völkerrechtssubjekts einzutauschen.

Die Entscheidung für eine staatliche Existenz der Westzonen war aus der Notwendigkeit eines deutschen Beitrages für den wirtschaftlichen Wiederaufbau Westeuropas und dem westeuropäischen Streben nach Sicherheit gefallen. Sie stellte die Weichen für die Westintegration. Indirekt zeichnete sie damit auch die Blockintegration der DDR vor, auch wenn über die Form und Intensität der Integration die Würfel noch nicht gefallen waren. Die sowjetische Politik in der Berlinkrise hatte bei den Westeuropäern Bedrohungsängste entstehen lassen und sie zum Verzicht auf Vorbehalte gegenüber Deutschland genötigt. Der ,,künstliche" deutsche Weststaat mußte nicht erst das ,,Gesicht nach Westen wenden", denn realistisch betrachtet blieb ihm keine andere ,,politische Himmelsrichtung". Die exponierte geographische Lage erlaubte nur eine Option für den Westen und seine Hegemonialmacht oder für den Osten und die Sowjetunion. Der damals, und heute wieder, beschworene Weg der Neutralität zwischen den Blöcken schied aus. Wegen der Stellung der Westmächte in Westdeutschland konnte an der Westorientierung kaum ein Zweifel bestehen.

Der Prozeß der Einbindung der Bundesrepublik in das westliche Bündnissystem, von der Kontrolle über die Kooperation zur Integration, war der Einflußnahme einzelner deutscher Politiker und politischer Parteien in hohem Maße entzogen. Dennoch haben in der Startphase der Bundesrepublik bis etwa Ende 1951 die drei großen politischen Lager (Konservative, Liberale und Sozialdemokraten) geschlossen die Westorientierung in der Verfassungs- und Außenpolitik getragen. Für Blockfreiheit, ,,Brückenfunktion" und Ostbindung gab es keine parlamentarische Mehrheit. Der ,,politische Fundamentalkonsens" (Becker) über das politische System (parlamentarische Demokratie nach westlichem Modell) und die Außenbeziehungen (Westorientierung) läßt sich vor allem auf vier Dinge zurückführen:

1. das Erlebnis des nationalsozialistischen Unrechtsstaates,
2. die sowjetische Besatzungspolitik (Reparationen, Gesellschaft, Wirtschaft, kommunistische Parteidiktatur),
3. die Erfahrungen von Flucht, Vertreibung und Zwangsaus-

siedlung von Millionen Deutschen aus den Ostgebieten und der sowjetischen Zone,

4. die angebotenen konstitutionellen, europapolitischen und ökonomischen Alternativen der Westmächte (Churchills Europarede, Marshallplan).

Für die Führer der beiden großen Parteien, Konrad Adenauer und Kurt Schumacher, war die Westoption „nicht gleichbedeutend mit einem Ja zur Teilung Deutschlands". Trotz konzeptioneller Unterschiede glaubten beide, daß die Entscheidung für freie politische Institutionen, für eine leistungsfähige Wirtschaftsordnung und ein System sozialer Sicherheit die Wiederherstellung der Einheit der kleindeutschen Nation nicht vereiteln werde, sondern, daß die Bundesrepublik als „Kernstaat" magnetische Wirkung auf die Sowjetzone haben werde.

Dem Weststaat fehlte zunächst die Souveränität. Seine „internationale Entmündigung" (Graml) wurde mit dem Besatzungsstatut vertraglich fixiert. Bei den Westmächten war das Kontroll- und Sicherheitsbedürfnis auch noch gegenüber dem Weststaat ausgeprägt, der Zeitpunkt freier politischer Handlungsfähigkeit schien in weiter Ferne. Chancen, die Entmündigung zu durchbrechen, sollten zwei Entwicklungen eröffnen:

1. Das Wirtschaftspotential der Bundesrepublik konnte einen Beitrag zur wirtschaftlichen Erholung Westeuropas leisten;

2. das Sicherheitsbedürfnis Westeuropas würde, sollte erst einmal die Furcht vor der Sowjetunion größer sein als vor Deutschland, die Frage eines westdeutschen militärischen Beitrages zur Verteidigung des Westens aufwerfen.

Die wirtschafts- und militärpolitischen Aspekte, verknüpft mit der europäischen Einigungsidee, konnten den Weg vom besetzten Feindstaat zum politischen Partner mit Souveränität und Gleichberechtigung ohne Großmachtanspruch ebnen. Anders als Schumacher, glaubte Adenauer diesen am ehesten durch ein überzeugendes Eintreten für die gemeinsame Verteidigung gegen die Bedrohung aus dem Osten zu erreichen. Die Sicherheitsfrage wurde zugleich Ziel und Mittel. Die westeuropäisch-atlantische „Sicherheits-Solidarität" besaß als Ziel Priorität gegenüber der „Solidarität der Nation". Die Sicherung der Freiheit besaß Vorrang gegenüber dem ,,Drang nach einer Wiedervereinigung". Frankreich hatte einem Weststaat erst zugestimmt, als die USA ihm im Rahmen der Atlantischen Allianz (NATO) Sicherheit garantierten. Bereits im Sommer 1949 forderte Adenauer ,,einen politischen Preis für eine Beteiligung der Bundesrepublik an der kollektiven Verteidigung des Westens". Aus dieser in ihrer Wirkung nicht zu unterschätzenden Ausgangslage ergab sich ein langwieriger deutsch-französischer Interessenkonflikt. Für Frankreich bedeuteten Kalter Krieg und Spannung wachsende Abhängigkeit von den USA, Verlust von Macht und Einfluß als Großmacht. Die Bundesrepublik hingegen mußte befürchten, durch die Entspannung wieder zu einem Objekt der internationalen Politik zurückgestuft zu werden.

Aufgrund dieser Konstellationen glaubte die Bundesrepublik zunächst, ,,Kurs auf Souveränität und Gleichberechtigung" nehmen zu müssen. ,,Es wird von uns mit aller Energie angestrebt werden, daß Deutschland so rasch wie möglich als gleichberechtigtes und gleichverpflichtetes Mitglied in die europäische Föderation aufgenommen wird", schrieb Adenauer im August 1949 in einem Privatbrief (zit. nach Schwarz 1981, 55). Er meinte damit die Aufnahme in den Europarat und die OECD.

Die wirtschaftliche Verflechtung des Weststaates mit Westeuropa wurde vor allem durch äußere Ereignisse – wie den Koreakrieg – forciert, die zu einer Integrationsbereitschaft der Westeuropäer führten. Der Außenhandel mit Westeuropa und den USA stieg stetig an, während der Warenverkehr mit Osteuropa und der Interzonenhandel abnahmen. Wichtig für die wirtschaftliche Westintegration wurde auch das Ruhrstatut von 1948, das den Westmächten und den Beneluxstaaten das Aufsichtsrecht über die Schwerindustrie der Westzonen/Bundesrepublik gab. Es war innenpolitisch heftig umstritten und brachte Adenauer den Vorwurf ein, ,,Kanzler der Alliierten" (Schumacher) zu sein. Dennoch bereitete das Ruhrstatut den Weg für eine engere wirtschaftliche Integration Westeuropas durch die Montanunion von 1951 (Europäische Gemeinschaft für Kohle und Stahl) vor. Sicherlich verbanden sich mit dem Plan des französischen Außenministers Schumann, die westeuropäische Schwerindustrie mit supranationaler Verwaltung zusammenzuführen, politische und ökonomische Ambitionen. Der Bundesrepublik eröffnete sich jedoch die Chance, über die Montanunion die Gleichberechtigung zu verwirklichen. Als Grundstein einer ökonomischen Integration Westeuropas bot die Montanunion auch Perspektiven für eine politische Einigung.

Stärkere Impulse gingen jedoch vom militärischen Bereich aus. Der Straßburger Europarat war zunächst bedeutungslos. Erst durch die Pläne für eine europäische Verteidigungsgemeinschaft (EVG) nahmen auch Überlegungen für eine politische Integration konkrete Formen an. Für eine integrierte Armee Westeuropas könnte auch Westdeutschland einen Beitrag leisten. Schon nach der NATO-Gründung hatte Le Monde festgestellt: „Die Wiederaufrüstung Deutschlands steckt im Atlantikpakt wie der Keim im Ei." Das EVG-Projekt des französischen Außenministers Pleven wollte Unvermeidliches und Wünschbares verbinden und Frankreich eine starke europäische Stellung geben. Die USA drängten auf eine westdeutsche Wiederbewaffnung ohne Diskriminierung. Hierin sah die Bundesregierung einen Hebel, um über die europäisch-militärische Integration die politische Gleichberechtigung zu erreichen. Dieses Junktim verdeutlicht die gleichzeitige Unterzeichnung von EVG-Vertrag und Deutschlandvertrag im Mai 1952. Der Deutschlandvertrag löste das Besatzungsstatut ab und ließ die Bundesrepublik Deutschland zum souveränen Staat mit Einschränkungen (alliierten Vorbehaltsrechten) werden. Die französische Nationalversammlung lehnte jedoch nach langen innenpolitischen Auseinandersetzungen im August 1954 den EVG-Vertrag ab. Damit konnte auch der gleichzeitig abgeschlossene Deutschlandvertrag nicht in Kraft treten. Die EVG-Entscheidung bedeutete einen schweren Schlag für den politischen Integrationsprozeß, die auch in der Bundesrepublik heftig diskutierte Wiederbewaffnungsfrage lenkte sie lediglich in eine andere Form. 1955 wurde die Bundesrepublik Deutschland in die NATO aufgenommen. Der Deutschlandvertrag trat in einer revidierten Fassung am 5. 5. 1955 in Kraft.

Mit der kompromißlosen Option für eine Westintegration formulierte der erste Bundeskanzler und Außenminister Konrad Adenauer eine neue außenpolitische Tradition der Bundesrepublik, die die Mehrheit ihrer Bürger befürwortete und ihnen ein bis dahin unbekanntes Maß an Sicherheit in einer demokratischen Staats- und Gesellschaftsordnung gab. Der antikommunistische Grundkonsens ermöglichte in der Bundesrepublik eine schnelle Identifikation mit einer freien, demokratischen Gesellschaftsordnung auf parlamentarischer Grundlage. Gegen die Logik der forcierten Westintegration auf wirtschaftlichem und militärischem Gebiet versuchte die Sowjetunion mit verschiedenen Deutschlandinitiativen vorzugehen. Sie berücksichtigte dabei auch die harten innenpolitischen Auseinandersetzungen in der westdeutschen Öffentlichkeit über die Frage der Wiederbewaffnung. Die sowjetische Deutschlandnote an die Westmächte (10. 3. 1952), die von diesen abgelehnt wurde, wird in der Forschung unterschiedlich bewertet. War die Stalin-Note eine versäumte Chance für die Wiedervereinigung, oder hat es für die Bundesrepublik Deutschland nie eine ,,verpaßte Gelegenheit, die deutsche Einheit durch Neutralisierung Gesamtdeutschlands herzustellen" (Schulze), gegeben?

Neuere Forschungen zeigen, daß der Einfluß der Bundesrepublik auf die Formulierung der westlichen Antwort gering gewesen ist. Der Westen hat nicht getestet – wie es die SPD forderte –, wie ernst es den Russen mit ihrem Vorschlag war. Es gibt Anzeichen dafür, daß es seit dem Herbst 1951 Ansätze für eine ,,konstruktivere Deutschlandpolitik" gab. Die Mehrheit des Politbüros der KPdSU schien eine Verhandlungslösung für Deutschland im Rahmen eines europäischen Sicherheitsabkommens anzustreben. Die Einheit Deutschlands sollte durch die ,,Annäherung der beiden Teile Deutschlands" erleichert werden. Auf die ,,Locarno-Reden" Churchills vor dem britischen Unterhaus (20. 4./11. 5. 1953), die eine Lösung der Deutschlandfrage unter gleichzeitiger Befriedigung der Sicherheitsbedürfnisse der UdSSR nach dem Vorbild des Locarno-Vertrages anregten, reagierte Moskau positiv. Es folgte ein West-Östlicher-Notenwechsel – die EVG-Verträge waren von Frankreich noch nicht ratifiziert, und damit blieb die Frage nach der militärischen Zukunft der Bundesrepublik und der Wirksamkeit des Deutschlandvertrages noch in der Schwebe. Im Jahre 1952 hatte die Bundesrepublik noch nicht den politischen Handlungsspielraum, um durch Eigeninitiative eine Lösung der deutschen Frage herbeizuführen, auch wenn Schumachers Einsicht, eine Verständigung zwischen Ost und West sei die günstigste Voraussetzung für ihre Regelung, zweifellos richtig war. Welche Chancen es 1952 für die Lösung der deutschen Frage gab, bleibt ungeklärt, solange die Moskauer Archive der westlichen Forschung verschlossen bleiben. Bis dahin wird die Kontroverse über die Stalinnote „den Charakter eines Glaubensstreites“ (Grabbe) behalten und die Begleitmusik zur Adenauerschen Westpolitik und ihren Prioritäten abgeben.

Adenauers Politik der Westintegration hatte vor allem zwei Ziele:

1. Sie sollte helfen, den nationalen Tiefpunkt der deutschen Geschichte von 1945 für die Deutschen in einem freien Staat zu überwinden und einer durch den Nationalismus mißbrauchten Generation mit der Idee der europäischen Einigung ein neues Ideal zu geben. Im Zeichen des Ost-West-Konfliktes bot die Europaidee gute Ansatzpunkte für eine Verbindung mit großmachtpolitischen Traditionen, ohne das Mißtrauen der deutschen Nachbarn zu erregen.

2. Sie sollte als Mittel der nationalstaatlichen Wiedervereinigung mit außenpolitischer Optionsfreiheit dienen.

Die deutschland- und europapolitische Konzeption Adenauers hat unterschiedliche Deutungen erfahren. So wird der These, seine EVG-Politik sollte die Bundesrepublik mit der Niederlage versöhnen und sich als ideell und territorial saturierte Einheit etablieren, entgegengehalten, daß Adenauer die Wiedervereinigung *real* zu einem seiner drei Grundziele (Freiheit-Sicherheit-Einheit) gemacht habe und sie nicht nur „verbal-deklamatorisch“ benutzte. Es gab für ihn keine festen Prioritäten. Allerdings hatte die Westpolitik Vorrang ohne Vernachlässigung der Ostpolitik. Der Deutschlandvertrag brachte der Bundesrepublik neben der Souveränität auch die westalliierte Zusicherung, keine deutschlandpolitischen Beschlüsse über den Kopf der Bundesregierung hinweg zu fassen. Eine Wiedervereinigung um jeden Preis war damit ausgeschlossen. Wegen des NATO-Beitritts mußte jedoch befürchtet werden, daß dieses Ziel kurzfristig nicht erreichbar sein würde.

Der vorbehaltlose Internationalismus der Bundesrepublik, der sich als glaubwürdig erwies, erleichterte die Re-Integration des demokratischen Deutschland in die europäisch-regionale und internationale Staatengesellschaft. Er war Ausdruck einer tiefen politischen Bewußtseinsveränderung. Ihr lag die Erkenntnis zugrunde, daß jede deutsche Politik auch europäische Politik sein müsse.

Im sowjetisch besetzten Teil Deutschlands hatten sich bis zur Staatsgründung Perspektiven für eine künftige deutsche Außenpolitik entwickelt, die die allgemeinen und sicherheitspolitischen Interessen der UdSSR berücksichtigten. Sie unterschieden sich vor allem in dem Grad der Autonomie eines künftigen Deutschland. Gemeinsam war diesen Konzeptionen die Erhaltung der Einheit Deutschlands und der Wunsch nach einer „konkreten, wenn auch bescheidenen Rolle Deutschlands in den internationalen Angelegenheiten“ (Krisch). Mit der Doppelstaatsgründung verloren diese im Zeichen des Kalten Krieges jegliche Relevanz. Für die DDR behalten sie jedoch intellektuell und historisch Bedeutung als Vorläufer für die nationalen Sozialismusmodelle, wie sie sich im unabhängigen außenpolitischen Kurs Rumäniens, in der jugoslawischen Politik der Blockfreiheit oder in einem eigenständigen eurokommunistischen Weg finden. Der historische Weg der DDR sollte sich jedoch in der Konfrontation mit dem Westen, insbesondere mit der Bundesrepublik Deutschland, entwickeln und blieb somit ideologisch und politisch an die Ursprünge gebunden.

In seiner Regierungserklärung vor der Volkskammer am 12. 10. 1949 hatte Otto Grotewohl auf den völlig neuen Weg hingewiesen, den die DDR im internationalen System beschreiten werde. Sie gehe den Weg „der Demokratie, des Friedens und der Freundschaft mit allen Völkern“. Stalin sah in der DDR-Gründung einen „Wendepunkt in der Geschichte Europas“ und bezeichnete den zweiten deutschen Staat als den „Grundstein für ein einheitliches demokratisches Deutschland“. Wie schon bei der Formulierung der Verfassung, wurde die DDR als Kern eines deutschen Einheitsstaates angesehen. Die DDR hatte eine Funktion in der Deutschlandpolitik der UdSSR zu erfüllen. Dies wird vor allem in den Jahren zwischen der Staatsgründung und der offiziellen Souveränitätserklärung 1955 deutlich. So bewegte sich die DDR im Spannungsfeld zwischen ,,Ostintegration" und einer möglichen alternativen Option außerhalb des Ostblocks, die erst mit dem Übergang zur Zweistaatentheorie aufgegeben wurde.

Ähnlich wie im Falle der Bundesrepublik, wenn auch nicht so deutlich erkennbar, vollzog sich die Blockintegration der DDR auch auf der politischen, wirtschaftlichen und militärischen Ebene. Die politische Blockintegration zeigte sich in der Anerkennung der DDR durch die UdSSR und die anderen Ostblockstaaten gleich nach ihrer Gründung, die Ablösung der SMAD durch die sowjetische Kontrollkommission und den Abschluß von Freundschaftsverträgen und Kooperationsabkommen auf bilateraler Ebene. Erste Impulse für eine wirtschaftliche Zusammenarbeit gingen von der politischen Ebene aus.

Als Reaktion auf den Marshallplan wurde im Januar 1949 in Moskau der Rat für gegenseitige Wirtschaftshilfe (RWG) gegründet. Ihm fehlten zunächst die ,,objektiven Möglichkeiten für eine abgestimmte Wirtschaftsplanung" (Kleßmann) sowie auch die institutionellen Voraussetzungen. Erst nach 1954 verlor er den ,,fassadenhaften Charakter". Diese Entwicklung wird gekennzeichnet durch eine verstärkte wirtschaftliche Koordination unter den Mitgliedsländern. Hatte Ostdeutschland noch 1947 den überwiegenden Teil seines Außenhandels mit dem Westen abgewickelt, so änderte sich das Bild zwischen 1948 und 1951 entscheidend. Die der politischen Ostorientierung folgende ökonomische wurde zudem durch Sanktionen der Westalliierten befördert, die Berlinblockade, die Koreakrise und schließlich die Entscheidung der UdSSR, die DDR in den Ostblock einzubinden.

Die forcierte Integration der DDR durch die Sowjetunion in ihren Machtbereich stieß bei den anderen osteuropäischen Staaten auf Vorbehalte, die ähnlich oder noch stärker als in Westeuropa gewesen sein dürften. Der Krieg und die Erfahrungen mit dem

NS-Regime belasteten das Verhältnis zum sozialistischen Staate deutscher Nation. Im Zusammenhang mit dem Versuch, Barrieren abzubauen, ist daher auch der Grenzvertrag zwischen der DDR und Polen vom 6. 6. 1950 zu sehen. Die DDR anerkannte die Oder-Neiße-Grenze als Friedensgrenze, denn nur die endgültige Regelung der Grenzfrage konnte den Frieden sichern, langfristig ein freundschaftliches Verhältnis zum polnischen Nachbarn entwickeln und Ängste abbauen. Mit dem ersten politischen Vertrag der DDR wurde völkerrechtlich eine Entscheidung der Sowjetunion in ihrer Europa- und Deutschlandpolitik mit weitreichenden deutschlandpolitischen Folgen verfestigt. Im Vertrag ist die Rede von der „Staatsgrenze zwischen Deutschland und Polen". Beim Görlitzer Vertrag beanspruchte die DDR Handlungskompetenz für Gesamtdeutschland. Den „Bonner Alleinvertretungsanspruch" lehnte sie ab. Mit dem Görlitzer Vertrag war das „neue Konfliktdreieck" Bonn-Ostberlin-Warschau geschaffen worden, das bis zum Abschluß der Ostverträge Bestand haben sollte und noch heute unterschwellig weiterlebt. Für die DDR und die UdSSR bildete der Görlitzer Vertrag „eine unerläßliche Vorbedingung für den östlichen Integrationsprozeß" (Kleßmann). Das tiefe Mißtrauen und die Vorbehalte der Osteuropäer konnten jedoch nur langsam abgebaut werden.

Abgeschlossen wurde der politische Integrationsprozeß der DDR in den Ostblock mit dem Vertrag über die Beziehungen zwischen der Sowjetunion und der DDR vom 20. 9. 1955. Der DDR wurde völlige Gleichheit und Souveränität in ihrer Innenpolitik und ihren Außenbeziehungen zugesichert. Dies schließe auch die „Beziehungen zur Deutschen Bundesrepublik" ein. Ähnlich den Pariser Deutschlandverträgen, kennt auch dieser Vertrag einen Vorbehalt in Fragen, die Deutschland als Ganzes betreffen. Im Januar 1955 trat die DDR als militärisch gleichberechtigtes Mitglied dem Warschauer Pakt bei. Die Verbände der kasernierten Volkspolizei wurden in die Nationale Volksarmee (NVA) umgewandelt. Für die Sowjetunion gab es nun zwei Staaten in Deutschland, die auf eine gewisse Zeit in Deutschland bestehen würden. Die Frage der Wiedervereinigung könnten die Deutschen nun selbst lösen. Die UdSSR sei bereit, die Annäherung beider deutscher Staaten zu fördern. Aus dem Faktum von souverän westintegrierten und souverän ostintegrierten deutschen Staaten ergab sich:

1. Die Verträge von Paris und Warschau beendeten formell den Prozeß der Blockbildung mit der jeweiligen Blockintegration der deutschen Staaten.

2. Die de facto Festschreibung des als Ergebnis des Zweiten Weltkrieges geschaffenen Status quo eröffnete „prinzipiell Perspektiven für eine europäische Entspannungspolitik" (Kleßmann) und damit auch für die deutsche Frage.

8.2. Auf der Suche nach praktikablen Lösungen: Positionen und Optionen in der Deutschlandfrage

Seit 1955 war ein mechanisches Zusammenfügen der beiden deutschen Staaten nicht mehr möglich. Die UdSSR hatte sich „gegen eine Verhandlungslösung" und „für die nationale Teilung Deutschlands" entschieden. Vor 1955 hatte die DDR den angestrebten Status der Gleichrangigkeit mit der Bundesrepublik auf internationaler Ebene nicht erreicht. Auch bei den Bemühungen um die Wiederherstellung der deutschen Einheit war sie erfolglos geblieben. Die sowjetische Zweistaatentheorie signalisierte, daß künftig eine Wiedervereinigung nur unter Absicherung der sozialistischen Errungenschaften der DDR möglich sein werde und daß die Übernahme der sowjetischen Koexistenz-Formel für die DDR-Außenpolitik und die deutsche Frage einen „tiefen Einschnitt" bedeutete. Auch Bonn mußte größere Flexibilität in seiner Deutschlandpolitik zeigen, wollte es die deutsche Frage offen halten bzw. Fortschritte in der nationalen Frage erzielen. Das Konzept der „Wiedervereinigung durch Westintegration" war gescheitert.

Im Gegensatz zu den USA, die Anfang der fünfziger Jahre für eine Strategie der Befreiung aus einer Position der Stärke eingetreten waren, hatte die Bundesregierung in der Deutschlandfrage von Anbeginn stärker rechtliche als moralische Aspekte hervorgehoben und jede ,,gewaltsame Revision" des europäischen status quo abgelehnt. Mit der Herausbildung eines atomaren ,,Patt" der Weltmächte gegen Ende der fünfziger Jahre wurde zudem deutlich, daß eine Veränderung der politischen Landkarte Europas ohne die Gefahr eines Atomkrieges nicht verwirklicht werden konnte. Die Berlinkrise von 1958 und die Viermächteverhandlungen über einen deutschen Friedensvertrag verdeutlichen dies. Bei seinem Moskaubesuch 1955 ging Adenauer auf die veränderten weltpolitischen Rahmenbedingungen und die am Frieden orientierte Politik der Bundesrepublik ein. Er verwies auf die Leiden des Krieges, auf die heute verfügbaren atomaren Vernichtungspotentiale und auf die im Falle eines militärischen Konfliktes besonders gefährdete geographische Lage Deutschlands. Kein Deutscher könne daher auch nur von Ferne mit dem Gedanken spielen, daß die großen politischen Probleme unserer Zeit militärisch gelöst werden können. Es müßten neue Wege der Konfliktregulierung gefunden werden, ,,die internationales Solidaritätsgefühl und internationale Zusammenarbeit zur Grundlage haben" (Abrüstung und Rüstungskontrolle 1980, 17). Damals hoffte Adenauer noch, daß die Wiedervereinigung im Rahmen einer Globalbereinigung der Gegensätze zwischen dem Osten und Westen erreicht werden könnte. Es waren Veränderungen eingetreten, die auf die internationalen Beziehungen und die deutsche Frage voll durchschlagen mußten. Die UdSSR war in der Lage, Wasserstoffbomben herzustellen und durch Interkontinentalraketen direkt das Territorium der USA zu erreichen. Das sich abzeichnende ,,Gleichgewicht des Schreckens" ließ Hoffnungen aufkeimen, daß nun Abrüstung und friedliches Mit- und Nebeneinander der internationalen Staatengesellschaft möglich werden würde, daß ein grundlegender Wandel in der Politik der Sowjetunion eingetreten sei.

Im Vorfeld der Genfer Außenministerkonferenz von 1959 über Deutschland wurden im In- und Ausland zahlreiche Vorschläge zur deutschen Frage entwickelt. Dabei wird das Deutschlandproblem im Zusammenhang mit der europäischen Sicherheitsfrage und den Möglichkeiten eines ,,Disengagements" diskutiert (Siegler I, 313ff., 375ff.). Es handelte sich dabei sowohl um private wie amtliche Stellungnahmen. Die Notwendigkeit der Wiedervereinigung wird vielfach damit begründet, daß ein geteiltes Deutschland sonst „ein potentielles Schlachtfeld für einen neuen dritten Weltkrieg darstelle" (Hubert Humphrey). Immer wieder wird die Schaffung einer Pufferzone in Mitteleuropa, eines großen neutralen Gebietes in Ost- und Mitteleuropa mit Sicherheitsgarantien für dieses neutrale Gebiet (Knowland, Hugh Gaitskell, Aneurin Bevan) angeregt. Die Sowjetunion schlägt einen europäischen Sicherheitspakt vor. Vor der UNO-Vollversammlung forderte der polnische Außenminister Adam Rapacki 1957 die deutschen Staaten auf, im „Interesse der Sicherheit Polens und der Entspannung in Europa" einer atomwaffenfreien Zone in Europa zuzustimmen. Auch die SPD und die FDP legten mit der europäischen Sicherheitsfrage gekoppelte Überlegungen vor. Grundidee war, das wiedervereinigte Deutschland in ein europäisches Sicherheitssystem einzugliedern unter Berücksichtigung der Interessen der Siegermächte. Ähnlich argumentierte 1957 George Kennan in vielbeachteten Rundfunkvorträgen der BBC. Er warnte vor einer Ausrüstung der kontinentaleuropäischen NATO-Staaten mit taktischen Atomwaffen, würde dies doch eine spätere Abrüstung erschweren. Kennan verurteilte die Haltung des Westens, „daß eine künftige gesamtdeutsche Regierung in keiner Weise die Hände gebunden haben darf, was die militärischen Verpflichtungen Deutschlands betrifft" (Kennan 1982, 54). Ein Beharren auf dieser Position werde die Spaltung Deutschlands und Europas auf lange Sicht nicht überwinden. Die Bundesregierung lehnte alle Vorschläge für einen Sonderstatus und eine Neutralisierung ab, desgleichen einen Konföderationsplan zwischen beiden deutschen Staaten (Siegler I, 97f.).

In der europäischen Sicherheits- und Wiedervereinigungsdebatte dieser Jahre war Adenauer um eine Balance zwischen den deutschen Interessen und den Möglichkeiten souveräner westdeutscher Politik einerseits und den Wünschen des Westens nach Arrangement und Abrüstung sowie den Bestrebungen der UdSSR nach einem Sicherheitsabkommen auf der Grundlage des Status quo andererseits bemüht. Für Adenauers Politik ergaben sich hieraus folgende Konsequenzen:

1. Das gemeinschaftliche ostpolitische Handeln des Westens mußte erhalten bzw. wiederhergestellt werden, sei es „durch Lavieren oder durch Torpedieren vorschneller Vorstöße".

2. Lösungen der deutschen Frage auf der Basis des Status quo durften nicht präjudiziert werden.

3. Zur gleichen Zeit mußten alle Ansatzpunkte für Verhandlungen mit der UdSSR über Wiedervereinigung und Friedenssicherung getestet werden.

Adenauer war sich sehr wohl bewußt, daß Fortschritte in der Wiedervereinigungspolitik ohne einen substantiellen Beitrag der Bundesrepublik nicht möglich sein würden. Er machte daher im März 1958 in Gesprächen mit Smirnow und Mikojan den Vorschlag einer „Österreich-Lösung" für die DDR. Adenauer ging auf sowjetische Überlegungen und Sicherheitsvorstellungen ein und verknüpfte sie mit deutschen Zielen. Bei einem Arrangement konnten beide Seiten ihre Interessen in einem Kompromiß wahren. Mit dem ost-westlichen Klimasturz im Sommer 1958 und dem sowjetischen Berlin-Ultimatum war Adenauers Vorstoß endgültig gescheitert. Im Zusammenhang mit möglichen Zugeständnissen des Westens in der Berlin- und Deutschlandfrage entstand um die Jahreswende 1958/59 der Globkeplan (Morsey/Repgen 1974, 202–209). Er dürfte der bislang interessanteste bekannte Vorschlag zur Wiedervereinigung in der Ära Adenauer sein.

In der ersten Fassung sind beide deutsche Staaten vom Zeitpunkt des Vertragsabschlusses „getrennte souveräne Staaten", die innerhalb von 6 Monaten zueinander diplomatische Beziehungen aufnehmen. Dieser Zustand bleibt erhalten, sollte eine Volksabstimmung in der Bundesrepublik *und* in der DDR keine Mehrheit für eine Wiedervereinigung bringen. Ein wiedervereinigtes Deutschland sollte Optionsfreiheit haben, ob es sich dem Osten oder Westen anschließt. Tritt Gesamtdeutschland der NATO bei, so „bleibt das Gebiet der bisherigen Deutschen Demokratischen Republik von allen militärischen Verbänden, Einrichtungen und Anlagen frei". Optiert es für den Warschauer Pakt, so bleibt das frühere Territorium der Bundesrepublik entmilitarisiert. In seiner zweiten, ergänzten Fassung vom 17. 11. 1960 erhalten beide Staaten erst völkerrechtliche Qualität, wenn bei der Volksabstimmung in einem der Teilstaaten die Wiedervereinigung abgelehnt wird. Für die Zeit vom Vertragsabschluß bis zur Volksabstimmung, die innerhalb von 5 Jahren erfolgen solle, nehmen beide Staaten „amtliche Beziehungen zueinander auf". Neutralität schied für die damalige Bundesregierung aus. Mit ihr verband sich die Befürchtung, Deutschland könnte dann in absehbarer Zeit in die sowjetische Machtsphäre einbezogen werden. Die vorgeschlagene Lösung bot hier Sicherungen. Gleichzeitig aber berücksichtigte sie durch teilweisen äußeren Souveränitätsverlust das Sicherheitsbedürfnis der UdSSR.

Warum war die Sowjetunion, der der Globkeplan zumindest in den Grundzügen mitgeteilt worden war, nicht mehr an einem wiedervereinigten Deutschland mit sicherheitspolitischen Garantien für die UdSSR interessiert? Sie war etablierte Atommacht und versetzte dem Westen den „Sputnikschock". Sie besaß Überlegenheit im Bereich der konventionellen Rüstung und ein „militärisches Potential von apokalyptischem Ausmaß" (Marienfeld). Die UdSSR war in der Lage, an jedem beliebigen Punkt der Erde ihre Militärmacht einzusetzen. Sie war de facto „unangreifbar" geworden. Ein Krieg würde keiner Seite den Sieg bringen, vielmehr nur noch die „Gemeinschaft des Todes" (Marienfeld).

Die drastisch veränderten weltpolitischen Rahmenbedingungen hatten weitreichende Wirkungen für die deutsche Frage. Diese rückte aus dem Zentrum weltpolitischen Interesses und wurde zur Nebenfrage. Sicherheitspolitisch konnte ein neutralisiertes Deutschland der UdSSR keinen Gewinn bringen. Mit oder ohne Deutschland bedeutete die NATO für die Sowjetunion keine Bedrohung mehr. Schon 1959 bekundete Chruschtschow gegenüber Fritz Erler und Carlo Schmidt sein Desinteresse am SPD-Vorschlag Wiedervereinigung gegen Neutralisierung. Hieran änderte sich auch zu Beginn der sechziger Jahre nichts. Mit dem Mauerbau vom 13. 8. 1961 zementierte die UdSSR den Status quo auch optisch. Umdenken tat Not, denn die Zeit arbeitete gegen die Einheit der Nation.

Seit 1960 entstanden neue weltpolitische Konfliktherde. Die

weltpolitischen Gewichte verschoben sich in außereuropäische Bereiche. Auch die westliche Führungsmacht verlor wegen ihrer Verstrickung im Vietnamkrieg zunehmend ihr Interesse an der deutschen Frage. Fortschritte in der deutschen Frage waren nicht mehr nötig, um mit der UdSSR über militärtechnische Probleme zu verhandeln. Beide Weltmächte waren an Sicherheitsvereinbarungen wie dem am 25. 7. 1963 geschlossenen Moskauer Test-Stopp-Abkommen oder dem schließlich 1968 unterzeichneten Atomwaffennichtverbreitungsvertrag („Nonproliferation Treaty") interessiert. Mit dem Ausgang der Raketenkrise in Cuba hatten die USA gezeigt, daß sie macht- und sicherheitspolitische Veränderungen zu ihren Ungunsten in ihrer Hemisphäre nicht dulden würden. Mit der Reaktion auf den Berliner Mauerbau signalisierte der Westen, daß er den Status quo respektierte. Washington und Moskau wußten, daß sie die andere Seite durch eigene militärische Überlegenheit und Drohungen nicht zur Aufgabe politischer Positionen zwingen konnten. Anerkennung der jeweiligen Einflußsphären und Abgrenzung waren daher naheliegend. Insbesondere galt dies für Europa. Dort war die Demarkationslinie klar erkennbar. Verschiebungen durch „Befreiungsbewegungen" oder bürgerkriegsähnliche Situationen waren nicht zu erwarten.

Die westliche Reaktion auf den Mauerbau verdeutlichte das Verhalten der Westmächte im Konfliktfall. Sie zeigte den Russen auch die Toleranzgrenze für die geplante Absicherung der DDR und zwang sie zur Zurücknahme weitergehender Ziele. Wie 1968 das sowjetische Vorgehen gegen die ČSSR, nahm der Westen 1961 die gewaltsame Trennung Ostberlins vom Westteil der Stadt zur Kenntnis. Sie wurde als interner Vorgang im Sowjetblock verstanden.

Für die nüchtern-distanzierte Haltung der Westmächte in der Berlinfrage zeigten Politiker und Öffentlichkeit in der Bundesrepublik wenig Verständnis. Der Regierende Bürgermeister von Berlin, Willy Brandt, äußerte in einem Brief an Kennedy Zweifel an der Reaktionsfähigkeit und Entschlossenheit der Westmächte und warnte vor den Folgen. Die Beziehungen zu den USA kühlten ab. Antiamerikanische Ressentiments wurden laut. Gegenmaßnahmen wurden gefordert. Die Deutschen wollten nicht einsehen, daß mit steigendem Machtpotential die Weltmächte bewegungsunfähiger geworden waren. Es war für Bonn schwer, die ,,Spielregeln des atomaren Patts" (Besson) zu begreifen; dies um so mehr, als zu Beginn der sechziger Jahre das bipolare Grundmuster der internationalen Beziehungen, trotz des Wandels der weltpolitischen Perspektive der USA, noch erhalten blieb. Bonn glaubte daher, an den Maximen der fünfziger Jahre hartnäckig festhalten zu können.

Noch etwas anderes hatte sich verändert und die Bundesrepublik unvorbereitet getroffen. Die weltmächtliche Garantie für den weltpolitischen Status quo eröffnete für minder mächtige Staaten (Mittel- und Kleinstaaten) je nach geographischer Lage und geopolitischer Bedeutung neue Handlungsspielräume für eigene nationale Interessen. Mit der wachsenden Entspannungsbereitschaft der Supermächte verstärkte sich auch bei den mindermächtigen Akteuren der Wille zu uneingeschränkter Politik. Unter amerikanischem Atomschutz koppelte sich De Gaulles Frankreich von der ,,Idee der Supranationalität" in Europa immer mehr ab und blokkierte die Fortentwicklung der EWG zum europäischen Bundesstaat, den Adenauer von Anbeginn anvisiert hatte. Die Integrationsidee wurde über Bord geworfen, das ,,Europa der Vaterländer" propagiert, das vom Atlantik zum Ural reichen sollte. Wo aber war der Deutschen Vaterland? Wie viele Deutschlands sollte das Europa der Vaterländer haben?

Seit dem Bau der Berliner Mauer vollzog sich in der Bundesrepublik Deutschland wie in der DDR ein Stimmungsumschwung. Die westdeutsche Politik der Wiedervereinigung in Frieden und Freiheit als Grundlage der Konzeption Adenauers war gescheitert. Daran änderte auch sein ,,Burgfriedensangebot" von 1962 nichts, in dem er der UdSSR vorschlug, die deutsche Frage zehn Jahre ruhen zu lassen und dann weiterzusehen. Der Empörung über die ,,Mauer" folgte in der Öffentlichkeit bald die Ernüchterung über die eigenen Illusionen. Mit der vom ,,Atlantiker" Gerhard Schröder eingeleiteten Politik der ,,selektiven Normalisierung der Beziehungen mit dem Osten" kam es seit 1962 zu einer etappenweisen Neuorientierung in der westdeutschen Ost- und Deutschlandpolitik. Die Auflockerung der Fronten in der Deutschlandfrage sollte durch Aufnahme von handelspolitischen Beziehungen zu den osteuropäischen Staaten unter Auskreisung der DDR versucht werden. Schröders außenpolitische Linie verstand sich als konkurrierendes Konzept zu De Gaulles Vision eines ,,Europa vom Atlantik zum Ural" und verschärfte die Auseinandersetzungen zwischen den ,,Atlantikern" und den ,,Gaullisten" in der Bundesrepublik. Die von Schröder betriebene Ostpolitik geriet 1967 in eine Sackgasse. Ihr Erfolg hing ganz entscheidend von der Interessenlage der UdSSR ab, d.h. davon, inwieweit die Sowjetunion bereit war zu einer ,,freiwilligen Beschränkung ihres bisherigen Hegemonieanspruchs". Dies zeigte sich 1968, als die UdSSR rücksichtslos von ihrem Hegemonieanspruch bei der Intervention in der Tschechoslowakei Gebrauch machte.

Seit 1967 wurden im Auswärtigen Amt alternative ost- und deutschlandpolitische Strategien entwickelt. Sie waren durch den Berliner Senat bei den Passierscheinverhandlungen 1963/64 bereits als ,,Politik der kleinen Schritte" erprobt worden. Ihre Grundgedanken orientierten sich an der Überlegung, daß die Verbesserung menschlicher Kontakte in beiden Teilen Deutschlands Vorrang vor ,,juristischen Positionen" haben müsse. Das Konzept des Wandels durch Annäherung, ein mitbestimmender Gedanke der Entspannungsstrategie John F. Kennedys, fand in die deutschlandpolitische Diskussion durch einen Vortrag Egon Bahrs vor der Evangelischen Akademie in Tutzing am 15. 7. 1963 Eingang. Voraussetzung einer derartigen Politik sei es, die antiquierte Politik des Alles oder Nichts aufzugeben. Die Spaltung Deutschlands und Europas müsse durch eine Annäherung beider Teile aufgehoben werden. Dies sei ein dornenreicher Weg mit vielen Schritten und vielen Stationen. Die Hoffnungen, das Regime in der DDR durch wirtschaftliche Sanktionen beseitigen zu können, sei Illusion. Die Wiedervereinigung werde nicht ein einmaliger Akt sein, der ,,durch einen historischen Beschluß an einem historischen Tag auf einer historischen Konferenz ins Werk gesetzt wird" (Siegler I, 335–337, 336). Die Zone müsse in ,,homöopathischen Dosen" mit sowjetischer Zustimmung transformiert werden. Eine realistische Deutschlandpolitik passe sich auch ,,nahtlos in das westliche Konzept der Strategie des Friedens" ein. Sonst ,,müßten wir auf Wunder warten, und das ist keine Politik". Die Hoffnung, die Teilung ,,in einer neuen politisch-sozialen Synthese" zu überwinden, wurde durch den 21. August 1968 drastisch dementiert.

In der Öffentlichkeit war ein deutschlandpolitischer Umschwung 1964/5 eingetreten. An der meinungsbildenden kritischen Bestandsaufnahme, die die Einheitsfrage meistens mit der europäischen Sicherheitsfrage verknüpfte, beteiligten sich Politiker unterschiedlicher parteipolitischer Orientierung, Publizisten und auch das Kuratorium Unteilbares Deutschland. Schon 1965 forderte dessen geschäftsführender Vorsitzender, Johann Baptist Gradl, daß die deutsche Frage offen zu halten nicht abwarten heißen könne. Die deutsche Politik müsse ,,Anregungen erörtern und beitragen", müsse verdeutlichen, daß ,,ungelöstes Vorsichherschieben zwar scheinbar die einfachste, in Wahrheit aber die gefährlichste Handhabung der deutschen Frage ist" (Gradl). Im November 1967 regte Wilhelm Wolfgang Schütz in einem umfassenden Memorandum ,,Was ist Deutschland?" neue Wege zur Lösung der deutschen Frage an. Er forderte eine realistische Deutschlandpolitik, arbeitete den Unterschied zwischen staatsrechtlichen und völkerrechtlichen Beziehungen heraus, deutete die Unmöglichkeit einer nationalstaatlichen Lösung an und verwies auf den europäischen Zusammenhang der deutschen Frage.

In einem Leitartikel des ,,Südkuriers" am 22. 6. 1968 forderte Waldemar Besson von der Bundesregierung Eigeninitiative, wenn sie irgendetwas in Mitteleuropa ändern wolle, denn ,,die Viermächte-Verantwortung steht auf dem Papier, solange Ulbricht West-Berlin nicht militärisch angreift, was er wohlweislich unterlassen wird"; er fragte: ,,Warum gehen wir als die Stärkeren in Deutschland nicht endlich in die Offensive? Gewännen wir nicht einen neuen weltpolitischen Spielraum, wenn wir uns auf die neue Situation nach 1945 endlich einstellen und den Status quo zu verändern begännen, indem wir durch ihn hindurchgehen?" In der internationalen Politik zähle nicht die bessere Jurisprudenz, sondern die Durchsetzung von Interessen. Als Deutsche sollten wir uns endlich selbstkritisch und illusionslos fragen, „ob es nicht deutsche Modelle gibt, die uns neue Wege weisen, damit die westdeutsche Schwäche in Deutschland und Berlin nicht ein tödliches Geschwür werde."

Im Bundestagswahlkampf 1969 spielte die Diskussion über den künftigen ost- und deutschlandpolitischen Kurs der Bundesrepublik Deutschland eine zentrale Rolle. Anfang 1969 hatte die FDP einen Entwurf für einen Vertrag zwischen der Bundesrepublik Deutschland und der DDR vorgelegt und in der Öffentlichkeit und im Parlament den „Durchbruch zu einer offensiven Deutschlandpolitik" gefordert. Im Wahlkampf ergab sich dabei eine gemeinsame Basis mit der SPD, die von der Politik eines „Wandels durch Annäherung" zu einer der „Sicherheit durch Normalisierung" fand. Der „Machtwechsel" in Bonn, die Ablösung der CDU in der Regierungsverantwortung durch die sozialliberale Koalition im Herbst 1969, „war in erster Linie das Produkt der Auseinandersetzungen um die Ostpolitik" (Löwenthal). Im öffentlichen Bewußtsein wurde die „Neue Ostpolitik" als „Teil der Reformpolitik" empfunden. Im Vorentwurf für die Regierungserklärung des neuen Bundeskanzlers Brandt hieß es daher auch: „Reformfreudig sein, heißt entscheidungsfreudig sein, in der inneren wie auch in der auswärtigen Politik" (zit. nach Baring, 1982, 199). Gerade die Ostpolitik sollte in den folgenden Jahren das entscheidende Streitthema zwischen der Union und den Sozialliberalen werden. Aus der Rückschau läßt sich heute sagen, daß die „ostpolitische Wende" die deutsche Politik nach Westen und Osten Bewegungsfreiheit zurückgewinnen ließ und die drohende Isolierung verhindern konnte, denn Ende der sechziger Jahre standen die Zeichen auf Entspannung und die Bundesrepublik konnte sich diesem Trend nicht entziehen. In seiner Regierungserklärung von 1969 deutete Bundeskanzler Brandt daher die Bereitschaft der Bundesrepublik zu einem aktiven Entspannungsbeitrag an. Der Weg über „ein geregeltes Nebeneinander zu einem Miteinander" zwischen den bestehenden „zwei Staaten in Deutschland" läge nicht allein im deutschen Interesse, insofern es ein weiteres Auseinanderleben der deutschen Nation verhindern könne, sondern wäre auch von zentraler Bedeutung für das Ost-West-Verhältnis und den Frieden in Europa (s. Texte DP IV, 12).

Das umfassende diplomatische Programm der neuen Bundesregierung – Einleitung von Verhandlungen mit Moskau, Warschau und Ostberlin sowie der Berlin-Verhandlungen – „setzte vor allem Klarheit über die zeitliche und sachliche Verschränkung der geplanten Verhandlungen voraus" (Löwenthal 1974, 80). Der Schlüssel zum Erfolg mußte der Vertrag mit der Sowjetunion sein. Er sollte in seinem Kern bereits Vorentscheidungen über die angestrebten Verträge mit Polen und der DDR enthalten. Die Verwirklichung des „Programms" war wegen der Verflechtungen und Wechselwirkungen äußerst schwierig:

1. Vor einer Viermächtevereinbarung über Berlin dürfte keine „Freigabe der internationalen Anerkennung der DDR" erfolgen, sollte der Status von Berlin nicht gefährdet werden;

2. Moskau würde zu Berlingarantien jedoch nur bereit sein, wenn die internationale Anerkennung der DDR gesichert wäre, lag der UdSSR doch an einer gleichberechtigten Teilnahme der DDR an der europäischen Sicherheitskonferenz (KSZE) in Helsinki. Die Bundesrepublik mußte daher daran interessiert sein, die europäische Sicherheitskonferenz so lange hinauszuzögern, bis vertraglich fixierte Grundlagen für Berlin und die innerdeutschen Beziehungen erreicht sein würden. Daher spielten bei den ostpolitischen Verhandlungen Absichtserklärungen und Junktims eine so gewichtige Rolle. Zu den Leistungen der westdeutschen Diplomatie gehörte es, daß ihr „die Sicherung der geplanten Reihenfolge in allen Punkten gelang" (Löwenthal).

Die Ostpolitik der Bundesregierung fand die grundsätzliche Unterstützung der Verbündeten. So billigte der französische Präsident Pompidou die Brandtsche Ostpolitik, fürchtete aber gleichzeitig die Bereitschaft der Bundesrepublik, „zu schnell mit dem Osten Verträge schließen zu wollen" (Ménudier). Die USA tolerierten sie, argwöhnten aber bei einer direkten Verständigung zwischen Bonn und Moskau, „aus der Lösung eines wichtigen europäischen Problems ausgeschlossen" zu werden. Dies hätte einen Präzedenzfall geschaffen, der ,,andere europäische Staaten veranlassen konnte, künftig mehr nach Moskau als nach Washington zu blicken. Mit der Zeit mußte das den Zusammenhalt der NATO schwächen" (Kissinger 1979, 565). Die USA wollten daher ,,dem Unvermeidlichen eine konstruktive Richtung weisen", eingebettet ,,in einen weiteren Rahmen ... als nur in den deutschen Nationalismus" (Kissinger). Die Verhandlungen um Berlin wurden für die USA zum ,,Schlüssel". Sie konnten vereiteln, daß die USA durch die Sowjetunion ,,mit Hilfe der deutschen Ostpolitik" von ihren europäischen Verbündeten getrennt würden.

Am 12. 8. 1970 schloß die Bundesrepublik den Moskauer Vertrag. Wenige Monate später wurde in Warschau am 20. 11. 1970 der Vertrag mit Polen unterzeichnet. Es folgte das Viermächteabkommen über Berlin am 3. 9. 1971, das die Lebensfähigkeit West-Berlins vertraglich sicherte. Damit waren die Voraussetzungen für ,,die Freigabe der internationalen Anerkennung der DDR" (Löwenthal) geschaffen. Am 21. 12. 1972 wurde der ,,Vertrag über die Grundlagen der Beziehungen zwischen der Bundesrepublik Deutschland und der Deutschen Demokratischen Republik" unterzeichnet. Er war sicherlich ,,im ganzen wohl das für beide Seiten am wenigsten befriedigende Ergebnis der neuen Politik des Ausgleichs im Herzen Europas" (Löwenthal 1974, 88). Als letzter Ostvertrag folgte schließlich am 20. 6. 1973 der Vertrag über Gewaltverzicht und Normalisierung mit der ČSSR. Die Ostverträge brachten die faktische Anerkennung der DDR als zweitem deutschen Staat und der durch den Zweiten Weltkrieg entstandenen Nachkriegsgrenzen.

Mit dem ,,Grundlagenvertrag" erhielt die deutsche Frage als nationale Frage eine neue Dimension. Trotz juristischer Vorbehalte, trotz der Entschließung des Bundestages zur Deutschland- und Außenpolitik, trotz der Begleitdokumente der Bundesregierung zu den Verträgen und des Urteils des Bundesverfassungsgerichtes über die Verfassungsmäßigkeit des Grundlagenvertrages vom 31. 7. 1973, die alle den nicht völkerrechtlichen Charakter der deutsch-deutschen Beziehungen hervorheben und auf den Friedensvertragsvorbehalt bezüglich der deutschen Ostgebiete hinweisen, darf die

,,reale politische Bedeutung" und der völkerrechtliche Rang der Verträge nicht übersehen werden. Dies verdeutlichen beispielsweise die westlichen Reaktionen. So sehen französische Beobachter in den Ostverträgen die Festschreibung des Status quo und sehen im Grundlagenvertrag den zweiten ,,Grabstein auf der deutschen Einheit" (Ménudier). Als ersten bewerten sie den NATO-Beitritt und die Gründung der Bundeswehr. Für Briten und Franzosen bedeutet der Grundlagenvertrag das Ende der gefürchteten ,,deutschen Befreiungspolitik".

Die DDR wurde durch die Verträge mit der Bundesrepublik Deutschland und die Ostpolitik insgesamt in eine erzwungene Öffnung gedrängt, ohne ihr Ziel, die völkerrechtliche Anerkennung, vollständig zu erreichen; dennoch hat sie es im Verlauf der ostpolitischen Verhandlungen verstanden, ihren Handlungsspielraum zu erweitern. Zu den Grundproblemen des ,,sozialistischen Staates deutscher Nation" gehörte es, eigene Traditionen zu entwickeln und internationale Anerkennung zu erhalten. Sie waren wichtige Voraussetzungen für die innere Konsolidierung. Der Alleinvertretungsanspruch der Bundesrepublik Deutschland und die ,,Hallstein-Doktrin" seit 1955 verhinderten zunächst erfolgreich die ,,internationale Freigabe der DDR zur Anerkennung". Als Instrument für Fortschritte in der Einheitsfrage und bei der Lösung der deutschen Frage überhaupt hat die ,,Hallstein-Doktrin" versagt. Im weltpolitischen Klima seit Beginn der sechziger Jahre wurde sie zum Hemmschuh, verdammte die Deutschlandpolitik zur Bewegungsunfähigkeit. Die Mitte der sechziger Jahre eingeleitete westdeutsche Kurskorrektur in der Deutschlandpolitik bewirkte auf Seiten der DDR zunächst Unsicherheit. Wie sollte sie auf die veränderte Bonner Ostpolitik reagieren?

Der Bau der Berliner Mauer am 13. 8. 1961, der die Teilung Deutschlands international symbolisch besiegelt hatte, brachte der DDR durch die Verhinderung der Abwanderung und des intellektuellen Substanzverlustes eine Steigerung der Produktivität und eine Verbesserung des Lebensstandards. Die Deutschlandpolitik trat zugunsten einer Politik der innergesellschaftlichen Reformen durch die Einführung des ,,Neuen Ökonomischen Systems der

Planung und Leitung der Volkswirtschaft" (NÖSPL) zurück. Das NÖSPL stellte den Versuch dar, „die Unzulänglichkeiten einer bis ins einzelne reglementierten Planwirtschaft zu beseitigen, die Grundsätze der volkswirtschaftlichen Ausrichtung als Leitlinien jedoch beizubehalten" (Deuerlein 1972, 166). Damit waren Führung und Apparat der DDR weitgehend auf das innenpolitische Geschehen ihres Staates fixiert. In den Jahren nach dem Mauerbau läßt sich auch eine Konsolidierung des Systems feststellen. Diese förderte ein wachsendes Selbstbewußtsein in der jüngeren Generation, die nun in der DDR *ihren* Staat erblickte.

Die Wiedervereinigung als Fernziel hatte die DDR nach 1961 nicht aufgegeben. Vielmehr verstand sie sich als „Kernstaat", der im Vergleich zu Westdeutschland schon eine höhere gesellschaftliche Entwicklungsstufe erreicht hatte. Der Sozialismus in der DDR stimme mit den „Lebensinteressen des deutschen Volkes" überein. Er liege also, wie es im „Nationalen Dokument" über die geschichtliche Aufgabe der DDR und die Zukunft Deutschlands vom 17. 6. 1962 heißt, „im nationalen Interesse des deutschen Volkes und ist entscheidende Voraussetzung für die Lösung unserer nationalen Frage" (Deuerlein 1971, 251). Ausdruck dieses Selbstverständnisses war 1965 die Errichtung eines „Staatssekretariats für gesamtdeutsche Fragen". Der unter Außenminister Schröder eingeleiteten „Ostpolitik der selektiven Normalisierung" versuchte die DDR entgegenzuwirken. Sie forderte mit großem propagandistischen Aufwand die „Normalisierung der Beziehungen", den Austritt der Bundesrepublik aus der NATO sowie den Verzicht auf Kernwaffen. Ihre Deutschlandpolitik zu diesem Zeitpunkt und auch später ist zutreffend als „,Stop-and-Go'-Politik in der deutschen Frage" (Kuppe) bezeichnet worden. Als Ergebnis einer unter Staats- und Völkerrechtlern in der DDR über die Frage des Selbstbestimmungsrechtes geführten Diskussion sprach die DDR seit 1964 offiziell von „zwei Staatsvölkern" sowie von den „beiden deutschen Nationalstaaten". Die Forderung nach einer deutschen Konföderation – bis zu Beginn der sechziger Jahre mit konkreten Vorschlägen angestrebt – wurde nun durch das vage Konzept der „Normalisierung der Beziehungen“ ersetzt, obwohl auch in der zweiten Hälfte der sechziger Jahre die Konföderationsidee immer wieder ins Spiel gebracht wurde, so im Konföderationsangebot Ulbrichts vom 21. 4. 1966 (Siegler II, 134–136). Ziel der DDR war die völkerrechtliche Anerkennung „ohne staatsrechtliche Zwischenschritte“. Faktisch bewirkte dies jedoch einen deutschlandpolitischen Stillstand. Die Theorie von den zwei Staatsvölkern wurde gesetzlich durch das Staatsbürgerschaftsgesetz der DDR vom 20. 2. 1967 untermauert.

Die DDR-Verfassung vom 6. 4. 1968 paßte sich den neuen Zielsetzungen an. Die DDR verstand sich jedoch weiterhin als ein „sozialistischer Staat deutscher Nation“, der „die Überwindung der vom Imperialismus der deutschen Nation aufgezwungenen Spaltung Deutschlands“ anstrebte. Die Wiedervereinigung wurde allerdings als ein „langer Prozeß“ angesehen. „Die Wiedervereinigung, richtiger gesagt, die Vereinigung der beiden deutschen Staaten, ist abhängig von der durchgreifenden demokratischen Umwälzung in Westdeutschland“ (Siegler II, 212).

Im Gegensatz zur Sowjetunion versuchte die DDR, die deutschlandpolitische Initiative der sozialliberalen Koalition durch eine Politik der Maximalforderungen zu torpedieren. Die Verhärtung des deutschlandpolitischen Standpunktes der DDR zeigte sich auch bei den Treffen zwischen Willy Brandt und Willi Stoph in Erfurt und Kassel im März und Mai 1970. In Erfurt begrüßte Stoph Brandt mit den Worten: „Unsere Begegnung ist zweifellos ein Ereignis von politischer Tragweite. Zum ersten Mal seit Bestehen der DDR und der BRD kommen ihre Regierungschefs zusammen, um Grundfragen der Normalisierung der Beziehungen zwischen den beiden unabhängigen souveränen Staaten zu erörtern. Die Bürger der DDR und der BRD, alle Völker Europas verfolgen dieses Treffen mit verständlicher Aufmerksamkeit. Angesichts der Spannungen in Europa erwarten sie einen konstruktiven Beitrag zur Sicherung des Friedens im Herzen unseres Kontinents.“ (Texte D.P. IV, 327) Immer wieder forderte Stoph

,,friedliche Koexistenz auf der Grundlage des Völkerrechts zwischen der DDR und der BRD" und wies der Bundesrepublik die Verantwortung für die Spaltung zu. Zudem forderte Stoph die Zahlung von 100 Milliarden Mark von der Bundesrepublik als Wiedergutmachung.

Beim Kasseler Treffen am 21. Mai 1970 wiederholte Stoph die Forderungen der DDR. Die Bundesrepublik mit ihrer Alleinvertretungsanmaßung nannte er den ,,Störenfried Europas". Abschließend bekräftigte er die feste Entschlossenheit der DDR, ,,alles Notwendige für Frieden und Sicherheit in Europa zu tun." Voraussetzung seien allerdings völkerrechtliche Beziehungen zwischen ,,der DDR und der BRD" (Texte D.P. V, 123f.). Beide Seiten vereinbarten in Kassel eine ,,Denkpause".

Wie der Abschluß der Gewaltverzichtsabkommen von Moskau und Warschau verdeutlichte, war die UdSSR entschlossen, auch gegen den Willen der DDR-Führung zu Vereinbarungen mit der Bundesrepublik Deutschland zu kommen. In beiden Verträgen mußte die Bundesrepublik keinerlei Zugeständnisse für eine völkerrechtliche Anerkennung der DDR machen. Wie auch die parallel verlaufenden Berlinverhandlungen der Kriegsalliierten zeigten, wollte die Sowjetunion vor dem Zusammentritt der KSZE-Konferenz die Berlin- und Deutschlandfrage entschärfen. Auf diese Entwicklung war die SED-Führung offensichtlich nicht vorbereitet. Das Konzept der Maximalforderungen hatte die DDR außenpolitisch in eine Sackgasse manövriert. Neue deutschlandpolitische Strategien waren noch nicht erarbeitet worden, zumal Ulbricht nicht geneigt schien, den von der UdSSR vorgegebenen Rahmen für die Entspannungspolitik zu akzeptieren und vor diesem Hintergrund DDR-Interessen zu verfolgen. Mit dem Abschluß des Grundlagenvertrages unter Ulbrichts Nachfolger, Erich Honekker, trat die DDR aus ihrer außenpolitischen Isolierung heraus. Sie verfolgte nun eine verstärkte Politik des ,,sozialistischen Internationalismus" und der Abgrenzung nach Westen. Ausdruck erhielt diese neue Konzeption durch die DDR-Verfassung von 1974, in der die ,,sozialistische deutsche Nation" durch die Klassennation ersetzt wird (Art. 1) und vom Bündnis mit der Sowjetunion ,,für immer und unwiderruflich" (Art. 6) die Rede ist. Ausdruck dieses gewandelten „Sonderverhältnisses" war der Freundschafts- und Beistandsvertrag mit der UdSSR von 1975. Dieser ist zum entscheidenden Hintergrund für die Politik der DDR in der deutschen Frage geworden.

9. Die deutsche Frage – auch in Zukunft ein Thema der europäischen Geschichte

Die Einengung des Blicks auf den 1945 völkerrechtlich handlungsunfähig gewordenen deutschen Nationalstaat hat bei einer Mehrheit der Deutschen dazu geführt, zwei gewichtige Tatsachen zu verdrängen bzw. zu übersehen, die aber für das Verständnis der politischen und historischen Dimension der deutschen Frage von grundlegender Bedeutung sind:

1. Die historische deutsche Frage und die Bedingungen ihrer Lösbarkeit waren nie allein deutschen Einflüssen und Interessen unterworfen, sondern ganz entscheidend auch europäisch-globalen.

2. Das ,,deutsche Problem" besitzt im ausgeprägten historischen Bewußtsein unserer Nachbarn einen hohen Stellenwert.

Die deutsche Frage ist nicht als Ergebnis des Zweiten Weltkrieges entstanden. Vielmehr war sie in der Geschichte des 19. und 20. Jahrhunderts stets ein Kernproblem Europas, das nicht allein die Deutschen berührte. Die deutsche Frage, die Frage nach dem Band der deutschen Nation, nach dem gemeinsamen Verfassungsdach für Deutschland, stand immer in unauflöslichem Zusammenhang mit dem internationalen System, mit der europäischen Gleichgewichtsordnung und mit der europäischen Sicherheit. Daran hat sich auch heute unter veränderten historischen Rahmenbedingungen kaum etwas geändert. In diesem Sinne sollte Deutschland als Herzstück Europas eine ausgleichend-stabilisierende Rolle für die europäische Ordnung übernehmen und nicht zu ihrem Totengräber werden. Diese europäische Aufgabe haben die im föderativ organisierten Deutschen Bund vereinigten deutschen Staaten mehr als ein halbes Jahrhundert erfüllt. Diese Aufgabe für das europäische Regionalsystem hat sich im Zeitalter der Weltmächte und der globalen Verflechtungen internationaler Politik wenig verändert und wird für die Weltregion Europa bedeutsam bleiben.

Das von dem Historiker Heeren 1816 formulierte Grundproblem der deutschen und europäischen Geschichte, daß der „Centralstaat von Europa“ in einer einheitsstaatlichen Organisationsform und mit dem ihm verfügbaren Gesamtpotential hegemoniale, systemzerstörerische Tendenzen entwickeln und so zu einer kritischen Größenordnung für Europa werden könnte, gilt heute, nach zwei Weltkriegen, bei unseren Nachbarn in Ost und West noch immer. Was können die Deutschen tun, damit eine Lösung der deutschen Frage, sollte sie möglich werden, nicht zum Trauma Europas wird?

Die Regelung der deutschen Frage, die politisch-territoriale Organisationsform Mitteleuropas, war stets ein Kernelement jeder europäischen Friedensordnung. Die Lösung der deutschen Frage kann daher nur im Miteinander der europäischen Völker und Staaten erfolgen. Dabei stellt sich die Frage nach möglichen Formen der Neu- oder Wiedervereinigung. Die „nationale Einheit“ – wenn wir sie mit den nationalstaatlichen Kategorien des 19. Jahrhundert begreifen – war für Deutschland der „Ausnahmefall“ gewesen. Die „Teilung der Nation, die Nichtidentität zwischen Staat und Nation waren der Normalfall“ (Ménudier) und, man könnte ergänzen, das Mehrstaatensystem, in dem Patriotismus und Nation in einem gesunden Spannungsverhältnis standen. Walter Scheel hat 1978 darauf hingewiesen, daß der Auftrag des Grundgesetzes, das gesamte deutsche Volk „in freier Selbstbestimmung die Einheit und Freiheit Deutschlands“ vollenden zu lassen, nicht Restauration eines staatlichen Zustandes der deutschen Geschichte zwischen 1870 und 1945 bedeuten könne. In der jüngsten Diskussion wurde dabei immer wieder darauf hingewiesen, daß sich hierfür bündische Formen anbieten, für die es Vorbilder in der deutschen Geschichte gibt.

Ziel der Deutschlandpolitik heute kann es nicht sein, den anderen zu beseitigen, sondern durch eine Politik des Miteinander der deutschen Staaten nicht nur die „Verflechtung von Frieden und deutscher Einheit in Europa“ (Gradl) aufzuzeigen, sondern zu Frieden und Spannungsabbau in Europa beizutragen. Durch „praktizierte gute Nachbarschaft“ könnten die deutschen Staaten den Weg zu einer künftigen europäischen Friedensordnung aufzeigen; sie könnten, wie Deutschland früher in einer anderen Organisationsform, eine „leise Brückenfunktion" zwischen Ost- und Westeuropa übernehmen. Die deutsche und europäische Geschichte bietet hierfür Anregungen und Lösungsmodelle, die Deutschland nicht zur „kritischen Größenordnung" für Europa machen und es seine staatsrechtliche Form in Übereinstimmung mit den Bedürfnissen der europäischen und internationalen Ordnung finden lassen würden. Gerade eine bündische Verfassungsform bietet die der jeweiligen historischen Situation entsprechenden Möglichkeiten an. Wir begehen immer wieder den Fehler und werden durch unsere Nachbarn, die noch dem alten Konzept des Nationalstaates anhängen, hierin bestärkt, zu glauben, daß für die Deutschen nur der kleindeutsche zentralistische Nationalstaat von 1871 als Lösung der deutschen Frage möglich sein kann und darf. Könnte ein Bund deutscher Staaten nicht auch ein deutscher Nationalstaat sein?

Quellen- und Literaturverzeichnis

Die Literatur zu den in diesem Band berührten Themen und Problemen ist sehr umfangreich. Ich beschränke mich daher auf den Nachweis der in der Darstellung zitierten Literatur, ergänzt durch Standardwerke. Das ausgewertete Archivmaterial wird nicht detailliert aufgeführt. Benutzt wurden Bestände des Bayerischen Hauptstaatsarchivs in München, des Bundesarchivs, Außenstelle Frankfurt, des Archivs des Auswärtigen Amtes in Bonn, des Archivs des Außenministeriums in Paris, des Public Record Office und der British Library London, des Niedersächsischen Hauptstaatsarchivs Hannover sowie des Reichsarchivs in Kopenhagen und des Haus-, Hof- und Staatsarchivs in Wien.

Arbeiten mit weiterführender Literatur sind durch ein Sternchen (*) gekennzeichnet.

Albertz, H./Goldschmidt, D. (Hg.), Konsequenzen oder Thesen, Analysen und Dokumente zur Deutschlandpolitik. Reinbek 1969.

Ammon, P., Plädoyer für Deutsche Einheit durch Blockfreiheit (Deutschland Archiv 16/83) 1983.

*Aretin, K. O. Frhr. v.**, Vom Deutschen Reich zum Deutschen Bund. Göttingen 1980.

Aron, R., Die imperiale Republik. Stuttgart 1975.

Austensen, R., Einheit oder Einigkeit? Another Look at Metternich's view of the German Dilemma (= German Studies Review VI/I) 1983.

Auswärtiges Amt (Hg.), Abrüstung und Rüstungskontrolle. Dokumente zur Haltung der Bundesrepublik Deutschland. Bonn [4]1980.

Dass. (Hg.), Die auswärtige Politik der Bundesrepublik Deutschland. Bonn 1972.

Backer, J. H., Die Entscheidung zur Teilung Deutschlands. Amerikas Deutschlandpolitik 1943–1948. München 1981.

Ders., Die deutschen Jahre des Generals Clay. München 1983.

Badstübner, R. u.a., DDR. Werden und Wachsen. Frankfurt 1974.

Ders./Thomas, S., Restauration und Spaltung. Entstehung und Entwicklung der BRD 1945–1955. Köln 1975.

Baring, A., Außenpolitik in Adenauers Kanzlerdemokratie. Westdeutsche Innenpolitik im Zeichen der Europäischen Verteidigungsgemeinschaft. 2 Bde. München (dtv) 1971.

Ders., Machtwechsel. Die Ära Brandt-Scheel. Stuttgart 1982. (dtv 1984)

Barraclough, G., Das Ende einer Illusionspolitik. (Bl. f. dt. und internat. Politik VI/1961).

*Baumgart, W.**, Vom Europäischen Konzert zum Völkerbund. Darmstadt 1974.

Bayerische Staatskanzlei (Hg.), Dokumentation der Bayerischen Staatsregierung zur Prüfung der Verfassungsmäßigkeit des Grundvertrags durch das BVG. München 1973.

Becker, J. (Hg.)*, Dreißig Jahre Bundesrepublik. München 1979.

Ders., Die deutsche Frage als Problem des internationalen Staatensystems. (Pol. Stud. 252) 1980.

Ders. u.a. (Hg.), Vorgeschichte der Bundesrepublik Deutschland. Zwischen Kapitulation und Grundgesetz. München 1979.

Ders./Hildebrand, K. (Hg.)*, Internationale Beziehungen in der Weltwirtschaftskrise 1929–1933. München 1980.

Ders./Hillgruber, A. (Hg.)*, Die Deutsche Frage im 19. und 20. Jahrhundert. München 1983.

Bender, P., Die Ostpolitik Willy Brandts oder die Kunst des Selbstverständlichen. Reinbek 1972.

Benz, W. u.a., Einheit der Nation. Diskussionen und Konzeptionen zur Deutschlandpolitik der großen Parteien seit 1945. Stuttgart 1978.

Benz, W. (Hg.)*, Die Bundesrepublik Deutschland. 3 Bde. Frankfurt (Fischer TB) 1983.

Berding, H. (Hg.)*, Wirtschaftliche und politische Integration in Europa im 19. und 20. Jahrhundert, Göttingen 1984.

Berghahn, V., Rüstung und Machtpolitik. Düsseldorf 1973.

Besson, W., Die Außenpolitik der Bundesrepublik Deutschland. Erfahrungen und Maßstäbe. München 1970.

Bölling, K., Die fernen Nachbarn. Erfahrungen in der DDR. Hamburg 1983.

Boldt, H., Deutsche Staatslehre im Vormärz. Düsseldorf 1975.

Borchardt, K., Grundriß der deutschen Wirtschaftsgeschichte. Göttingen 1978.

*Borowsky, P.**, Deutschland 1963–1969. Hannover 1983.

*Ders.**, Deutschland 1970–1976. Hannover [4]1983.

Bosl, K., Das ‚Dritte Deutschland' und die Lösung der deutschen Frage im 19. Jahrhundert. (Bohemia Jb 11/1970).

*Bracher, K. D.**, Europa in der Krise. Frankfurt 1979.

Brandt, P./Ammon, H., Die Linke und die nationale Frage. Dokumente zur deutschen Einheit seit 1945. Reinbek 1981.

Brecht, A., Federalism and Regionalism in Germany: The division of Prussia. London, Toronto 1945.

Bruns, W., Deutsch-deutsche Beziehungen. Prämissen-Probleme-Perspektiven. Opladen [2]1979.

Bundesarchiv/IfZ (Hg.), Akten zur Vorgeschichte der Bundesrepublik Deutschland 1945–1949. 5 Bde. München 1976ff.

Bundesministerium für (Gesamtdeutsche Fragen) innerdeutsche Beziehungen

(Hg.), Texte zur Deutschlandpolitik 1–12 (Dezember 1966 – Juni 1973). Bonn (Texte D. P.) 1968 ff.

Dass. (Hg.), Texte zur Deutschlandpolitik II/1–7 (1973–1980). Bonn 1975 ff.

Dass. (Hg.), Dokumente zur Deutschlandpolitik. Frankfurt 1961 ff.

*Burg, P.**, Der Wiener Kongreß. Der Deutsche Bund im europäischen Staatensystem. München 1984.

Bußmann, W. (Hg.), Europa von der französischen Revolution zu den nationalstaatlichen Bewegungen des 19. Jahrhunderts (Handbuch der europ. Geschichte, Bd. 5). Stuttgart 1981.

Calleo, D. P., Legende und Wirklichkeit der deutschen Gefahr. Neue Aspekte zur Rolle Deutschlands in der Weltgeschichte von Bismarck bis heute. Bonn 1980.

Conze, W., Die deutsche Nation. Ergebnis der Geschichte. Göttingen 1963.

Craig, G. A., Geschichte Europas 1815–1980. München 1984.

Ders., Über die Deutschen. München 1982.

Czempiel, E. O., Das Trauma Europas? (Mat. Pol. Bildung 4./4) 1980.

Dehio, L., Gleichgewicht oder Hegemonie. Krefeld 1948.

*Deuerlein, E.**, Die Einheit Deutschlands. Frankfurt 1961.

*Ders./Gruner, W. D.**, Politische Geschichte Bayerns 1945–1972 (Handbuch der Bayerischen Geschichte IV.1). München 1974.

*Deuerlein, E.**, Deutschland 1963–1970. Hannover 1972, [2]1979.

Ders., Potsdam 1945. Ende und Anfang. Köln 1970.

Ders. (Hg.)*, DDR 1945–1970. München (dtv) 1971, [5]1975.

*Ders.**, Föderalismus. Bonn 1972.

Deutscher Bundestag/Presse- und Informationsamt (Hg.), Deutschlandpolitik. Öffentliche Anhörungen des Ausschusses für innerdeutsche Beziehungen (= Zur Sache 4/77). Bonn 1977.

Dass., Die deutsche Frage in der politischen Bildung (= Zur Sache 2/78). Bonn 1978.

Dass., Deutsche Geschichte und politische Bildung (= Zur Sache 2/81). Bonn [2]1982.

Dohse, R., Der dritte Weg, Hamburg 1974.

*Duchardt, H.**, Gleichgewicht der Kräfte, Convenance, Europäisches Konzert. Darmstadt 1976.

End, H., Zwei Mal deutsche Außenpolitik. Köln 1973.

Erbe, G. u. a., Politik, Wirtschaft und Gesellschaft in der DDR. Opladen [2]1980.

Erdmann, K. D. (Hg.), Kurt Riezler. Tagebücher, Aufsätze, Dokumente. Göttingen 1972.

Ders./Schulze, H. (Hg.)*, Weimar. Selbstpreisgabe einer Demokratie. Eine Bilanz heute. Düsseldorf 1980.

*Eschenburg, Th.**, Jahre der Besatzung (= Geschichte der Bundesrepublik Deutschland, Bd. 1). Stuttgart, Wiesbaden 1983.

*Faber, K. G.**, Deutsche Geschichte im 19. Jahrhundert. Restauration und Revolution von 1815 bis 1851 (= Just, Handbuch der Deutschen Geschichte 3/Ib). Wiesbaden 1979.

*Fehrenbach, E.**, Vom Ancien Régime zum Wiener Kongreß. München, Wien 1981.

Fellner, F., Die Friedensordnung von Paris 1919/20. Machtdiktat oder Rechtsfriede? (Festschrift Neck II). Wien 1981.

Fischer, F., Griff nach der Weltmacht. Kronberg (ADTB) 1977.

Ders., Bündnis der Eliten. Düsseldorf 1979.

Foeltz-Schroeter, M. E.*, Föderalistische Politik und nationale Repräsentation 1945–1947. Stuttgart 1974.

Frei, D., Sicherheit. Grundfragen der Weltpolitik. Stuttgart 1977.

Fritsch-Bournazel, R., Die Sowjetunion und die deutsche Teilung. Die sowjetische Deutschlandpolitik 1945–79. Opladen 1979.

Füllenbach, J./Schulz, E. (Hg.)*, Entspannung am Ende? München 1980.

Funke, M. (Hg.)*, Hitler, Deutschland und die Mächte. Kronberg (ADTB) 1978.

Ders., Der Verfall politischer Vernunft in Monarchie, Republik und Diktatur. (Aus Politik und Zeitgeschichte B2/80). 1980.

Gall, L., Die ‚Deutsche Frage' im 19. Jahrhundert (= 1871 – Fragen an die deutsche Geschichte). Berlin, Bonn 1971.

*Ders.**, Bismarck. Der weiße Revolutionär. Frankfurt (auch TB) 1980.

*Ders.**, Europa auf dem Weg in die Moderne 1850–1890. München 1984.

Gasteyger, C., Die beiden deutschen Staaten in der Weltpolitik. München 1976.

Gaus, G., Wo Deutschland liegt. Hamburg 1983.

Geyer, D. (Hg.)*, Osteuropahandbuch: Sowjetunion. Außenpolitik I: 1917–1955. Köln 1972.

*Görtemaker, M.**, Die unheilige Allianz. Die Geschichte der Entspannungspolitik 1943–1979. München 1979.

Gotto, K., Maier, H., Morsey, R. (Hg.)*, Konrad Adenauer. Seine Deutschland- und Außenpolitik 1945–1963. München (dtv) 1975.

*Grabbe, H. J.**, Unionsparteien, Sozialdemokratie und Vereinigte Staaten von Amerika 1945–1966. Düsseldorf 1983.

Gradl, J. B., Mut zur Einheit. FS für J. B. Gradl. Bonn 1984.

*Graml, H.**, Europa zwischen den Kriegen. München (dtv) 1969 u. ö.

Griewank, K., Der Wiener Kongreß. Leipzig 1942, [2]1954.

Ders., Preußische Neuordnungspläne für Mitteleuropa aus dem Jahre 1814 (Deutsches Archiv für Landes- u. Volksforschung). 1942.

*Grosser, A.**, Deutschlandbilanz. Geschichte Deutschlands seit 1945. München (auch TB) 1970.

Ders., Das Bündnis. München 1978.

Ders., Versuchte Beeinflussung. Zur Kritik und Ermunterung der Deutschen. München 1981.

*Gruner, W. D.**, Die belgisch-luxemburgische Frage im Spannungsfeld europäischer Politik 1830–1839. (= Francia 5/1978). 1978.

Ders., Europäischer Friede als nationales Interesse. (= Bohemia Jahrbuch 18). 1977.

*Ders.**, Großbritannien, der Deutsche Bund und die Struktur des Europäischen Friedens im frühen 19. Jahrhundert. München 1979.

Ders., Der Deutsche Bund – Modell für eine Zwischenlösung? (Politik und Kultur 9/1982, H. 5). 1982 (1).

Ders., Großbritannien und die Julirevolution von 1830. (= Francia 9/1982). 1982 (2).

Ders., Die deutschen Einzelstaaten und der Deutsche Bund (Festschrift *Spindler* Bd. III) 1984.

Ders., Der Deutsche Bund als ‚Centralstaat von Europa'. S. *Kettenacker/Seier/Schlenke* (Hg.).

Ders., Europa, Deutschland und die internationale Ordnung im 19. Jahrhundert (Politik und Kultur 11/H. 2, 1984).

*Hahn, H. W.**, Wirtschaftliche Integration im 19. Jahrhundert. Göttingen 1982.

Heeren, A. L. H., Der Deutsche Bund in seinen Verhältnissen zu dem Europäischen Staatensystem. Göttingen 1816.

Henning, F. W., Die Industrialisierung in Deutschland 1800 bis 1914. Paderborn (UTB) ^{3}1976.

Herz, J. H., Staatenwelt und Weltpolitik. Hamburg 1974.

*Heß, J.**, Die Bundesrepublik Deutschland auf dem Wege zur Nation? (Neue Politische Literatur 26). 1981.

*Hildebrand, K.**, Deutsche Außenpolitik 1933–1945. Kalkül oder Dogma? Stuttgart, Berlin, Mainz 1976 u. ö.

*Ders.**, Das Dritte Reich. München, Wien 1979 (1).

Ders., Staatskunst oder Systemzwang? Die ‚Deutsche Frage' als Problem der Weltpolitik (= Historische Zeitschrift 228). 1979 (2).

Hillgruber, A., Bismarcks Außenpolitik. Freiburg 1972.

Ders., Deutsche Geschichte 1945–1972. Frankfurt (TB) 1974 u. ö.

Ders., Otto von Bismarck. Göttingen 1978.

*Ders.**, Europa in der Weltpolitik der Nachkriegszeit 1945–1963. München, Wien ^{2}1981.

Ders., Ein Pfad und drei Holzwege (Deutschland-Archiv 17/1984).

*Ders.**, Die gescheiterte Großmacht. Düsseldorf 1980.

Ders./Dülffer, J. (Hg.), Ploetz. Geschichte der Weltkriege. Mächte, Ereignisse, Entwicklungen 1900–1945. Freiburg, Würzburg 1981.

Ders., ‚Revisionismus' – Kontinuität und Wandel in der Außenpolitik der Weimarer Republik (= Hist. Zeitschrift 237). 1982.

Hofer, W. (Hg.)*, Europa und die Einheit Deutschlands. Köln 1970.

Hubatsch, W., Die Deutsche Frage. Würzburg ^{2}1962.

Ders. (Hg.), Freiherr vom Stein. Briefe und amtliche Schriften. Stuttgart 1961 ff.

*Institut für Zeitgeschichte (IfZ)**, Westdeutschlands Weg zur Bundesrepublik 1945–1949. München 1976.
Jacobsen, H. A. (Hg.), Von der Strategie der Gewalt zur Politik der Friedenssicherung. Düsseldorf 1977 (1).
Ders., Der Weg zur Teilung der Welt. Koblenz, Bonn 1977 (2).
Ders. u. a. (Hg.)*, Drei Jahrzehnte Außenpolitik der DDR. München 1979.
Jäckel, E., Geschichtliche Grundlagen des gegenwärtigen Deutschland (= Wirtschaft, Gesellschaft, Geschichte). Stuttgart 1974.
Ders., Hitlers Weltanschauung. Stuttgart 1981.
Jahn, E./Rittberger, V. (Hg.), Die Ostpolitik der BRD. Triebkräfte, Widerstände, Konsequenzen. Opladen 1974.
*Jerchow, F.**, Deutschland in der Weltwirtschaft 1944–1947. Düsseldorf 1978.
*Jesse, E.**, Die deutsche Frage rediviva (Deutschland-Archiv 17/1984).
Joll, J. B., The Course of German History (= *Hopwood, R. F.* (Hg.), Germany: People and Politics 1750–1945). 1968.
Ders., Europe. A Historian's View. Leeds 1969.
*Jüttner, A.**, Die deutsche Frage. Eine Bestandsaufnahme. Köln 1971.
Kaiser, K./Morgan, R. (Hg.), Strukturwandlungen der Außenpolitik in Großbritannien und der Bundesrepublik. München, Wien 1970.
Ders./Schwarz, H. P. (Hg.), Amerika und Westeuropa. Stuttgart 1977.
Ders. u. a. Die EG vor der Entscheidung. Fortschritt oder Verfall? Bonn 1983.
Katzenstein, P. J., Disjoined Partners. Austria and Germany since 1815. Berkeley, Los Angeles, London 1976.
Kennan, G. F., Bismarcks Europäisches System in der Auflösung. Die französisch-russische Annäherung. Frankfurt, Berlin 1981.
Ders., Rußland, der Westen und die Atomwaffe. Frankfurt (TB) 1982.
*Kennedy, P. M.**, The Rise of Anglo-German Antagonism. London 1980.
Kettenacker, L./Seier, H./Schlenke, M. (Hg.)*, Studien zur Geschichte Englands und der deutsch-britischen Beziehungen. Festschrift für Paul Kluke. München 1981.
Kissinger, H. A., Memoiren 1968–1973. München 1979.
*Kleßmann, Ch.**, Die doppelte Staatsgründung. Göttingen 1982. 31984.
Koch-Hillebrecht, M., Das Deutschenbild. München 1977.
Kolb, E. (Hg.)*, Europa und die Reichsgründung. (HZ Beiheft 6). 1980.
*Ders.**, Die Weimarer Republik. München 1984.
*Kraehe, E. E.**, Metternich's German Policy. I: The Contest with Napoleon 1799–1814; II: The Congress of Vienna. Princeton 1963/1983.
Ders., Austria and the Problem of Reform in the German Confederation 1851–1863 (American Historical Review LVI). 1951.
Ders., Practical Politics in the German Confederation. Bismarck and the Commercial Code (= Journal of Modern History 25). 1953.
*Krockow, Ch. Gf.**, Nationalismus als deutsches Problem. München 21974.

Krüger, P., Deutscher Nationalismus und europäische Verständigung. Das Verhältnis Deutschlands zu Frankreich während der Weimarer Republik (Vortr. Stresemanngesellschaft). 1983.
Ders.★, Die Außenpolitik der Republik von Weimar. Darmstadt 1985.
Langewiesche, D.★, Restauration und Revolution 1815–1849. München 1985.
Laqueur, W., Europa aus der Asche. München, Zürich, Wien 1970.
Lehmann, H. G.★, Der Oder-Neiße-Konflikt. München 1979.
Ders., Chronik der Bundesrepublik Deutschland 1945/49 – 1981. München 1981.
Lipgens, W., Europa-Föderationspläne der Widerstandsbewegungen 1940–1945. Eine Dokumentation. München, Wien 1968.
Ders., Die Anfänge der europäischen Einigungspolitik 1945–1950. Teil I: 1945–1947. Stuttgart 1977.
Löwenthal, R.★, Vom Kalten Krieg zur Ostpolitik. Stuttgart 1974.
Ders./Schwarz, H. P. (Hg.)★, Die Zweite Republik. Stuttgart 1974.
Loth, W.★, Die Teilung der Welt 1941–1955. (dtv) München [3]1983.
Ludz, P. C., Die DDR zwischen Ost und West von 1961 bis 1976. München 1977.
Ders. (Wiss. Leitung)★, DDR-Handbuch. Köln [2]1979.
Lutz, H., Österreich-Ungarn und die Gründung des Deutschen Reiches. Europäische Entscheidungen 1867–1871. Berlin 1979.
Ders./Rumpler, H. (Hg.)★, Österreich und die Deutsche Frage im 19. und 20. Jahrhundert. München, Wien 1982.
Meinecke, F., Weltbürgertum und Nationalstaat. München 1908.
Meissner, B. (Hg.), Die deutsche Ostpolitik 1961–1970. Köln 1970.
Ménudier, H., Das Deutschlandproblem aus französischer Sicht (= Politik und Kultur 10/1983, H. 6). 1983.
Michalka, W. (Hg.)★, Nationalsozialistische Außenpolitik. Darmstadt 1978.
Ders./Lee, M. M. (Hg.)★, Gustav Stresemann. Darmstadt 1982.
Moersch, K., Kursrevision. Deutsche Politik nach Adenauer. Frankfurt 1978.
Mommsen, W., Europa und die Weltpolitik (Archiv f. Politik u. Geschichte 3 [8] H. 1). 1925.
Mommsen, W. J., Das deutsche Kaiserreich als System umgangener Entscheidungen (= *Berding, H. u. a.* (Hg.), Vom Staat des Ancien Régime zum modernen Parteienstaat. Festschrift für Th. Schieder). München, Wien 1978.
Ders., Die latente Krise des Deutschen Reiches 1909–1914 (= *Just*, Handbuch der deutschen Geschichte IV.1.1 a). Frankfurt 1973.
Ders., Das Zeitalter des Imperialismus (= Fischer Weltgesch. 28). 1969 u. ö.
Morsey, R./Repgen, K. (Hg.), Adenauerstudien III. Mainz 1974.
Müller-Roschach, H., Die deutsche Europapolitik. Baden-Baden 1974.

Naumann, F., Mitteleuropa. Berlin 1915.
Näf, W., Die Friedensschlüsse von 1919/20 und die Begründung des Völkerbundes (= Ders., Staat und Staatsgedanke. Bern, 1935.)
Niclauß, Kh., Kontroverse Deutschlandpolitik. Frankfurt 1977.
Niedersächsische Landeszentrale für Politische Bildung (Hg.), Die Deutsche Frage. Hannover 1982.
Niedhart, G. (Hg.), Kriegsbeginn 1939. Darmstadt 1976.
Ders., Internationale Beziehungen im 19. und 20. Jahrhundert. Düsseldorf 1978.
Nipperdey, Th., 1933 und die Kontinuität der deutschen Geschichte (= Hist. Zeitschrift 227, auch *Stürmer*, Weimar). 1978.
Ders., Probleme der Modernisierung in Deutschland (= Saeculum 30). 1979 (1).
Ders., Der lange Weg zum Einheitsstaat: Zur Vergangenheit der „deutschen Frage" (Sendung BR v. 15. 11. 1979, Funksk.). 1979 (2).
Ders., Der deutsche Föderalismus zwischen 1815 und 1866 im Rückblick. (Festschrift *Spindler* Bd. III) 1984.
*Ders.**, Deutsche Geschichte 1800–1866. München 1983.
Nitti, F., Das friedlose Europa. Frankfurt 1921.
Ders., Der Niedergang Europas. Frankfurt 1922.
Nolte, E., Der Weltkonflikt in Deutschland. München 1981.
Ders., Deutschland und der Kalte Krieg. München, Zürich 1974.
Northedge, F. S., The International Political System. London 1976.
Nübel, O., Die amerikanische Reparationspolitik gegenüber Deutschland 1941–1945. Frankfurt 1980.
Page, H., Reunification and the Successor Generation in Germany (= The Washington Quarterly 7 No. 1 Winter 1984).
Peisl, A./Mohler, A. (Hg.), Die deutsche Neurose. Frankfurt 1980.
Picht, R. (Hg.), Deutschland, Frankreich, Europa. München 1978.
Ders., Das Bündnis im Bündnis. Deutsch-französische Beziehungen im Spannungsfeld. Berlin 1982.
Pflanze, O. (Hg.)*, Innenpolitische Probleme des Bismarck-Reiches. München 1983.
Planck, Ch., Sicherheit in Europa. Die Vorschläge für Rüstungsbegrenzung und Abrüstung 1955–1965. München, Wien 1968.
Poidevin, R./Bariéty, J., Frankreich und Deutschland. Die Geschichte ihrer Beziehungen 1815–1975. München 1982.
Politik und Kultur 1976ff.
Presse- und Informationsamt der Bundesregierung (Hg.)*, Politische Zeittafel 1949–1979. Bonn 1981.
Rexhäuser, R./Ruffmann, K. H., Rußland und die staatliche Einheit Deutschlands im 19. und 20. Jahrhundert (= Aus Politik und Zeitgeschichte B 9/82, s. a. *Becker/Hillgruber*, Deutsche Frage).
Ritter, G., Europa und die Deutsche Frage. München 1948.

Ders., Das deutsche Problem. Grundfragen des Staatslebens gestern und heute. München 1962.
Ritter, G. A. (Hg.)*, Gesellschaft, Parlament und Regierung. Zur Geschichte des Parlamentarismus in Deutschland. Düsseldorf 1975.
Roggemann, H., Die DDR-Verfassungen. Berlin 1976.
Rohe, K. (Hg.)*, Die Westmächte und das Dritte Reich. Paderborn 1982.
Rosenberg, H., Große Depression und Bismarckzeit. Berlin 1967.
Ders., Die Weltwirtschaftskrise 1857–1859. Göttingen 1974.
Salewski, M., Das Weimarer Revisionssyndrom (Aus Politik u. Zeitgeschichte B 2/80 v. 12. 1.). 1980.
Scheel, W. (Hg.)*, Nach dreißig Jahren. Die Bundesrepublik Deutschland – Vergangenheit-Gegenwart-Zukunft. Stuttgart 1979.
Schenck, E. v., Europa vor der deutschen Frage. Frankfurt 1947.
Schieder, Th. (Hg.)*, 1968 ff. Handbuch der Europäischen Geschichte. 7 Bde. Stuttgart 1968 ff.
Ders./Deuerlein, E. (Hg.)*, Reichsgründung 1870/71. Stuttgart 1970.
*Ders.**, Staatensystem als Vormacht der Welt (= Propyläengeschichte Europas, Bd. 5). Berlin (auch TB) 1977.
Ders., Die deutsche Frage (Meyer's Enzyklopäd. Lexikon). Bd. 6, 1978.
Ders., Die mittleren Staaten im System der großen Mächte. (= Hist. Zeitschrift 232). 1981.
Schmidt, C., Politik als geistige Aufgabe. München, Zürich 1976.
Schmidt, W. A., Geschichte der deutschen Verfassungsfrage während der Befreiungskriege und des Wiener Kongresses. 1812 bis 1815. Stuttgart 1890.
Schmitt, H. A., Germany without Prussia: A closer look at the Confederation of the Rhine (= German Studies Review VI/1). 1983.
Schnabel, F., Deutschland in den weltgeschichtlichen Wandlungen des letzten Jahrhunderts. Leipzig 1927.
Ders., L'Allemagne et l'Europe (= L'Europe du XIXe et XXe Siècle III). Mailand 1958.
Ders., Deutsche Geschichte im 19. Jahrhundert. 8 Bde. Freiburg 1964 f.
*Schroeder, P. W.**, The Lost Intermediaries: The Impact of 1870 on the European System (The Internat. History Review VI/1). 1984.
Schubert, K. v. (Hg.)*, Die Sicherheitspolitik der Bundesrepublik. Dokumentation 1945–1977. Köln ²1980.
Schütz, W. W., Die Stunde Deutschlands. Wie kann Deutschland wiedervereinigt werden? Stuttgart 1954.
Ders., Reform der Deutschlandpolitik. Köln, Berlin 1965.
Ders., Deutschland-Memorandum. Eine Denkschrift und ihre Folgen (Fischer TB 903). 1968.
*Schulze, E.**, Die deutsche Nation in Europa. Bonn 1982.
Ders./Danylow, P. Bewegung in der deutschen Frage? Bonn 1984.
*Schulz, G.**, Deutsche Geschichte 1918–1945. Göttingen 1976.
*Schulze, H.**, Weimar. Deutschland 1917–1933. Berlin 1982.

Ders., Europa und die deutsche Frage in historischer Perspektive. (= Politik und Kultur 10/83, H. 5). 1983.

*Schuster, R.**, Deutschlands staatliche Existenz im Widerstreit politischer und rechtlicher Gesichtspunkte 1945–1963. München, Wien 1963.

Schwarz, H. P. (Hg.)*, Handbuch der deutschen Außenpolitik. München 1975.

*Ders.**, Vom Reich zur Bundesrepublik. Stuttgart [2]1980.

*Ders.**, Die Ära Adenauer 1949–1957 (= Geschichte der Bundesrepublik Deutschland, Bd. 2). Stuttgart, Wiesbaden 1981.

Schwarz, K. D. (Hg.), Sicherheitspolitik. Bad Honnef [3]1978.

Sheehan, J. J., What is German History? Reflections on the Role of the *Nation* in German History and Historiography (= Journal of Modern History 53). 1981.

Ders., Der deutsche Liberalismus ... 1770–1914. München 1983.

Siegler, H. v., Wiedervereinigung und Sicherheit Deutschlands, I: 1944–1963, II: 1964–1968. 1967 f.

Sked, A. (Hg.), Europe's Balance of Power 1815–1848. London 1979.

Sommer, Th. (Hg.), Denken an Deutschland. Zum Problem der Wiedervereinigung. Hamburg 1966.

Sontheimer, K./Bleek, W. (Hg.), Die DDR. Politik, Gesellschaft, Wirtschaft. Hamburg [5]1979.

Sowden, J. K., The German Question 1945–1973. London 1975.

*Spencer, R.**, Thoughts on the German Confederation 1815–1866 (Canadian Historical Association Report 1962, 68–81).

Steinbach, P., Die Deutschen. Gedanken zur politischen Kultur und historisch geprägten Identität der deutschen Nation. (= Politische Vierteljahrschrift 24). 1983.

Steinert, M. G., Hitlers Krieg und die Deutschen. Düsseldorf 1970.

*Steininger, R.**, Deutsche Geschichte 1945–1961. 2 Bde. Frankfurt 1983.

Stern, C./Winkler, H. A. (Hg.), Wendepunkte deutscher Geschichte 1848–1945. Frankfurt (TB) 1979.

Stürmer, M., Das ruhelose Reich. Deutschland 1866–1918. Berlin 1983.

Ders. (Hg.), Die Weimarer Republik. Königstein 1980.

Ders., Jenseits des Nationalstaats (= Politik u. Kultur 1975, H. 3/4).

Taylor, A. J. P., The Course of German History. London 1971 (1945).

*Timmermann, H.**, Bundesrepublik – DDR. Grundzüge im Vergleich. Opladen 1984.

Treitschke, H. v., Bundesstaat und Einheitsstaat. (= Historische und politische Aufsätze, Bd. 2). Leipzig 1921.

Ders., Deutsche Geschichte im 19. Jahrhundert. Leipzig 1879 ff.

Uffelmann, U., Internationale Politik und deutsche Frage. Düsseldorf 1976.

Veblen, Th., Imperial Germany and the Industrial Revolution. Ann Arbor 1968 (1915).

Venohr, W. (Hg.), Die deutsche Einheit kommt bestimmt. Bergisch-Gladbach 1982.
Vierhaus, R., Der gescheiterte Kompromiß. Goslar 1969.
Vogelsang, Th., Das geteilte Deutschland. München (dtv) [11]1982.
Walker, M., German Home Towns. Community, State, and General Estate 1648–1871. Ithaca, London 1971.
Watt, D. C., Every War must end: War-time planning for post-war security in Britain and America in the Wars of 1914–18 and 1939–45 (Transactions of the Royal Hist. Soc. 5. ser. 128, 1978). 1978.
Weber, H., Die Sozialistische Einheitspartei Deutschlands 1946–1971. Hannover 1971.
Ders., DDR-Grundriß der Geschichte 1945–76 (81). Hannover 1976–81.
Weber, W./Jahn, W. (Bearb.), Synopse zur Deutschlandpolitik 1941 bis 1973. Göttingen 1973.
Webster, Ch. K. (Hg.), British Diplomacy 1813–1815. London 1921.
Wehler, H. U., Das deutsche Kaiserreich. Göttingen 1973 u. ö.
Ders., Vom Unsinn geostrategischer Konstanten oder ,,Deutschland verkeilt in der Mittellage". (= Der Monat 284). 1982.
Weidenfeld, W. (Hg.), Die Identität der Deutschen. München 1983.
Weis, E., Gesellschaftsstrukturen und Gesellschaftsentwicklung in der frühen Neuzeit (= *Bosl, K./Weis, E.*, Gesellschaft in Deutschland, I). München 1976.
Ders., Der Durchbruch des Bürgertums 1776–1847. (= Propyläen Geschichte Europas, Bd. 4). Berlin (auch TB) 1978.
*Ders., (Hg.)**, Reformen im rheinbündischen Deutschland. München 1984.
*Wendt, B. J.**, Deutschland in der Mitte Europas. Grundkonstellationen der Geschichte. (= Deutsche Studien). 1981.
Ders. (Hg.), Das britische Deutschlandbild im Wandel des 19. und 20. Jahrhunderts (Schriften ADEF, Bd. III). Bochum 1984.
Wettig, G., Die Sowjetunion, die DDR und die Deutschlandfrage 1965 bis 1976. Stuttgart 1976.
Willms, B., Die Deutsche Nation. Köln 1982.
Windelen, H., Beiträge zur Deutschlandpolitik. Bonn 1983.
Windsor, Ph., Germany and the Management of Détente. London 1971.
*Wollstein, G.**, Das Großdeutschland der Paulskirche. Düsseldorf 1977.
Ders., Mitteleuropa und Großdeutschland – Visionen der Revolution 1848/49 (= *Langewiesche, D.* (Hg.)*, Die Deutsche Revolution von 1848/49). Darmstadt 1983.
Ziebura, G. (Hg.), Grundfragen der deutschen Außenpolitik seit 1871. Darmstadt 1975.
Zündorf, B., Die Ostverträge. München 1979.

Der Autor

Wolf D. Gruner, geboren 1944, Dr. phil. (1971), Dr. phil. habil. (1980). Studium der Geschichte, Sozial- und Wirtschaftsgeschichte, Anglistik und Sozialwissenschaften in Erlangen und München. 1971–1973 Wissenschaftlicher Assistent am Historischen Seminar der Universität München (Lehrstuhl Professor Dr. Ernst Deuerlein). 1974–1980 Assistenzprofessor für Neuere und Neueste Geschichte, Hochschule der Bundeswehr München. Seit dem Tode Thilo Vogelsangs Lehrtätigkeit an der TU München, zuletzt als Privatdozent (1978–1982). 1981/82 Vertretung einer Professur an der Universität Würzburg. Seit 1982 Professor für Neuere Europäische Geschichte an der Universität Hamburg. 1983 Visiting Professor an der Indiana University in Bloomington.

Veröffentlichungen u. a.: Das bayerische Heer 1825–1864 (1972); Deutschland 1963–1970 (1972), Briefwechsel Hertling-Lerchenfeld (1973), Politische Geschichte Bayerns 1945–1972 (1974) zus. mit Ernst Deuerlein; Friedenssicherung und politisch-soziales System: Großbritannien auf den Pariser Friedenskonferenzen 1919 (1979); Großbritannien, der Deutsche Bund und die Struktur des europäischen Friedens im frühen 19. Jahrhundert (1979); Die belgisch-luxemburgische Frage im Spannungsfeld europäischer Politik 1830–1839 (1978); Großbritannien und die Julirevolution (1982); Der Deutsche Bund – Modell für eine Zwischenlösung? (1982); Europa, Deutschland und die internationale Ordnung im 19. Jahrhundert (1984).

Buchanzeigen

Deutsche und europäische Geschichte

Gordon A. Craig
Das Ende Preußens
Acht Porträts
1985. Etwa 130 Seiten mit 8 Abbildungen. Leinen

Gordon A. Craig
Über die Deutschen
82. Tausend. 1984. 392 Seiten. Leinen

Gordon A. Craig und Alexander L. George
Zwischen Krieg und Frieden
Konfliktslösung in Geschichte und Gegenwart
1984. 331 Seiten. Leinen

Thomas Nipperdey
Deutsche Geschichte 1800–1866
Bürgerwelt und starker Staat
2. Auflage. 1984. 838 Seiten mit 36 Tabellen. Leinen

Gordon A. Craig
Deutsche Geschichte 1866–1945
Vom Norddeutschen Bund bis zum Ende des Dritten Reiches
58. Tausend. 1985. 806 Seiten. Leinen

Gordon A. Craig
Geschichte Europas 1815–1980
Vom Wiener Kongreß bis zur Gegenwart
Aus dem Englischen von Marianne Hopmann. 17. Tausend der Sonderausgabe in einem Band
1984. 707 Seiten mit 101 Abbildungen. Leinen

Raymond Poidevin und Jacques Bariety
Frankreich und Deutschland
Die Geschichte ihrer Beziehungen 1815–1975
1982. 498 Seiten mit 8 Karten und 4 Tabellen. Leinen

Verlag C. H. Beck München

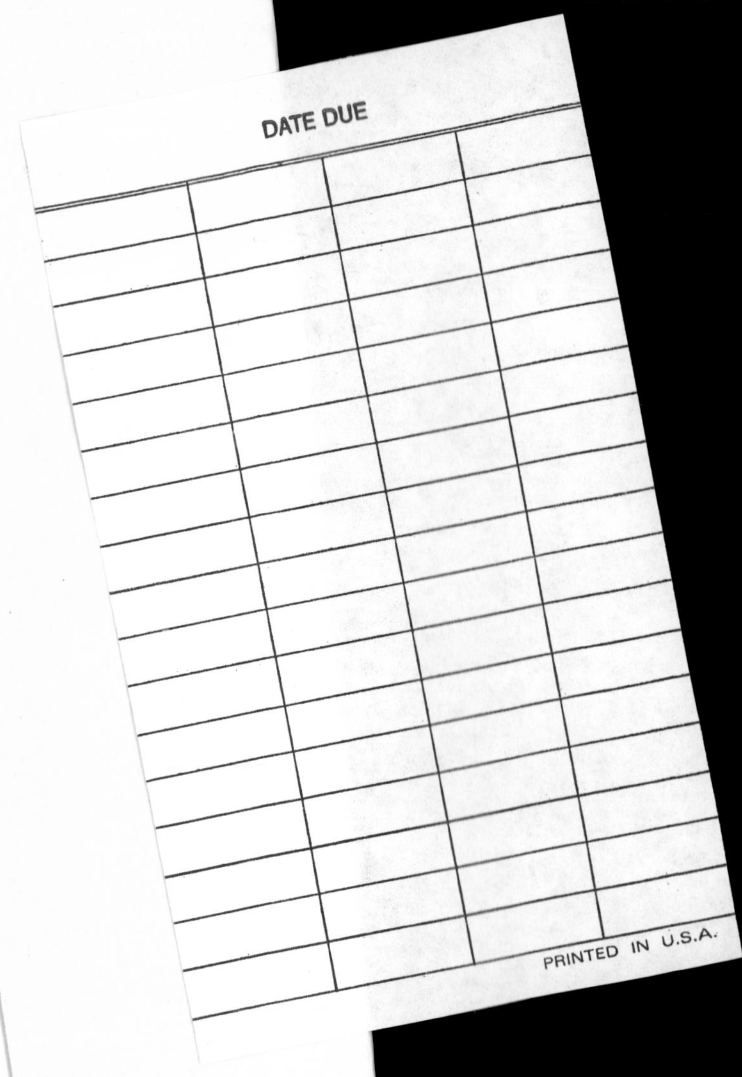